HISTÓRIAS DO MAR

200 CASOS VERÍDICOS DE FAÇANHAS, DRAMAS, AVENTURAS E ODISSEIAS NOS OCEANOS

JORGE DE SOUZA

EDITORA Agência2

10ª EDIÇÃO

HISTÓRIAS DO MAR

200 casos verídicos de façanhas, dramas, aventuras e odisseias nos oceanos

10ª Edição – janeiro de 2025

DIAGRAMAÇÃO
Homero Letonai

REVISÃO
Fernanda Marão

CAPA
Adobe Stock

Impressão Plenaprint

DADOS INTERNACIONAIS DE CATALOGAÇÃO NA PUBLICAÇÃO (CIP)

S729h Souza, Jorge de
Histórias do mar : 200 casos verídicos de façanhas, dramas, aventuras e odisseias nos oceanos / Jorge de Souza. - São Paulo: [Agencia 2 Comunicações], 2019.
336 p. ; 16 x 23 cm.

ISBN 978-65-900201-0-9

1. Relatos históricos. 2. Expedições geográficas. 3. Viagens de descoberta. 4. Navegação. 5. Aventuras. 6. Naufrágios. 7. Travessias oceânicas. 8. Expedições marítimas. 9. Regatas. I. Título.

CDU 910.4(091)

Bibliotecária responsável: Bruna Heller – CRB 10/2348

Índice para catálogo sistemático:
1. Viagens de descoberta e expedições geográficas 910.4
2. História, relatos históricos (094)

PREFÁCIO

Em 29 de janeiro de 2014, o casco de um pequeno barco foi dar numa esquecida praia das Ilhas Marshall, nos confins do Oceano Pacífico. Dentro dele, havia um homem combalido e praticamente nu, mas com uma extraordinária história para contar: a de como sobrevivera no mar ao longo de 13 meses sem água nem comida depois que o motor de seu barco quebrou, condenando-o a atravessar, à deriva, o maior dos oceanos. Um feito inacreditável — não fosse ser pura verdade.

Esta e outras 199 histórias que têm o mar como principal protagonista compõe a coletânea de façanhas, dramas, aventuras, mistérios e odisseias marítimas que dão forma a este livro, fruto de anos de pesquisas sobre o período mais intenso da navegação humana, os últimos cinco séculos.

Algumas histórias são divertidas, outras relatam tristes acontecimentos, com exceção proposital do mais famoso naufrágio de todos os tempos, o do Titanic, já exaustivamente contado e explorado. No entanto, mesmo acontecimentos semelhantes (naufrágios, travessias, etc) tiveram, nas histórias aqui contadas, detalhes ou desfechos diferentes, o que, por si só, mostra que o mar não é imenso apenas no tamanho, mas, também, na diversidade de histórias que é capaz de produzir.

Uma pequena parte delas (ainda assim muitas) estão aqui, contadas como de fato aconteceram, já que são todas verídicas — em alguns casos, inacreditavelmente verdadeiras, por mais incrível que isso possa parecer.

Prepare-se para se surpreender, assim como eu, com as impressionantes histórias que o mar já ajudou a escrever. E que eu, apenas, transcrevi.

O autor

AS 200 HISTÓRIAS

Capítulo 1 - GRANDES NAVEGAÇÕES - 1500 A 1800

Capítulo 2 - TRAVESSIAS OCEÂNICAS - 1800 A 1900

Capítulo 3 - **GUERRAS E ODISSEIAS NOS MARES - 1900 A 2000**

Capítulo 4 - **HISTÓRIAS RECENTES - 2000 EM DIANTE**

CAPÍTULO 1

GRANDES NAVEGAÇÕES

1500 A 1800

O rinoceronte que morreu no mar

Como ninguém queria ficar com o animal, ele foi passando de barco em barco. Até que virou vítima de naufrágio

No século 16, para facilitar as negociações entre os reinos, eram comuns as trocas de presentes entre os reis. Não raro, esses presentes incluíam animais exóticos ou seres desconhecidos do outro lado do mundo. Foi assim que um enorme rinoceronte foi parar em Portugal, como presente de um sultão asiático, depois de ter sido devidamente "despachado" para a corte pelo vice-rei de Goa, Afonso de Albuquerque, a quem o presente havia sido originalmente dado.

O animal pesava quatro toneladas, era selvagem e dava um trabalho danado, razões mais do que suficientes para Albuquerque mandá-lo adiante rapidamente. O escolhido, desta vez, foi o rei português D. Manuel I, que já mantinha uma coleção de animais exóticos em Lisboa, entre eles, um lendário elefante albino, de pele quase branca, que acabaria por se tornar uma espécie de símbolo da inutilidade.

Em maio de 1515, o rinoceronte chegou à Portugal, onde, no entanto, ficou por pouco tempo, porque o rei logo descobriu a dificuldade que era mantê-lo em cativeiro. Foi, então, convenientemente enviado como presente ao Vaticano, para agradar ao papa Leão X, que também apreciava animais exóticos e a quem interessava a Portugal estreitar os laços.

BEM ANTES DE NAPOLEÃO

Em 1515, após ter traído a corte portuguesa durante a colonização de Goa e ter sido cruelmente punido por isso, com a decepação do nariz, das orelhas e da mão direita, o português Fernão Lopes foi embarcado numa caravela e mandado de volta à Portugal. Mas quando o barco parou na Ilha de Santa Helena para reabastecer de água doce, ele pediu para desembarcar naquela ilha então deserta, pois temia novas represálias quando chegasse à Corte — e foi atendido. Tornou-se, assim, o primeiro habitante da ilha onde, três séculos depois, seria exilado Napoleão Bonaparte. Fernão ficou dez anos sozinho em Santa Helena, até que aceitou seguir viagem em uma das naus que visitavam o local. E aí veio a surpresa. Em Portugal, ele não só recebeu o perdão do Rei João III como teve direito a um pedido. E pediu para retornar à Santa Helena, onde viveu, sozinho, por mais 20 anos.

Parecia uma ótima solução para o problema. Mas o pobre animal jamais chegou lá. No caminho, a nau que o transportava, depois de uma escala na Ilha de Chateau d'If (para que o rei da França também admirasse o exótico animal), afundou na costa da Itália e o infeliz rinoceronte, que ia preso com correntes, não teve a menor chance: morreu afogado no mar, a milhares de quilômetros de seu habitat.

Dias depois, seu corpanzil foi dar na praia e, a mando do rei português, foi recolhido e empalhado, antes de retomar o caminho para o Vaticano, onde só chegou em 1516, já morto mas ainda assim despertando muita curiosidade, já que era o único rinoceronte da Europa — tanto que acabaria por ser retratado em uma famosa gravura do artista alemão Albrecht Dürer.

O desenho hoje faz parte do acervo do Museu Britânico, mas o destino do corpo embalsamado do animal que inspirou aquela obra de arte perdeu-se no tempo. Depois de ficar um tempo no Vaticano, ele tanto pode ter sido levado para Florença e ali sumido para sempre, quanto ter sido destruído durante o saque a Roma, em 1527.

Que fim levou o triste rinoceronte que morreu no mar, ninguém sabe. Mas é certo que nenhum outro de sua espécie foi tão famoso naquela época.

Cavando a praia para achar um barco

Como uma caravela portuguesa soterrada poderia ter mudado a história da Austrália

Os turistas que visitam a pequena Warrnambool, na costa sudeste da Austrália, costumam estranhar a réplica de uma caravela portuguesa que decora o principal McDonald's da cidade. Mas há uma razão para aquela incomum peça de decoração em uma lanchonete tão moderna: trata-se do "Navio de Mogno", uma espécie de símbolo da região e que, se existiu de fato, teria o poder de mudar a própria história australiana.

Tudo teria começado por volta de 1522, quando uma esquadra secreta de Portugal, sob o comando de Cristóvão de Mendonça, ali teria chegado, burlando assim o Tratado de Tordesilhas e descoberto a Austrália mais de 200 anos antes dos ingleses. Uma das naus, contudo, teria encalhado em uma das praias e ali sido abandonada.

Dois séculos e meio depois, quando os ingleses pisaram na Austrália, restos da tal nau portuguesa ainda estariam visíveis na atual baía de Armstrong. E ali teriam ficado até o final do século 19, quando desapareceram para sempre. Nascia assim a lenda (que, no entanto, pode ser verdadeira) do "Navio de Mogno", assim batizado em razão do tipo de madeira usada no seu casco, até hoje avidamente procurado por caçadores de relíquias sob as areias daquela praia australiana.

De olho no inusitado atrativo turístico, a cidade até passou a promover concursos de busca ao navio e oferecer um gordo prêmio a quem o encontrasse. Mais de 500 buracos já foram abertos na principal praia da baía e nada. A conclusão mais provável é que ou o "Navio de Mogno" foi soterrado pelo avanço do mar e acabou voltando a ficar debaixo d'água ou, como toda boa lenda, nunca existiu de fato.

O náufrago que virou atração de circo

Para provar que passara tanto tempo retido numa ilha, ele manteve a aparência de homem-bicho

O naufrágio de seu barco, em 1540, colocou o navegador espanhol Pedro Serrano num solitário banco de areia, na então deserta costa do Peru. Ali, ele sobreviveu por três anos, a base de moluscos e água de chuva.

Até que, um dia, outro náufrago foi dar na mesma ilha. Mas, a princípio, o encontro não foi nada amistoso. A aparência de Serrano era tão assustadora (seus cabelos haviam se unido à barba espessa, de forma que ele mais parecia um bicho peludo), que o recém-chegado quase saiu correndo quando o viu na praia.

Mas, depois, juntos, eles trataram de achar novas formas de extrair comida do mar e, sobretudo, de manter acesso um pequeno fogo que conseguiram, a duras penas, esfregando gravetos em algas e folhas secas.

Foi a fumaça dessa fogueira que, tempos depois, chamou a atenção de um barco que passava nas imediações. Mas, da mesma forma como o companheiro de Serrano se assustou com suas feições, os marinheiros quase deram meia-volta quando viram aqueles dois sujeitos de aparência selvagem correndo em direção à beira-mar. Eles só foram salvos porque Serrano, desesperado, começou a gritar o nome de Jesus, o que convenceu os assustados marinheiros de que aqueles homens eram seres civilizados e não pré-históricos, como pareciam.

Na longa viagem de volta à Europa, o companheiro de infortúnio de Serrano não resistiu e morreu. Mas ele sobreviveu para contar sua saga ao rei da Espanha, após se recusar a cortar o cabelo e a barba, porque eram provas do tempo que passou esquecido naquela ilha.

Mais tarde, ao perceber que todos queriam ver de perto o "homem-bicho", como passou a ser chamado, Serrano descobriu que poderia ganhar algum dinheiro se exibindo ao público nas ruas, feito uma atração de circo.

Serrano morreu um ano depois, no Panamá, segundo dizem a caminho do mesmo banco de areia que o tornou famoso em toda a Espanha. Mas isso, ao contrário de sua saga em busca da salvação, jamais foi comprovado.

O grande tesouro perdido das Bahamas

O galeão armou uma confusão que gerou o seu próprio naufrágio e um mistério que dura até hoje

A noite estava escura e sem lua na perigosa região dos baixios das Bahamas, naquele 4 de janeiro de 1656. Tão carregada de nuvens, por conta de uma tempestade que se aproximava, que o capitão do galeão espanhol Nuestra Señora de las Maravillas, que liderava uma frota de 22 barcos que haviam partido de Havana três dias antes, abarrotada de ouro, prata e riquezas extraídas de minas da América do Sul e Central, sentiu-se no dever de alertar os comandantes das outras naus sobre os riscos da navegação naquelas águas tão rasas e traiçoeiras.

Disparou, então, um dos canhões, considerando que o estampido poderia ser ouvido a distância pelo resto da flotilha. Mas os outros capitães não entenderam o sinal e aquele disparo gerou uma enorme confusão.

Julgando que a primeira nau da flotilha estava sendo atacado por piratas, algo comum na região, e por isso dispara o canhão, as tripulações dos demais galeões entraram em pânico, executaram manobras desesperadas de fuga e começaram a disparar a esmo, contra um inimigo que não existia.

No tumulto que se seguiu, um dos navios acabou colidindo com o próprio Maravillas, que começou a inundar rapidamente. Vendo que sua nau estava ferida de morte e que não aguentaria muito tempo, o capitão do galeão abalroado — o mesmo que, involuntariamente, causara tudo aquilo —, deu ordens para rumar exatamente para as mesmas águas rasas que ele tanto temia, quando deu aquele infeliz tiro de alerta.

O objetivo era fazer o galeão afundar numa região de pouca profundidade, para facilitar o resgate da fortuna que ele transportava mais tarde. Como era a nau capitânia da flotilha, o Maravillas levava, além de uma tripulação de 650 homens, o maior carregamento de ouro da esquadra. E acabou sendo a única vítima do tumulto que ele próprio causara.

O MAIOR TESOURO FOI A VIDA

Entre os 45 sobreviventes do naufrágio do galeão Nuestra Señora de las Maravillas estava um padre, o espanhol Diego Rivadeneira, que, como era praxe na época, viajava para dar conforto espiritual aos tripulantes. Mas aquele não foi o único desastre no mar no currículo do infeliz padre. Pouco antes de embarcar no Maravillas, ele havia testemunhado o naufrágio de outro galeão espanhol transbordando de ouro, o Capitana, na costa do atual Equador. E foi o seu diário, encontrado nos Arquivos Gerais da Índias, em Sevilha, 300 anos depois, que permitiu a localização do Capitana, que, quando afundou, transportava quase tantas riquezas quanto o Maravillas. Para o padre Diego, no entanto, o maior tesouro foi, sem dúvida, ter escapado com vida daqueles dois milionários naufrágios.

Nos baixios, já açoitado pelas ondas geradas pela tempestade que se aproximava, o Maravillas durou pouco. Logo tombou para um lado e para o outro; e se partiu em dois. A proa afundou rapidamente, levando junto muitos homens. Mas a popa, justamente onde estava concentrada a maior parte da sua carga milionária, foi empurrada pelos ventos para bem longe, antes de também sucumbir no oceano. Jamais se soube onde. E é justamente nesta dúvida — onde estará a popa do Maravillas? — que reside o fascínio de um enigma que dura até hoje.

Ao amanhecer do dia seguinte à tragédia, apenas 45 dos 650 tripulantes do Maravillas haviam sobrevivido ao naufrágio e foram resgatados por outro barco da frota, que acabara seguindo a nau-capitânia em sua fuga desesperada em busca de águas rasas. Uma boia foi deixada no local para o futuro resgate da preciosa carga, o que foi feito ao longo dos 40 anos seguintes.

Mesmo assim, apenas um quarto das riquezas que o barco transportava foi recuperado pelos espanhóis, já que a popa do galeão, onde, entre outras preciosidades, havia uma estátua de ouro maciço de Nossa Senhora com o Menino Jesus no colo, jamais foi oficialmente encontrada.

Três séculos se passaram até que, um dia, no início da década de 1970, a rede de um barco de pesca enganchou em algo no fundo daquele mesmo baixio das Bahamas. Os pescadores mergulharam para livrar a rede e a encontraram enroscada a um velho canhão. Intrigados, começaram a vasculhar ao redor e outras partes de uma antiga nau foram surgindo, soterradas na areia: peças de ferro carcomidas pelo tempo, antigas garrafas, pedaços de madeira apodrecida, etc. Era ela: a proa do Maravillas, cuja localização, com o passar dos séculos, também havia sido perdida.

A exploração do achado foi entregue a um americano caçador de tesouros, chamado Robert Marx, que, no entanto, logo se desentendeu com o governo das Bahamas a respeito dos direitos dos objetos que encontrou nos restos do naufrágio. Entre eles, fabulosos brincos de esmeraldas que haviam sido deixados para trás ou não foram encontrados pelos espanhóis que vasculharam os restos do naufrágio, mais de 300 anos antes.

Foi então chamado outro especialista, que, com a ajuda de sonares, retirou mais algumas peças e moedas do fundo do mar. Mas sempre da proa do galeão. De sua popa, nem sinal.

Uma das teorias para explicar o sumiço da parte posterior e mais valiosa do Maravillas é que, naquela noite, empurrada pelos fortes ventos da tempestade, ela teria se desintegrado e espalhado seu conteúdo milionário por uma vasta área. Portanto, não haveria um ponto específico do naufrágio, mas sim vários. Além disso, após mais de três séculos debaixo d'água, tudo já estaria devidamente encoberto pela areia. Oficialmente, ninguém nunca descobriu pista alguma do paradeiro da parte de trás daquele barco. Mas, talvez, não tenha sido bem assim...

No início dos anos de 1990, outros pescadores localizaram uma moderna lancha naufragada não muito distante do ponto onde jaziam os restos da proa do Maravillas. E dentro dela havia objetos retirados do galeão espanhol, o que indicava que pessoas não autorizadas estavam saqueando os escombros. Mas e se esses objetos fossem da popa e não da proa da nau espanhola? E se tivessem achado a parte mais valiosa do tesouro e não contado nada?

Como, em se tratando de tesouros submersos, quem encontra algo não divulga, é perfeitamente possível que aqueles saqueadores que estavam a bordo da lancha naufragada estivessem vindo de outro local, quando tiveram o azar de também afundar. Neste caso, pelo menos parte do conteúdo mais valioso do velho galeão já teria sido encontrado por alguém. Mas, com certeza, não tudo. Até porque era muito.

Documentos espanhóis da época do naufrágio registraram que, entre outras coisas, o Maravillas transportava esmeraldas colombianas de mais de 100 quilates, prata em abundância e uma quantidade de ouro estimada entre 30 e 40 toneladas, além da tal imagem da santa, sem falar no contrabando não declarado, como era hábito no passado.

No total, calcula-se que aquela nau levava o equivalente a cerca de 4 bilhões de reais, em dinheiro de hoje. E supõe-se que a maior parte disso continue no fundo do mar. Só não se sabe onde.

O apelo do tesouro da popa desaparecida do Maravillas só não é maior dos que as dificuldades para tentar localizá-la. Uma delas é que, por conta dos problemas gerados pelas expedições anteriores, há mais de 20 anos o governo das Bahamas não concede autorização para novas explorações na região.

Com isso, é bem provável que a parte mais valiosa do naufrágio mais rico da região continue em algum ponto submerso dos baixios das Bahamas, à espera de um sortudo que a encontre.

O pirata que não era o que parecia

Mary Read foi a mais famosa pirata da história, mas passou boa parte da vida fingindo que era homem

As espadas dos dois piratas zuniam freneticamente no ar, enquanto um tentava atacar o outro e determinar a sorte daquele duelo, que ficava cada vez mais feroz. Até que, num lance inesperado, um dos duelantes rasgou a própria roupa e exibiu o peito nu ao adversário. Surpreso com o que viu, o oponente ficou sem ação e foi imediatamente abatido pelo pirata da camisa rasgada — aquele que, ao exibir o peito deixara à mostra nada menos que um par de seios.

O truque de mostrar o peito nu para desconcertar os oponentes entrou para a história como uma espécie de marca registrada da inglesa Mary Read, a mais famosa e ardilosa corsária dos anais da pirataria. E ajudou a rechear ainda mais a sua curiosa trajetória.

Desde pequena, Mary Read, nascida na Inglaterra, em 1685, habitou-se a usar roupas masculinas e a se portar como um menino, porque sua mãe a forçava a fazer isso. Viúva de um marinheiro inglês que foi para o mar e nunca mais voltou, deixando-a com um filho doente, que logo morreria, a mãe de Mary, que tivera a menina após a partida do marido, como consequência de uma aventura extraconjugal, teve a ideia de fantasiar a menina de menino e fazê-la passar pelo filho morto, a fim de pedir ajuda financeira à sogra, que jamais havia visto o neto. Deu certo e Mary cresceu habituada aos trajes e trejeitos masculinos, para manter a farsa.

Já adulta, depois de uma frustrada tentativa de emprego como babá, Mary decidiu retomar o disfarce e se alistou no exército, omitindo, contudo, o seu sexo. Foi aceita e nunca descoberta. Até que, um dia, se apaixonou por um soldado e revelou seu segredo. Os dois, então, desertaram e abriram uma taverna na Inglaterra, que logo passou a ser muito frequentada, já que todos queriam conhecer "a mulher que enganara o exército".

Mas a alegria durou pouco. Logo, o marido de Mary adoeceu e morreu. Sem conseguir manter o negócio sozinha, ela fechou a taverna, voltou a usar roupas masculinas e se alistou, como "marinheiro", num barco mercante holandês, que estava de partida para o Caribe. No meio do caminho, o barco foi atacado pelo lendário pirata inglês "Calico" Jack Rackham e Mary, por ser "um inglês", como ele, foi poupada — mas transformada também em pirata. Só que ninguém sabia sobre a sua verdadeira identidade.

Mary identificou-se rapidamente com a vida errante dos corsários e acabou tornando-se um dos mais terríveis personagens da pirataria do século XVIII. Mas sempre usando nomes masculinos, já que sua real identidade foi mantida em sigilo durante a maior parte da vida.

Até que ela novamente se apaixonou. E, desta vez, por um dos piratas de seu próprio barco. Só que — surpresa! — o tal pirata era outra mulher também disfarçada de homem, chamada Anne Bonny. Quando Mary decidiu revelar seu amor e sua identidade ao amante, foi surpreendida pela mesma revelação, vinda do lado contrário. As duas, então, tornaram-se amigas. Mas mantiveram os disfarces.

Tempos depois, Mary se apaixonou uma vez mais, por outro tripulante. Mas ele tinha um desafeto a bordo e ela, para defender o amado (que também não sabia que ela era uma mulher), o desafiou para um duelo. Foi quando, durante o embate, ao ver que estava em desvantagem, pela primeira vez usou o truque de rasgar a blusa para desnortear o adversário. A partir daí, o gesto virou o seu mais famoso símbolo.

Mary Read e Anne Bonny eram mais corajosas do que qualquer homem da tripulação de Calico Jack e só usavam a feminilidade quando lhes era favorável. Foi assim, por exemplo, que as duas escaparam de ser condenadas à morte, quando foram capturadas por militares. Ao serem levadas diante do juiz para decretação da pena, não só revelaram seus verdadeiros sexos como anunciaram estarem grávidas, o que, pelas leis da época, adiava as execuções, até o nascimento dos bebês.

Tanto Mary quanto Anne tiveram seus filhos (duas meninas) na cadeia, mas, ao que consta, nenhuma das duas chegou a ser executada. Na hipótese mais aceita, Mary teria morrido de febre, ainda no cárcere, em 18 de dezembro de 1720, e Anne escapado da forca graças aos subornos feitos por seu pai aos soldados. Mas há controvérsias.

Como toda boa história, esta aqui também tem um final duvidoso.

Segundo outra versão, Mary Read não teria morrido e sim fugido da prisão, fingindo-se de morta dentro de uma mortalha. E, anos depois, após recuperar a filha que teve no cárcere, reencontrou a amiga, em Louisiana, nos Estados Unidos, onde viveram juntas e criaram as meninas, como dedicadas mães de família — e longe dos disfarces masculinos.

Se isso aconteceu ou não, ninguém sabe. Mas a saga de Mary Read como a mais famosa pirata da história jamais foi contestada.

O drama que inspirou Shakespeare

A saga e os conflitos de um grupo de náufragos viraram até arte

A derradeira peça de William Shakespeare, escrita em 1611, recebeu o nome de *A Tempestade* porque foi inspirada em um fato real, que aconteceu no mar: o drama do naufrágio do navio inglês Sea Venture, ocorrido dois anos antes, na costa dos Estados Unidos.

O Sea Venture levava passageiros e mantimentos para um grupo de colonos ingleses que estavam isolados na região do rio Potomac, na atual Virgínia, quando foi colhido por um furacão, nas imediações das Ilhas Bermudas. E ali afundou, sem, no entanto, deixar vítimas.

Como o único jeito de sair da ilha onde se abrigaram era construindo outro barco, o capitão George Somers colocou todos os passageiros para trabalhar, inclusive alguns aristocratas que estavam a bordo do Sea Venture — daí o interesse de Shakespeare pela história, que envolveu tensos conflitos sociais.

A empreitada durou um ano, até que dois barcos, sintomaticamente batizados de Patience (paciência) e Deliverance (libertação), ficaram prontos e tiraram o grupo da ilha. Mas a chegada ao destino final foi uma enorme decepção, porque, sem os mantimentos que tanto aguardava, o povoado a ser socorrido estava praticamente dizimado. Desconsolado, o capitão Somers decidiu retornar às Bermudas, onde morreu, logo depois.

Em 2009, durante as comemorações dos 400 anos daquela possessão inglesa, um evento especial marcou a ilha: a encenação de uma peça de Shakespeare. Adivinhe qual?

O fiasco que virou espetáculo

O Vasa afundou bem diante do porto, mas o seu fabuloso resgate salvou a honra da pátria

Foi um dos maiores fiascos da história. Mas acabou rendendo uma das mais interessantes atrações turísticas da Europa. Em 10 de agosto de 1628, durante a sua própria cerimônia de batismo, o Vasa, um dos maiores navios de guerra até então construídos, adernou e afundou praticamente dentro do porto de Estocolmo, de onde havia partido instantes antes.

Uma multidão assistia ao espetáculo, incluindo o rei sueco Gustavo II, que não só financiara o gigantesco barco, com o qual planejava dominar o mar Báltico e transformar a Suécia numa potência naval, como o projetara.

Aparentemente, o Vasa tinha sérios problemas de estabilidade. Ao inflar as velas, adernou mais

OUTRO RESGATE, AINDA MAIS ANTIGO

Na Inglaterra, outro museu do gênero exibe boa parte de um barco ainda mais famoso que o *Vasa*: o *Mary Rose*, navio de guerra favorito do rei Henrique VIII, que afundou em 1545 após uma desastrada manobra durante um combate contra os franceses, no Canal da Mancha. Encontrado em 1967, seu costado de estibordo estava milagrosamente intacto, o que levou os ingleses a criar um fundo de donativos para resgatá-lo e, em seguida, montar o Museu Mary Rose, em Portsmouth, onde este barco de cinco séculos está em exposição, debaixo de uma permanente chuva de produtos químicos, para mantê-lo preservado para sempre.

que o desejado, permitindo a entrada de água pelas portinholas dos canhões no casco, que estavam abertas justamente para exibir o seu poderio bélico. Foi um completo constrangimento e o barco tombou na água, levando para o fundo da baía também 50 dos seus 150 tripulantes.

Nos anos seguintes, a coroa sueca dedicou-se a extrair o máximo de objetos do navio, sobretudo os valiosos 64 canhões de bronze, o que foi feito com a ajuda de uma revolucionária cápsula em forma de sino, que retinha o ar e permitia aos mergulhadores trabalhar debaixo d´água. Foi a primeira vez que aquela espécie de ancestral dos escafandros foi utilizada e quase todos os canhões foram removidos dessa forma.

Mas, com o passar do tempo, o Vasa foi caindo no esquecimento. Até que, 300 anos depois, em 1956, um arqueólogo resolveu retomar a busca do navio no fundo da baía da capital sueca e o encontrou, ainda inteiro. O fato gerou comoção em todo o país e um audacioso projeto de resgate do barco. Mas como tirar um navio de madeira de 69 metros de comprimento, afundado há três séculos debaixo de 30 metros de água sem destruí-lo?

Diversas propostas foram feitas, inclusive congelá-lo, já que o gelo flutua na água. Outra alternativa previa enchê-lo com milhares de bolinhas cheias de ar, que, juntas, — quem sabe? — poderiam trazer o barco de volta à superfície. Mas, no final, prevaleceu o método convencional: passar diversas cintas de aço por baixo do casco e erguê-las lentamente, com a ajuda de guindastes.

Dito assim parece fácil. Mas foram precisos cinco anos de árduos trabalhos, até que, finalmente, em 24 de abril de 1961, o Vasa voltou a luz do dia, cercado de cuidados especiais, para não se desmantelar em contato com o ar de três séculos depois.

Do fundo do mar o barco foi levado para um prédio especialmente construído para recebê-lo e ali, depois de pouquíssimos trabalhos de restauração, já que o seu estado de conservação era estupendo, graças às águas frias do Báltico, que impediram a proliferação de fungos na madeira do casco, passou a ser permanentemente exposto no espetacular Museu Vasa, desde então uma das mais famosas atrações turísticas de Estocolmo.

Um final grandioso para uma história que começou como um grande vexame.

O primeiro turista náutico

Em 1693, um italiano resolveu navegar apenas para conhecer o mundo, o que, até então, ninguém fazia

Ninguém pode garantir. Mas é bem provável que o italiano Giovanni Gemelli Careri tenha sido o primeiro grande turista da história. No mínimo, foi o primeiro a dar a volta ao mundo com o simples objetivo de conhecer outras paragens, o que, até então, até onde se sabe, ninguém havia feito.

Em 1693, decepcionado por não conseguir exercer a profissão de advogado, então restrita aos nobres, Gemelli resolveu viajar para bem além das fronteiras da atual Europa. Durante cinco anos, pulou de continente em continente, intercalando viagens por terra com longas travessias oceânicas, que ele pagava como quem hoje compra uma passagem — algo até então também inédito, já que não passava pela cabeça de ninguém gastar dinheiro para viajar, já que as viagens só aconteciam por pura necessidade.

Mas não para Gemelli. Ele tinha apenas curiosidade de conhecer outros povos e lugares. Com isso, acabou também se transformando numa espécie de pioneiro entre os aventureiros. Chegou a ficar meses parado no mesmo porto a espera de algum barco que o levasse adiante, navegou em galeões e retornou à Europa a bordo de um dos barcos da célebre Frota das Índias.

Na volta, com tanto o que contar, escreveu um livro, chamado *Giro em Torno do Mundo*, que,

DEUS FOI O CULPADO

Sessenta e nove pessoas morreram quando o barco Abermenai, que fazia a travessia para o povoado de Caernarvon, na costa do atual País de Gales, na Grã-Bretanha, capotou e afundou, em 1664. Mas toda a culpa foi colocada em Deus. Segundo a conclusão da investigação, conduzida por fanáticos religiosos da região, o naufrágio foi uma "vingança divina", porque aquele barco havia sido construído com madeiras de uma antiga igreja demolida. E foi assim que ficou registrado na documentação oficial sobre o naufrágio.

segundo consta, teria inspirado Julio Verne a criar o clássico *Volta ao Mundo em 80 Dias*, quase 200 anos depois.

Até Gemelli surgir, navegar era apenas uma necessidade. Depois, passou a ser, também, uma forma de prazer.

Duas vezes náufrago no mesmo lugar

Com a experiência do primeiro naufrágio, ele ajudou a salvar as vítimas do segundo

Em 1630, quando regressava da Índia para Lisboa, a nau portuguesa São Gonçalo começou a fazer água e parou na então chamada Baía Formosa (hoje Baía Plettenberg), na África do Sul, para reparos. Nunca mais saiu de lá.

Uma violenta tempestade atingiu o barco enquanto ele estava ancorado, atirando-o de encontro às pedras e deixando os ocupantes retidos na praia por oito meses. Ali, eles ergueram uma pequena vila e, com os restos da nau acidentada, construíram dois barcos, com os quais voltaram para o mar.

Entre os sobreviventes deste longo cativeiro da costa africana estava o frei português Francisco dos Santos, que, cinco anos depois, reviveria a mesma situação, a bordo de outra nau, a Nossa Senhora de Belém, que, por incrível que pareça, naufragou no mesmo local.

Mas o que parecia ser uma tremenda falta de sorte acabou se revelando uma providencial ajuda ao segundo grupo de náufragos, que ocupou as mesmas choupanas construídas pelos sobreviventes do primeiro naufrágio e, com a experiência anterior do padre, montaram outros dois barcos, usando técnicas ensinadas por ele.

Cinco meses depois, os sobreviventes no naufrágio da Nossa Senhora de Belém partiram rumo a Portugal. Graças ao abençoado – mas azarado — Frei Francisco.

Uma ilha feita de riquezas

O galeão afundou com tantas moedas que seus sobreviventes construíram um recife de pura prata

Em setembro de 1641, o galeão espanhol Nuestra Señora de la Pura y Limpia Concepción, que deixara a Europa havia mais de um ano para buscar riquezas nas colônias da América Central, estava, enfim, retornando com uma enorme quantidade de moedas de prata. O cobiçado carregamento fora trazido da cidade mexicana de Vera Cruz e embarcado em Havana, na época o mais importante porto da região, de onde os navios partiam para enfrentar a longa jornada de volta ao Velho Mundo. No caso do Concepción, a viagem prometia ser ainda mais dura: o barco estava em péssimo estado de conservação. Mas foi bem pior do que se imaginava.

Logo na primeira noite, um vazamento no casco obrigou o galeão a retornar a Havana. Alguns reparos de urgência foram feitos e ele voltou para o mar, em seguida. Mas a madeira semissolta em diversas partes do casco rangia assustadoramente e deixava entrar os uivos do vento, que aumentava a cada instante. E, para piorar ainda mais as coisas, um furacão se aproximava.

Com a chegada da tormenta, o Concepción parecia inevitavelmente condenado ao naufrágio. Mas, quase por milagre, sobreviveu ao furacão. No entanto, sofreu tanto na tempestade que não tinha mais condições de navegar até a Espanha.

A ARROGÂNCIA DE UM EQUÍVOCO

O rio Hudson, que banha Nova York, tem uma pequena ilha chamada Noah´s Brig (brigue do Noah) que assim foi batizada em "homenagem" a um certo capitão Noah, que, na época dos grandes barcos à vela, ali terminou tragicamente a sua carreira. Numa noite de forte nevoeiro, ao avistar o que julgou serem dois mastros de um brigue bem diante de seu pequeno barco, o capitão Noah, como era costume na época, berrou e ordenou com veemência para que ele saísse da frente, pois julgava ter preferência de passagem. Fez isso várias vezes, até que, irritado, ameaçou atropelar o outro barco, rumando diretamente na direção dele. Mas só o próprio Noah saiu perdendo na manobra, já que não havia barco algum à sua frente — só as pedras da ilhota, onde havia apenas dois troncos secos de árvores, os mesmos que Noah confundira com mastros de um atrevido barco. Para ele, o castigo veio rápido.

Seu capitão decidiu, então, alterar o rumo para a menor das ilhas das Grandes Antilhas, atual Porto Rico, a base espanhola mais próxima. Mas ele nunca havia navegado naquela parte do Caribe e teria que confiar apenas em antigos mapas. Não deu outra.

Na noite de 31 de outubro, quando se aproximava da ilha, o Concepción encalhou num banco de areia, ficou preso e começou a ser inundado pelas ondas. Com o peso da água, o casco partiu-se em dois e começou a afundar. Mas bem lentamente, já que estava apoiado na areia do fundo. Com isso, deu tempo de improvisar algumas jangadas com pedaços da madeira partida do casco e de montar a mais improvável das escapatórias para aquela situação: a "construção" de um recife artificial sobre o banco de areia, com a própria carga do navio. Ou seja, moedas de prata.

Toda a carga foi arremessado na água, formando uma inacreditável pilha de preciosidades, a ponto de permitir que parte dos náufragos ficasse de pé sobre as moedas, à espera do resgate com as jangadas. Dos quase 500 tripulantes do galeão, cerca de 200 se salvaram dessa forma. Jamais foi possível saber o volume exato de prata que o Concepción transportava, embora tenha sido estimado em 30 toneladas — o bastante para formar um recife de fato.

Nos anos seguintes, expedições espanholas conseguiram recuperar boa parte das moedas, mas muitas acabaram soterradas para sempre pela areia. Não por acaso, o local onde o Concepción afundou hoje é chamado de Silver Bank ou Recife de Prata. Um nome, no caso, mais que apropriado.

CORREIO NÁUTICO DO TEMPO DAS CAVERNAS

Quem navegar pelo difícil Estreito de Torres, entre a Austrália e Papua Nova Guiné, onde o Pacífico encontra o Índico, encontrará uma pequena ilha rochosa com um solitário farol. É a ilha Booby, que, no passado, teve grande utilidade. Nela, há uma caverna que durante muito tempo foi usada como uma espécie de correio náutico — os barcos que iam deixavam cartas para serem levadas de volta pelos que regressavam. Depois, aquela mesma caverna passou a estocar também água e alimentos para os sobreviventes dos muitos naufrágios da região, que ali ficavam à espera do próximo barco que viesse pegar ou deixar a tal correspondência. Até hoje, os nomes de alguns barcos que passaram por lá estão escritos nas paredes da caverna da ilha Booby. Alguns, do século 19.

Crusoé de carne e osso

O náufrago mais famoso da literatura foi inspirado na vida real de um homem que decidiu viver sozinho numa ilha deserta

Era uma vez um náufrago que foi dar numa ilha deserta e ali ficou vivendo sozinho por muitos anos. A história lhe parece familiar? Pois deve ser mesmo, já que Robinson Crusoé, escrito por Daniel Defoe, no início do século XVIII, é um dos livros de aventura mais famosos de todos os tempos. O que, no entanto, poucos sabem, é que, embora Robinson Crusoé seja uma obra de ficção, sua história foi baseada num caso real: a sobrevivência, por alguns anos, do marinheiro escocês Alexander Selkirk (nascido Selcraig) numa ilha deserta na costa do Chile, pouco antes de Defoe ter dado vida ao seu famoso personagem.

Nem tudo foi exatamente igual na transcrição da vida real para a ficção, é verdade. Enquanto a fictícia ilha de Crusoé ficava no Caribe, a de Selkirk era no Pacífico, a cerca de 500 quilômetros da costa chilena. Se, no livro, o náufrago contou com a companhia de um nativo batizado de Sexta-Feira, o ermitão verdadeiro dividiu sua solidão apenas com gatos e cabras. E, nas páginas de Defoe, Crusoé foi parar na ilha por causa de um naufrágio, mas Selkirk tornou-se uma espécie de náufrago por opção, ao escolher o autoexílio na ilha, depois de abandonar o barco no qual navegava, por temer pela segurança da nau — que, por fim, acabou mesmo indo a pique.

Por outro lado, tanto Crusoé quanto Selkirk tiveram o mesmo sentimento em relação à vida que levavam na ilha. Depois de resgatados e levados de volta à civilização, sentiram falta de sua ilha solitária e trataram de dar um jeito de voltar. Crusoé voltou. Mas Selkirk morreu sem realizar o sonho. E anônimo, apesar de sua façanha ter inspirado a criação dos famosos livro e personagem.

Tudo começou em 1703, quando um jovem escocês chamado Alexander Selcraig conheceu, na Inglaterra, o capitão-corsário William Dampier, que estava preparando uma expedição com dois navios para atacar os espanhóis na costa oeste da América do Sul. Selcraig, que havia brigado com a família, resolveu se alistar, mas com o sobrenome alterado para Selkirk, para não ser reconhecido.

Oito meses depois, a expedição alcançou o Cabo Horn, no extremo sul do continente sul-americano e, em seguida, chegou à remota ilha de Más a Tierra, onde os navios pararam para reabastecer de água e carne de cabra.

Más a Tierra (mais tarde rebatizada com o nome de seu descobridor, Juan Fernandes, e hoje renomeada Robinson Crusoé em homenagem à seu mais famoso ocupante) era um conglomerado desabitado de montanhas verdejantes, com fartura de água doce e pequenos animais. A frota passou dois dias ali e Selkirk adorou o lugar. Até que velas inimigas surgiram no horizonte e eles tiveram que partir. Mas a boa imagem da ilha ficou em sua mente.

Tempos depois, ele começou a ter pesadelos, nos quais sempre via seu navio naufragar. Impressionado, resolveu abandonar o barco na primeira oportunidade. E lembrou-se de Más a Tierra. Decidiu que, na volta, ficaria lá. E assim o fez.

O capitão não fez objeção a deixá-lo na ilha, apesar do risco de ele ser capturado pelos espanhóis, a quem pertenciam àquelas águas. E como ele não estava sendo punido nem deserdado, pode desembarcar com alguns pertences, como uma faca, uma arma e uma Bíblia.

Quando, porém, o bote o deixou na praia deserta e deu meia-volta, Selkirk se arrependeu e gritou, dizendo que queria voltar ao navio, o que foi negado pelo capitão — que, no fundo, gostou da ideia de se livrar daquele encrenqueiro a bordo. Desolado, ele ficou sentado, vendo o barco ir embora.

Era outubro de 1704 e começava ali o seu martírio de quatro anos à espera de algum navio que o tirasse daquela ilha bonita, mas solitária.

O FAROL QUE O MAR LEVOU

Eddystone é o nome do mais icônico farol da Inglaterra, porque fica encarapitado sobre uma pedra que tem apenas a largura do próprio farol. Visto de longe, mais parece um espigão fincado no mar, porque mal dá para ver a rocha sobre a qual ele está assentado. Por isso mesmo, a força do mar já obrigou que ele fosse reconstruído quatro vezes. A primeira vez que foi destruído, marcou, também, o fim de um dos barcos que ele tanto ajudara a guiar nas traiçoeiras águas das ilhas inglesas. O capitão do Winchelsea estava tão habituado a se guiar pela tocha de fogo que ardia no topo do farol, que, ao regressar para o porto de Plymouth Sound, nem se preocupou com os recifes da região. Resultado: na noite de 29 de novembro de 1703, ele bateu e afundou no próprio rochedo sobre o qual se assentava o curioso farol, que não estava mais lá — porque havia sido destruído dois dias antes pelas ondas.

Durante os primeiros 18 meses, Selkirk morou na própria praia, na vã esperança de assim avistar mais facilmente algum barco. Não apareceu nenhum e ele decidiu mudar-se para uma caverna, nas montanhas, onde começou, aos poucos, a retomar o gosto inicial pela ilha.

Ali, costurou roupas com a pele das cabras que caçava, aprendeu a fazer fogo friccionando gravetos, cozinhava lagostas e mariscos que apanhava na praia em abundância e passou a viver muito bem, apesar da solidão. Para não perder contato com a voz humana, lia em voz alta trechos da Bíblia para os animais que domesticara. De certa forma, Selkirk transformara o seu infortúnio num pequeno paraíso.

Quando terminou a munição de sua arma, aprendeu a caçar com as próprias mãos. Com o tempo, tornou-se bem mais ágil que os próprios animais. Passou, também, a subir todos os dias até um mirante no topo da ilha, onde passava horas à procura de velas no horizonte. Viu algumas, mas todas de navios inimigos espanhóis, que, prudentemente, decidiu evitar.

Até que, um dia, dois navios diferentes surgiram próximos à ilha. Eram ingleses, como ele! Selkirk acendeu uma fogueira para chamar a atenção dos barcos, mas os tripulantes acharam que eram sentinelas espanhóis avisando sobre a chegada do inimigo e quase abriram fogo contra a ilha. Só de manhã, ao se aproximaram com cautela da praia, deram de cara com um homem barbudo e coberto de peles, que mais parecia um bicho e gritava grunhidos de felicidade. Para Selkirk, era o fim de sua estadia na ilha.

Ele, então, foi levado a bordo e ali reencontrou um velho conhecido: o mesmo capitão Dampier que o embarcara pela primeira vez, por coincidência piloto de um dos navios. Foi imediatamente reempossado como parte da tripulação e logo nomeado capitão de um dos navios espanhóis capturados.

Pelos outros marinheiros, Selkirk ficou sabendo que sua premonição de quatro anos antes se confirmara: o navio no qual navegara havia, de fato, naufragado, logo depois de deixá-lo na ilha. Mas sua sorte maior ainda estava por vir.

Na costa mexicana, Selkirk capturou um galeão espanhol repleto de ouro, prata e preciosidades e isso o tornou rico. E foi como um homem poderoso que retornou a Inglaterra, em outubro de 1711.

Mas, apesar de toda a riqueza, uma vez de volta à sua cidade natal, na Escócia, Selkirk passou a levar uma vida reclusa e amargurada. Não raro, saia de casa e ia dormir nas montanhas, sem sequer vestir roupas apropriadas. Ele sentia saudades de sua ilha solitária...

Suportou isso por nove anos, até que decidiu alistar-se na marinha e voltar para o mar. Seu objetivo era retornar àquela ilha, o que, contudo, jamais conseguiu.

Em 1721, foi designado para uma viagem à costa da África, onde contraiu uma febre tropical e morreu a bordo, sem sequer saber que, meses antes, baseado no relato que ouvira de um dos tripulantes daquela primeira viagem de Selkirk, o escritor Daniel Defoe escrevera o que viria a ser um dos maiores clássicos da história: *Robinson Crusoé*, o náufrago que transformara sua ilha-presídio em paraíso.

E assim Selkirk ficou mundialmente famoso. Só que com outro nome.

A valiosa herança de um tesouro

Baseado nas probabilidades dos naufrágios, um espertalhão bolou um plano para enriquecer fácil, mas acabou deixando um legado involuntário

No passado, os naufrágios eram tão frequentes que um barão inglês de caráter duvidoso, chamado Robert Clive, bolou um plano ardiloso para enriquecer à custa desta probabilidade. Em 1755, ele foi nomeado administrador geral da Índia e para lá enviado a bordo de uma frota de cinco barcos.

Antes de partir, aproveitando o prestígio do cargo, Clive tomou emprestado em um banco da Inglaterra a fortuna de 3 000 moedas de ouro para a sua "campanha na Índia". Mas, para não despertar suspeitas sobre o plano que arquitetara, anunciou que as moedas seguiriam em um dos barcos da flotilha, o Dodington, de propriedade do dono do banco, enquanto ele iria em outra nau.

Mas, ao que tudo indica, Clive secretamente levou consigo parte das moedas, para o caso de ocorrer algum sinistro com o outro barco. E foi exatamente o que aconteceu. O Dodington, que era o barco mais rápido da frota, disparou na frente mas não foi muito além do Cabo das Tormentas, na ponta da África. Lá, seu capitão, por navegar com uma velha carta náutica de quase dois séculos antes (fornecida intencionalmente por Clive), bateu numa ilha não cartografada e afundou, fazendo desaparecer uma quantidade incerta de moedas e eximindo Cliver de prestar contas das que ficaram com ele, porque, afinal, para fins oficiais, estavam todas no navio que naufragara.

Clive ficou rico. E, na Índia, só fez aumentar sua fortuna, com uma gestão fraudulenta, que acabaria por decretar o seu fim político — e, anos depois, sua própria morte, por suicídio. Mas a história gerada por ele não parou por aí.

Dos 270 homens a bordo do Dodington, apenas 23 escaparam com vida do naufrágio. Após sete meses isolados naquela ilha deserta, hoje chamada de Ilha Bird, próxima à atual cidade de Port Elizabeth, na África do Sul, eles construiram um pequeno barco com os restos da nau acidentada e navegaram até a costa onde hoje fica Moçambique, onde foram resgatados por conterrâneos ingleses — que, ao saberem das moedas de ouro na carga do Dodington começaram uma caça ao que ficou conhecido como o "Tesouro de Clive". Mas nada foi encontrado.

COVARDE NÃO PUNIDO

Reza a tradição que o último a abandonar um barco acidentado deve ser seu capitão. Mas não foi o que aconteceu no do naufrágio da fragata inglesa Centaur, em 1782. Ao contrário disso, seu comandante, o ex-herói inglês da guerra contra os franceses John Nicholson Inglefield, foi um dos primeiros a abandonar a embarcação, após ela ser colhida por um furacão. Mais tarde, julgado por uma corte marcial na Inglaterra, Inglefield se defendeu com uma pérola que entrou para os anais da covardia marítima: "O meu amor pela vida falou mais alto", disse. E o mais incrível: ele foi absolvido.

Duzentos e vinte e dois anos se passaram, até que, em 1977, dois mergulhadores acharam restos do Dodington, bem como muitas moedas soterradas na areia. Resgatadas, elas foram contrabandeadas para a Inglaterra, gerando um conflito jurídico com a África do Sul. O caso foi parar nas cortes internacionais, porque o governo sul-africano pleiteava o direito sobre o tudo o que havia em suas águas. Sobretudo o tal "Tesouro de Clive".

A pendenga durou anos e culminou com a devolução de parte das moedas aos sul-africanos. Mas decretou uma mudança, para sempre, nas regras internacionais do direito sobre tesouros naufragados — a mesma que vale até hoje e que prega que a nação dona das águas onde algo foi encontrado tem direito a, pelo menos, uma parte do achado. Foi a mais valiosa herança deixada pelo tesouro do espertalhão Robert Clive.

Livres, mas presos

Eles foram escravizados e só ganharam a liberdade ao serem abandonados numa ilha inóspita

Em 17 de novembro de 1760, o barco mercante francês Utile, comandado por Jean de la Fargue, fez uma escala para se abastecer com suprimentos em Madagascar, antes de seguir viagem para a ilha Mauricius, no Oceano Índico.

Aproveitando a parada, Fargue capturou 60 negros, homens e mulheres, e os transformou em escravos, para serem vendidos no seu destino final. Mas, no caminho, o Utile bateu nos recifes de uma minúscula ilha, hoje chamada Tromelin, e ali todos ficaram: Fargue, os 121 tripulantes do barco e os 60 negros que haviam sido escravizados.

A ilha não passava de um banco de areia com cerca de dois quilômetros de extensão por menos de um de largura e algumas palmeiras. Sem alternativa, eles decidiram construir outro barco, com os restos do naufrágio. A empreitada durou dois meses. Quando o novo barco ficou pronto, todos os homens embarcaram. Menos os negros, que foram impedidos para não sobrecarregar o barco e porque não haveria comida para todos. Naquele instante, os 60 escravos recuperaram a liberdade, mas foram perversamente abandonados naquela ilha inóspita.

Para sobreviverem, passaram, então, a confeccionar roupas com penas das aves que capturavam, aperfeiçoaram técnicas de captura de peixes e tartarugas e trataram de manter acessa uma fogueira, permanentemente alimentada com restos de madeira do Utile, já que dificilmente eles conseguiriam fazer fogo sem os recursos que os franceses tinham.

A fogueira tinha tripla função: aquecia o grupo, tornava mais digerível os poucos alimentos que conseguiam e, à noite, servia para alertar algum eventual barco passando pela região sobre a presença de náufragos naquele fim de mundo cercado de água por todos os lados. E foi graças a ela que parte dos escravos foi salva, não mais que sete mulheres e uma criança pequena, resgatados pela corveta francesa La Dauphin, 15 longos anos depois.

MORREU ATÉ QUEM NÃO ERA DO BARCO

Na manhã de 29 de agosto de 1782, a nau de guerra inglesa Royal George estava seguramente ancorada no canal Solent, na costa da Inglaterra, se preparando para partir para uma missão militar em Gibraltar, quando aconteceu o inesperado: de repente, o barco tombou para um dos lados, encostou na água, inundou e afundou, levando junto mais de 900 pessoas — um terço delas familiares dos tripulantes, quase todos mulheres e crianças que haviam embarcado para se despedir dos soldados. O que causou o movimento abrupto da nau foi o deslocamento simultâneo dos canhões no convés, feito pela equipe que realizava os últimos preparativos para a viagem. O peso extra no mesmo lado desestabilizou o casco e a poderosa Royal George tombou feito uma canoa. Só 255 pessoas se salvaram entre as quase 1 200 que havia a bordo no momento da tragédia. Entre os mortos, mais de 300 eram simples visitantes.

O sino que anuncia tragédias

O resgate da valiosa carga da fragata Lutine durou 179 anos, mas deixou um símbolo para sempre: o seu histórico sino

Em 1799, a fragata inglesa H.M.S. Lutine naufragou após bater em um banco de areia no traiçoeiro litoral da Holanda. Teria sido apenas mais um infortúnio, entre tantos outros, numa área de navegação difícil e cartografia quase impossível (os bancos de areia da costa holandesa brotam, desaparecem e mudam de lugar constantemente, ao sabor das correntezas), não fosse por um detalhe: naquela ocasião, o Lutine transportava um pequeno tesouro a bordo.

Havia dinheiro, ouro e prata, além de muitas joias da coroa holandesa, que haviam sido enviadas à Inglaterra para reparos e polimentos. Isso deflagrou uma intensa busca pelos restos do navio que, no entanto, por cauda das peculiaridades da região, se estendeu por incríveis 180 anos, já que os restos do Lutine mudavam constantemente de lugar, na caprichosa costa holandesa.

Em 1800, foram achadas sete barras de ouro, numa parte destruída do casco. Mas, três anos depois, outros pedaços do barco, que já haviam sido localizados, não estavam mais lá. Em 1858, meio milhão de guilders foram recolhidos de novos destroços, semissoterrados em outro ponto da área do naufrágio. Em 1938, uma gigantesca máquina sugadora de areia foi usada para coletar mais algumas barras de ouro e prata do fundo arenoso da costa holandesa. E, finalmente, em 1978, aparelhos eletrônicos bem mais modernos localizaram e coletaram mais algumas coisas do Lutine.

Foi a última expedição em busca dos famosos restos do navio — incríveis 179 anos após a caça ao tesouro ter começado. Até hoje, no entanto, não se sabe se tudo o que havia a bordo da fragata inglesa foi recuperado. A começar pelas tais joias da coroa holandesa, que, se foram encontradas, não foram divulgadas.

No entanto, ao menos um legado o Lutine deixou para sempre: seu sino, recolhido na expedição de 1858, desde então decora o principal salão da seguradora Lloyd` s, em Londres, a mais famosa seguradora do mundo, e é usado em cerimônias que anunciam embarcações dadas como perdidas mundo afora.

Quando o velho sino do Lutine toca é porque uma nova tragédia aconteceu em algum ponto dos mares do planeta.

CAPÍTULO 2

TRAVESSIAS OCEÂNICAS

1800 A 1900

Heróis sem reconhecimento

Quando o navio que transportava os presidiários afundou, eles ficaram livres, mas numa situação ainda pior

No início do século 19, a coroa inglesa resolveu transferir para a Inglaterra uma leva de prisioneiros que mantinha na Jamaica. Mas como considerava aqueles homens uma subespécie humana, designou para a missão um velho e precário barco, o Athenaise, cujo comandante era famoso por suas bebedeiras.

Um total de 182 prisioneiros, quase todos franceses, foram colocados a bordo, com 34 marinheiros recrutados entre os que tinham sido recusados por outros barcos, seja porque viviam bêbados ou porque não estavam nada bem de saúde. A bombástica combinação de barco ruim com tripulação pior ainda só poderia dar em tragédia. E foi o que aconteceu.

Logo após a partida, começaram as baixas. Alguns marinheiros adoentados morreram e o comandante precisou substituí-los por prisioneiros nas tarefas que não exigiam muito conhecimento, como erguer velas e limpar o convés. Mas, obviamente, nem tudo funcionava direito, porque os prisioneiros não tinham nenhum interesse em ajudar no avanço do barco que os levaria para outra prisão.

E o pior aconteceu quando o Athenaise atingiu a costa da Flórida, famosa por seus recifes perigosos. Apesar da má fama da região, o comandante do Athenaise estava bêbado demais para tomar as devidas precauções na navegação e, para completar o cenário, uma tempestade se aproximava.

MAIS PROSTITUTAS DO QUE MARUJOS

Na época dos navios de guerra do almirante inglês Nelson, os tripulantes costumavam ser proibidos de descer em terra firme durante as escalas nos portos, por temor de deserções em massa. Em contrapartida, prostitutas eram levadas aos navios pelos próprios oficiais, a fim de "atenderem as necessidades" dos homens a bordo. Em 1805, ficou famoso o caso de uma fragata da frota do Almirante Nelson que chegou ao porto de Plymouth com uma tripulação, no mínimo, curiosa para uma nau de combate. A bordo, havia mais mulheres do que homens, todas "contratadas" no porto anterior, para entreter a tripulação durante a viagem de volta para casa.

O Athenaise foi colhido em cheio pela tormenta, teve sua vela principal rasgada e perdeu a capacidade de manobrar, enquanto seu comandante dormia, embriagado. Nem mesmo os berros dos marinheiros e dos presos fizeram com que ele acordasse a tempo de agir. Não demorou até que o barco batesse em um recife, bem perto de uma das praias do então deserto litoral da Flórida, e afundasse rapidamente. Muitos homens morreram no naufrágio, inclusive o comandante, que nem se sabe se acordou a tempo de perceber o que se passava.

Dos 160 ocupantes do Athenaise que sobreviveram, todos eram do grupo dos presidiários. Nenhum tripulante escapou com vida, o que deixou aqueles homens numa condição curiosa: eles agora estavam livres, mas numa situação pior que a de antes, porque teriam que lutar pela própria sobrevivência numa região inóspita, sem viva alma por perto.

Os sobreviventes nem sabiam exatamente onde estavam. Mas um dos homens tinha ouvido falar de uma pequena cidade que havia ao norte da costa da Flórida e o grupo resolveu seguir para lá — a pé. Era St. Augustine, que, no entanto, ficava a mais de 400 quilômetros de distância. Sem alternativa, o grupo seguiu pelas praias e cruzou pântanos durante semanas a fio, numa longa e insana jornada.

Para se alimentar, devoravam o que encontravam pela frente, incluindo cobras e enormes crocodilos, que eram capturados com o artifício de atirar pedras dentro da boca do animal, até imobilizá-lo. Logo nos primeiros dias de caminhada, surgiu um barco perto da praia. Mas ao ver aquele grupo de homens correndo em sua direção, partiu em disparada. Dias depois, o grupo achou os restos de um naufrágio, o que rendeu algum alimento àqueles homens famintos. Mas alguns comeram tanto que tiveram convulsões e morreram ali mesmo.

Semanas depois, quando o grupo já estava reduzido à metade, com apenas 79 homens, os esfarrapados sobreviventes do Athenaise chegaram a St. Augustine, mas foram recebidos com hostilidade. Não porque fossem presidiários, já que ninguém sabia disso, embora a maioria deles só falasse francês. Mas sim porque os líderes da pequena comunidade logo perceberam que não haveria comida para tanta gente na cidade.

Durante quase um mês, os náufragos do Athenaise tiveram que continuar buscando comida eles próprios. Mas, ao menos, estavam livres e com seu passado aparentemente apagado.

Até que, três semanas depois, um navio inglês atracou em St. Augustine.

Ao saber da existência de um grupo de franceses na cidade, o comandante do barco decidiu averiguar e logo concluiu que se tratava de presidiários da Coroa Inglesa. Resolveu, então, caçá-los com a ajuda dos moradores da cidade, que não viam a hora de se livrar daqueles homens indesejados.

Um a um, todos os sobreviventes do Athenaise foram capturados, encarcerados e posteriormente enviados à Inglaterra, onde terminaram seus dias na cadeia. Nem a epopeia do naufrágio e daquela longa e cruel jornada em busca da sobrevivência lhes valeu o perdão ou, ao menos, um pouco de consideração.

A verdadeira saga de Moby Dick

A mais famosa baleia dos livros de aventura nunca existiu. Mas a impressionante história que a gerou, sim

Moby Dick, de Herman Melville, é um dos maiores clássicos da literatura mundial de todos os tempos. Mesmo quem não conhece a fundo a história do enorme cachalote branco que afundou o barco do capitão Ahab, devorou sua perna e passou a ser obsessivamente perseguido por ele, sabe que Moby Dick era uma baleia. E das grandes.

Mas o que, talvez, nem todos saibam é que embora Moby Dick seja uma obra de ficção, foi inspirado em um fato real: o afundamento, por um grande cachalote de comportamento anormal, do baleeiro americano

UMA TRAGÉDIA DE NATAL

De acordo com as estatísticas da centenária seguradora inglesa Lloyd, o dia de Natal é uma das datas mais seguras para navegar, porque é uma das que menos registra acidentes e naufrágios. No entanto, foi no Natal de 1811 que uma violenta tempestade assolou a costa da Inglaterra, afundando, de uma só vez, dois dos então principais navios de combate ingleses, o St. George e o Defence. Dos quase 2 000 marinheiros que havia a bordo dos dois navios naufragados, apenas 14 sobreviveram. Para os que foram engolidos pelas águas, as estatísticas nada ajudaram.

Essex, no meio do Pacífico, em 1819, fato que levou seus tripulantes a vagarem no mar por mais de três meses, a bordo de pequenos botes, e tendo que recorrer a atitudes extremas na luta pela sobrevivência.

Tudo começou no início do século 19, quando a caça da baleia era a principal atividade comercial dos Estados Unidos, especialmente na região de Nantucket, na costa leste, então o maior centro baleeiro do mundo. Em qualquer cidade americana onde houvesse um candeeiro aceso, queimava óleo extraído da gordura das baleias, então o "petróleo" de uma época em que não havia eletricidade.

As presas preferidas dos baleeiros, no entanto, não eram bem as baleias e sim os cachalotes, uma espécie de primo distante dos golfinhos, porém muito maiores, já que podem passar dos 20 metros de comprimento. Os cachalotes rendiam óleo de boa qualidade em abundância, o que os levou a serem quase dizimados, apesar de serem animais inteligentíssimos, donos do maior cérebro entre todos os seres vivos.

Quando a população de baleias começou a declinar no Atlântico, os barcos passaram a ir cada vez mais longe, em busca, sobretudo, dos cachalotes. Foi o que fez o Essex. Em agosto de 1819, ele partiu de Nantucket, com 20 homens a bordo, para uma longa viagem até o Pacífico, onde os cachalotes ainda eram fartos.

No comando do barco ia o jovem capitão George Pollard, então com 28 anos, tendo como seu imediato o amigo Owen Chase, de 23. O Essex desceu toda a América do Sul, dobrou o Cabo Horn e penetrou no Pacífico, buscando cachalotes na costa do Chile, Peru, Ilhas Galápagos e, depois, no meio do maior dos oceanos.

A TRAIÇÃO DOS NÁUFRAGOS

No início do século 19, o americano Charles Barnard, capitão do barco caçador de focas Nanina, foi vítima de um dos episódios mais contundentes de ingratidão no mar que se tem notícia. Depois de parar para resgatar um grupo de náufragos ingleses numa das então desertas ilhas das atuais Falklands, ele teve o seu barco sequestrado pelos próprios homens que socorrera e foi ali abandonado. O motivo deve ter sido um comentário feito pelo próprio Barnard ao socorrer os náufragos, de que Inglaterra e Estados Unidos haviam entrado em guerra. Supostamente por temerem se tornar prisioneiros, os náufragos decidiram inverter os papéis e tomar à força o barco do americano. Barnard e seus quatro ajudantes só foram resgatados dois anos depois.

Na época, as baleias eram caçadas com arpões lançados com as mãos a partir de pequenos botes a remo, que os barcos baleeiros colocavam na água tão logo avistavam os esguichos dos animais no horizonte. Era uma atividade de risco — para os dois lados. Depois de arpoado, os animais golpeavam ferozmente a superfície do mar com a cauda, não raro atingindo os botes de seus algozes, antes de partirem em disparada, arrastando o frágil barquinho e seus ocupantes. Era uma espécie de embate entre David e Golias, onde os primeiros, apesar da absurda diferença de forças e tamanhos, invariavelmente venciam.

Mas, em 20 de novembro de 1819, quando se preparava para atacar um grupo de cachalotes num ponto ermo do Pacífico, o Essex virou caça, em vez de caçador. Após localizar um grupo de cachalotes e de tentar arpoar um deles (que reagiu e danificou o bote onde estava o imediato Chase), o capitão Pollard viu surgir bem ao lado do Essex um enorme cetáceo, que fitou bem o barco, esguichou diversas vezes e passou a bater as mandíbulas com força, como se bufasse de raiva pelo ataque ao grupo do qual ele fazia parte.

Em seguida, o animal mergulhou e desapareceu sob a água, para retornar com extrema velocidade na direção do barco, atingindo-o com tamanha violência que ele começou a afundar de imediato. O cachalote, então, passou um tempo observando a agonia dos homens a bordo, como que saboreando sua vingança. Depois, desapareceu nas profundezas do oceano, aparentemente satisfeito com o que tinha feito. Começava ali a luta pela sobrevivência dos 20 tripulantes do Essex, no meio do Pacífico. E nascia a lenda de Moby Dick.

Na obra de Melville, repleta de simbolismos da luta do bem contra o mal, é a sede doentia de vingança do capitão Ahab contra o gigantesco cachalote

BANHO DE MAR SEM SE MOLHAR

Conta a História que durante o período em que a Corte portuguesa se instalou no Rio de Janeiro, entre 1808 e 1820, o rei Dom João VI, que nutria verdadeiro pavor de siris e demais seres marinhos, só entrava no mar das praias cariocas dentro de uma barrica de madeira. O objetivo era não tocar na areia do fundo. E, em última instância, tomar banho de mar sem se molhar.

que destruíra o seu barco e decepara sua perna que conduz a história. Mas na vida real dos personagens que inspiraram o livro, foi o cachalote que se vingou daqueles homens e os transformou em náufragos, com dramas e privações difíceis de suportar. Mas eles aguentaram muito mais do que se poderia imaginar.

Após o ataque do cachalote enfurecido, Pollard e seus 19 homens só tiveram tempo de juntar alguns mantimentos e pular para os três botes que restaram intactos. Dividiram-se em três equipes, cada uma num barco, içaram precárias velas e ficaram à mercê da própria sorte.

Estavam longe de tudo, a cerca de 4 000 quilômetros da terra firme mais próxima, o Taiti, que, no entanto, eles logo desconsideraram como alternativa, porque achavam que aquelas ilhas eram habitadas por canibais. Optaram, então, por um destino bem mais distante: a costa do Chile, cuja distância era quase ao dobro.

Num inventário inicial, o capitão Pollard estimou que o grupo tinha provisões para cerca de 60 dias no mar e calculou que, talvez, desse para chegar lá. Um mês depois, quando já não havia mais o que comer nem beber a bordo dos três botes e alguns homens já estavam usando a própria urina para aplacar a sede, um pedaço de terra surgiu no horizonte.

Mas não era a costa chilena e sim uma ilha deserta e sem recursos: a ilha Henderson, que nem água doce tinha. O grupo abrigou-se na ilha por uma semana para recuperar as forças antes de voltar para o mar. Na última hora, contudo, três homens resolveram ficar na ilha. Eles preferiam correr o risco de nunca mais saírem de lá do que voltar a se aventurar naquele deserto de água salgada. E os botes partiram.

Dias depois, veio a primeira baixa: um dos homens a bordo dos botes morreu de fome e de sede. Seu corpo foi lançado ao mar. Em seguida, formou-se uma tempestade — se por um lado ela trazia água para aqueles pobres coitados, por outro separou os três barcos, que nunca mais voltariam a se encontrar. Agora, seria cada um por si.

Isolados e sem o apoio moral dos companheiros dos demais botes, o ambiente foi se tornando sombrio. Logo, veio outra morte. E mais outra, depois de um ataque de loucura de um náufrago moribundo, que, delirando de fome e sede, ficou em pé e, solenemente, pediu aos companheiros "um copo d'água e um guardanapo". Morreu em seguida, entre delírios de insanidade. E foi, então, que começou o pior dos dramas dos náufragos do Essex.

Antes de lançar ao mar o corpo de mais um companheiro morto, o imediato Chase, que liderava um dos botes, propôs o que todos já haviam pensado, mas não ousavam dizer: por que não usá-lo como alimento, para tentar salvar a todos? E assim foi feito.

Embora não houvesse alternativa, já que eles não tinham mais linhas nem anzóis para pescar, o ato desesperado de canibalismo acabaria transformando para sempre a vida daqueles homens. Triste ironia: eles haviam optado por navegar muito mais por temerem os canibais e acabaram virando exatamente isso.

Numa época em que a religiosidade era a base de tudo, devorar seres humanos estava acima de todos os valores, mesmo sendo a única saída para aqueles pobres coitados famintos. Mas Deus foi complacente e, dias depois, quando o bote comandado por Chase já se aproximava da costa sul-americana, após três meses vagando no oceano, uma vela surgiu diante daquele grupo de moribundos, cujas costelas já ameaçavam furar a pele.

Era um navio inglês, que resgatou os primeiros sobreviventes. Cinco dias depois, o segundo bote, comandado por Pollard, também foi encontrado por um baleeiro americano, não muito distante do primeiro, mas com uma história ainda mais aterrorizante para contar.

Depois de também terem se alimentado do cadáver de um companheiro morto pela fraqueza, veio a pior parte: um macabro sorteio, feito em comum acordo entre os quatro ocupantes do barco, que indicou qual deles morreria para servir de alimento aos demais.

VÍTIMA DO PRÓPRIO TESOURO

Quando o barco inglês de passageiros Kent começou a afundar, vítima de uma violenta tempestade no Atlântico, em 1825, o seu comandante deu ordem para que todos os ocupantes se atirassem ao mar só com a roupa do corpo. Mas um deles se recusou a fazer isso – e, antes de abandonar o barco, enrolou um pano no pescoço com as cerca de 400 pedras preciosas que levava na bagagem. Resultado: ao cair na água, ele não conseguiu nadar por causa do peso e morreu afogado, vítima da própria ganância.

Após o sorteio, arrependido por ter permitido aquele absurdo, o capitão Pollard se ofereceu para ser sacrificado no lugar da vítima, mas sua oferta não foi aceita nem pelo próprio sorteado, que exigiu que fosse assassinado.

— Que diferença faz morrer assim ou de fome? — teria dito, para tranquilizar os companheiros.

Para a execução da vítima, foi usada a última bala que restava na pistola de um dos ocupantes do bote, depois de várias tentativas frustradas de capturar um peixe com disparos. O fato gerou horror na chegada dos náufragos ao porto de Valparaíso, no Chile, onde já estavam os integrantes do primeiro grupo, que também havia praticado canibalismo – só que sem tal requinte. O terceiro bote jamais foi encontrado.

Dias depois, um navio que estava de partida para a Austrália se encarregou de resgatar os três náufragos que optaram por ficar naquela ilha deserta e que acabaram sendo encontrados vivos, depois de seis meses bebendo água da chuva e comendo o pouco que o mar permitia. Já outro barco levou o capitão Pollard, o imediato Chase e os demais sobreviventes do Essex de volta a Nantucket.

Lá, eles viveram o restante de seus dias amargurados e discretamente segregados pelo seu ato desesperado. Pollard morreu em 1870, logo depois de receber a visita de um jovem escritor, chamado Herman Melville, que havia conhecido um garoto que lhe narrara uma história impressionante: a de como um cachalote enfurecido transformara em martírio a vida de 20 homens.

O garoto era o filho do imediato Chase, que guardara o diário que seu pai escrevera após voltar a Nantucket, antes de enlouquecer e passar a estocar comida por toda a casa, como consequência das privações que passara no mar.

Melville ficou impressionando com o episódio e usou o relato de Pollard e o diário de Chase como base para o que, depois, viria a ser a mais famosa história dos sete mares.

Coincidentemente, quando o livro foi lançado, em 1851, outro baleeiro de Nantucket também foi vítima da fúria de certo cachalote no Pacífico, um animal com comportamento estranho, que esguichava alto e batia as mandíbulas na superfície. Para muitos, o era mesmo animal que atacara o Essex: um enorme e vingativo cachalote que ficou imortalizado sob o nome de Moby Dick.

Uma longa volta para casa

Depois de atravessar um oceano inteiro à deriva, um garoto japonês ainda levou 17 anos para conseguir voltar ao seu país

Em 1832, uma tempestade no Mar do Japão deixou à deriva um velho barco japonês e seus tripulantes. Entre eles, um garoto de apenas 14 anos, chamado Yamamoto Otokichi. Contrariando todas as previsões, o velho barco, apesar de semi-inundado e sem comando, boiou por 14 meses à deriva no Pacífico, até chegar à costa oeste americana, com três sobreviventes — um deles, o jovem Otokichi.

Garoto de sorte? Nem tanto. Como se não bastasse o que já haviam sofrido no mar durante tanto tempo, ao desembarcarem numa praia americana, os três náufragos foram capturados pelos índios e, mais tarde, trocados por mercadorias, com um comerciante — que, por sua vez, os encaminhou ao chefe da maior empresa da região. Este, sem saber o que fazer com àqueles japoneses, decidiu despachá-los para a Inglaterra, em outro barco.

Só quando chegaram ao Reino Unido os resgatados foram enviados de volta ao Japão, depois de terem dado uma volta ao mundo involuntária. Quando, finalmente, retornou ao seu país, 17 anos depois, Otokichi já somava 31 anos de idade, depois de passar a juventude inteira tentando sair do mar e voltar para casa.

HEROÍNA MAIS QUE QUERIDA

Ao amanhecer do dia 7 de setembro de 1838, uma jovem inglesa, filha de um humilde faroleiro da ilha Farne, na costa da Inglaterra, subiu ao topo da torre, como sempre fazia, e de lá avistou um barco semi-afundado. Era o vapor Forfarshire, que havia batido nas rochas na noite anterior, deixando muitas vítimas na água. Imediatamente, ela chamou o pai e embarcou com ele em um bote a remo, com o qual resgataram cinco pessoas, a despeito do mar agitado. A notícia de seu gesto se espalhou pelo país e a transformou em heroína. Até a Rainha Victoria doou dinheiro para ajudar a pobre família e sua orgulhosa filha, que atendia pelo singelo nome de Grace Darling — algo como "Graça Querida". Para os cinco sobreviventes do Forfarshire que ela ajudou a salvar não poderia haver graça mais bem-vinda.

FAROLEIRA DESDE PEQUENA

A mais jovem faroleira que se tem notícia foi, também, uma heroína. A americana Ida Lewis tinha apenas 16 anos de idade quando, em 1857, assumiu o controle do farol de Lime Rock, numa pequena ilha na entrada do porto de Newport, no estado de Rhode Island, após seu pai, o verdadeiro faroleiro, sofrer um derrame cerebral. Ela nunca mais saiu da ilha e, por 52 anos, manteve o posto, promovendo uma série de salvamentos, sempre com pesados barcos a remo, que manejava com incrível habilidade. Um desses resgates, lhe rendeu a Medalha de Honra do Congresso Americano e o título de "A Mais Brava Mulher da America". Quando Ida morreu, também de derrame, em 25 de outubro de 1911, todos os navios do porto de Newport apitaram, em sua homenagem. Em seguida, o farol de Lime Rock foi rebatizado com o seu nome, bem como o iate clube da cidade.

Salva por uma lenda

Como uma jovem escocesa se tornou rainha dos aborígenes australianos, depois de virar náufraga numa ilha

No passado, os antigos aborígenes que viviam em algumas ilhas do Estreito de Torres, no norte da Austrália, desenvolveram uma criativa teoria para explicar o surgimento de navegadores brancos em suas ilhas, de tempos em tempos. Eles seriam "lamars", ou espíritos de nativos que já haviam morrido, que retornavam para rever os parentes. Mas, como haviam passado muito tempo mortos, voltavam "pálidos" e tinham até perdido o conhecimento da língua. Embora ingênua, foi essa tese que salvou a vida de pelo menos uma pessoa: a escocesa Bárbara Thompson, então uma jovem de 17 anos de idade, que vivia na Austrália.

Em 1843, o marido e ela foram convencidos por um marinheiro vigarista de que havia um barco semi-naufragado na região do estreito, com os porões cheios de óleo de baleia — algo bem valioso na época. De olho no lucro que aquele resgate poderia lhes render, os dois embarcaram no barco do sujeito, mas logo perceberam que não havia "tesouro" algum a ser recuperado.

Furioso, o marido de Bárbara desembarcou o embusteiro à força num banco de areia e seguiu com o barco dele, de volta à Sydney. Mas, no caminho, uma tempestade atirou o barco de encontro às pedras de uma ilha, hoje conhecida como Entrance. O marido de Bárbara morreu afogado ao tentar chegar à praia, mas ela escapou com vida. E, a partir daí, teve que assumir outra vida.

Na ilha, Bárbara se viu cercada por uma dúzia de nativos de pele escura e hábitos primitivos. Mas, para sua surpresa, foi muito recebida.

— Gi'Om! —, disse um deles, ao olhar bem para náufraga. E os outros concordaram que se tratava do "lamar" de Gi'Om, a jovem mulher do chefe daquela tribo, que havia morrido afogada tempos antes. Bárbara, a princípio, não entendeu nada. Mas, depois de compreender o que se passava, manteve a farsa, porque era mil vezes melhor se passar pelo fantasma de outra pessoa do que morrer.

Aos poucos, ela foi se acostumando com a nova vida. Uma vida de quase rainha, já que era tratada como se fosse a verdadeira esposa do chefe da tribo. Depois de algum tempo, Barbara já se comportava como um aborígene — comia lagartos, formigas, carne de cobra e usava apenas um saiote feito de folhas. Viveu sete anos assim.

Até que, um dia, o navio inglês Rattlesnake parou naquela ilha e levou Bárbara de volta à civilização. Mas ela era tão bem tratada pelos aborígenes que partiu com o coração apertado. Até o próprio capitão do barco se questionou se deveria levá-la embora.

Em fevereiro de 1850, aos 24 anos, a escocesa retornou à Sydney, onde contou sua história, que ficou famosa. Depois, casou-se com um comerciante local e nunca mais se teve notícias dela. Jamais se soube se Bárbara se arrependeu da escolha.

O PRIMEIRO HERÓI DO MAR BRASILEIRO

O primeiro salvamento no mar feito pela Marinha do Brasil curiosamente não aconteceu em águas nacionais e foi um feito quase heroico. Em 24 de agosto de 1848, ao partir de um porto da Inglaterra, a fragata brasileira Dom Afonso deparou com o barco americano Ocean Monark pegando fogo. Apesar do risco de também se tornar vítima do incêndio, a Dom Afonso se aproximou do barco em chamas e resgatou 256 das 396 pessoas a bordo. No comando da fragata brasileira estava o então capitão-de-mar-e-guerra Joaquim Marques Lisboa, que, mais tarde, viria a ser nomeado Marquês de Tamandaré, e, não por acaso, patrono da Marinha Brasileira até hoje.

Afundar para salvar

Para salvar o barco, o próprio capitão decidiu afundá-lo

Na época dos barcos a vapor, um dos acidentes mais frequente era a combustão do carvão levado a bordo para alimentar as caldeiras. Alguns barcos ficavam com os porões queimando muito lentamente por semanas, já que não era nada fácil extinguir completamente as brasas. Um dos recursos usados nesses casos era afundar propositalmente o barco em águas rasas, a fim de extinguir o fogo, para, em seguida, fazê-lo flutuar novamente, usando bombas d´água.

Foi o que fez o capitão do barco inglês Capricorn. Em fevereiro de 1852, depois de ter tentado, em vão, cruzar o Cabo Horn e desistido, ele descobriu que o carvão que transportava nos porões estava em combustão. Ele, então, rumou para a vizinha Ilha dos Estados, no extremo sul da costa argentina, e ali afundou o barco, numa parte particularmente rasa da ilha. A operação, tanto do afundamento quanto do posterior resgate, foi um sucesso.

Porém, o Capricorn parecia condenado a terminar seus dias nas geladas águas do sul do continente. Logo depois de voltar a navegar, ele foi levado para reforma nas então Ilhas Malvinas (hoje Falklands) e ali foi dado como perdido, porque seus reparos custariam mais que o valor do barco.

O Capricorn foi abandonado num canto do porto da ilha e ali se encontra até hoje, carcomido pelo tempo, mas não pelo carvão que o levou àquela situação.

O barco orgulho americano

Ter batizado a mais famosa regata do mundo
foi apenas um dos feitos do veleiro America

A America´s Cup, a regata mais famosa do mundo e também a mais antiga competição ainda em disputa entre todos os esportes, foi assim batizada por causa de um barco: o iate americano

America, cuja história foi realmente digna de tal homenagem.

O America foi construído em 1851, nos Estados Unidos, como uma prova de que os americanos já eram capazes de construir barcos tão bons e velozes quanto os dos colonizadores ingleses. Quando ficou pronto, ele logo cruzou o Atlântico para participar de uma competição contra 17 barcos ingleses, na própria Inglaterra — foi o primeiro barco a cruzar um oceano com o único objetivo de participar de uma regata. Lá chegando, não fez por menos e venceu a prova, fato que acabou gerando um comentário que entrou para a História.

Quando a rainha inglesa Victoria, que estava presente ao evento, perguntou a um súdito qual barco havia chegado em segundo lugar, atrás do veleiro americano, ouviu, respeitosamente, que "naquela regata não havia segundo colocado" — porque só a vitória importava.

A partir de então, em homenagem à vitória daquele veleiro vindo de uma ex-colônia, a competição passou a ser chamada de "America´s Cup" e começou a ser disputada a cada quatro anos. E, fazendo jus ao nome da própria competição, o domínio americano na America´s Cup perdurou por longos 130 anos, até ser finalmente quebrado pelo veleiro australiano Australia III, em 1983. Já o barco que deu origem a essa hegemonia centenária na principal das regatas teve um destino bem mais curto — e um fim inglório.

Depois da surpreendente vitória na Inglaterra, o America foi vendido a um milionário inglês, que o rebatizou Camilla. Em seguida, o barco passou pelas mãos de outros donos europeus, até

UMA ORDEM HISTÓRICA

A primeira vez que a expressão "mulheres e crianças primeiro!" foi usada para hierarquizar o salvamento de vítimas de naufrágios aconteceu em 1852, graças ao comandante do navio inglês Birkenhead, Robert Salmond, que bateu em recifes na costa sul da África. Como o Birkenhead era um navio de transporte de tropas, mas, naquela viagem, levava 20 mulheres e crianças, ele ordenou que o primeiro barco salva-vidas não fosse ocupado por nenhum soldado, embora eles fossem mais de 600 a bordo. Só depois que o bote partiu, com apenas aquele pequeno grupo de passageiros, a tropa foi autorizada a ocupar os demais barcos. Mas não deu tempo, nem havia botes suficientes para todos. Ao final do episódio, só 193 dos 648 ocupantes do navio sobreviveram, entre eles, o grupo de mulheres e cria nças. O comandante Salmond, criador da expressão que, desde então, se tornou lei em todas as embarcações, também não escapou com vida.

retornar aos Estados Unidos, às vésperas da Guerra Civil americana. Ao chegar, foi requisitado pelos Confederados para atuar no conflito e teve o seu nome novamente alterado, dessa vez para Memphis. Por conta de sua incrível capacidade de velejar rápido, foi transformado em barco de interceptação de embarcações que supriam os inimigos da União com armamentos e mantimentos.

Mas, quando os Confederados se viram cercados, o destino do America foi selado. Para não cair nas mãos dos inimigos, o outrora garboso veleiro foi propositalmente afundado, em 1862, em um canal, nos arredores de Jacksonville, no norte da Flórida. E ali ficou por mais de um ano, até ser localizado, no fundo do canal, ainda em bom estado, por um pesquisador das tropas da União.

O America foi, então, recuperado, voltou a navegar com o seu nome original, mas passou a combater do outro lado do conflito. Quando a Guerra Civil terminou, ele passou a ser usado como barco de treinamento da Academia Naval de Annapolis. Mas, seis anos depois, em 1870, voltou a disputar a copa que ele mesmo criara, terminando em quarto lugar — nada mal para um barco com já quase 20 anos de uso e tantos contratempos no currículo, inclusive um completo naufrágio.

Depois disso, o America foi vendido ao general americano Benjamin Butler, que o usou como iate particular, por outros 20 anos. Em 1893, com a morte do general, o histórico veleiro foi arrematado por um comitê de restauração da história americana e novamente entregue à Academia de Annapolis. Lá, foi reformado, restaurado e colocado em exposição permanente, como reconhecimento por aquela histórica vitória contra os ingleses, décadas antes.

E assim o veleiro ficou por muitos anos, até que, em 1942, com o início da Segunda Guerra Mundial, foi retirado da água e levado para um galpão da academia, a fim de não correr nenhum risco. Mas, ironicamente, foi justamente ali, na pseudo segurança de um depósito, que o America encontrou o seu final inglório. Durante uma tempestade, em 29 de março daquele ano, o teto do galpão desabou, despedaçando o barco que, de certa forma, era um símbolo do orgulho americano. Mas ficou o legado da America´s Cup, a mais famosa competição de barcos a vela do mundo, que é disputada até hoje.

O naufrágio que virou festa

Estava tão bom naquela ilha deserta que alguns náufragos não queriam ir embora

No primeiro dia de dezembro de 1853, o vapor americano SS Winfield Scott partiu de São Francisco com destino ao Panamá, levando cerca de 500 passageiros, boa parte deles alegres caçadores de ouro, que voltavam para casa depois de terem enchidos os bolsos nos garimpos da costa oeste americana. Mas, no segundo dia de viagem, o vapor bateu em um rochedo submerso nas proximidades da Ilha Anacapa, na costa da California, e afundou.

Antes, porém, todos os passageiros tiveram tempo de pegar os seus pertences mais valiosos (ou seja, muito ouro e outras coisa mais) e escapar para a praia, nos botes de socorro. Ninguém morreu nem se machucou no acidente, o que gerou nos sobreviventes um sentimento geral de alívio e felicidade, logo traduzido em festas improvisadas na areia da praia daquela ilha deserta.

Músicas, danças, jogos, apostas e até lutas de boxes (sem falar nos "serviços" de algumas prostitutas que estavam a bordo) passaram a preencher os dias daqueles náufragos de maneira tão divertida, que, quando o primeiro barco de resgate chegou, dias depois, alguns homens se recusaram a embarcar — porque ali estava bom demais.

O improvável Carnaval daqueles náufragos só terminou uma semana depois, quando, alertado pelo primeiro barco, outro vapor, o California, levando a bordo até alguns policiais, chegou para resgatar todos. Na marra.

AS VÍTIMAS QUE VIRARAM COMIDA

O mais dramático naufrágio já registrado no Estreito de Torres, onde o Oceano Pacífico encontra o Índico, aconteceu em 1858 e envolveu um grupo de chineses que estava sendo levado para trabalhar nas minas de ouro da Austrália. Quando o barco que os transportava, o St. Paul, encalhou num banco de areia junto a uma das muitas ilhas da região, o comandante e todos os tripulantes pegaram o único bote salva-vidas que havia a bordo e partiram, deixando os chineses largados a própria sorte numa ilha deserta. Ali, eles foram sistematicamente atacados por selvagens canibais de uma ilha próxima e capturados aos poucos, para saciar a fome dos vizinhos. Quando, muito tempo depois, uma expedição inglesa encontrou e resgatou os náufragos, o massacre já estava perpetuado: dos 327 chineses embarcados no St. Paul, só 16 escaparam com vida daquela tenebrosa ilha.

Um triste aprendizado

Quando foi descoberto intacto no fundo do lago, um histórico barco acabou condenado a sumir para sempre

Os Grandes Lagos são como uma espécie de mar interior, na fronteira entre os Estado Unidos e o Canadá. São enormes e frequentemente açoitados por ventos fortes, que erguem vagas inimagináveis para um lago. Pois foi nesse ambiente muitas vezes hostil que, em junho de 1864, afundou o Alvin Clark, então o maior barco cargueiro da região, depois de tombar durante uma tempestade, bem próximo da margem, na divisa entre os estados americanos de Michigan e Wisconsin. De seus cinco tripulantes (bem menos que o habitual, já que o barco estava retornando de uma viagem e sem carga), três desapareceram nas águas doces e quase muito frias dos Grandes Lagos. Entre eles, o seu comandante.

Foram, no entanto, essas duas características (o frio e a ausência de sal na água) que mantiveram o Alvin Clark perfeitamente conservado no fundo do lago por mais de um século. Até que, em novembro de 1967, 103 anos depois do seu naufrágio, um pescador teve sua rede enganchada em algo no fundo do lago e chamou o mergulhador Frank Hoffmann para soltá-la. Hoffmann mergulhou e o que descobriu, 30 metros abaixo da superfície, foi uma preciosidade: o enorme casco de madeira do Alvin Clark estava em perfeito estado, mesmo após tantos anos debaixo d´água. Até os dois mastros ainda estavam em pé, como se o barco estivesse navegando. E, mais tarde, era exatamente isso o que aquele histórico barco voltaria a fazer.

Entusiasmado com o achado, Hoffmann decidiu resgatar o Alvin Clark. Nos anos seguintes, fez mais de 3 000 mergulhos no local e, com a ajuda de amigos, removeu toneladas de lama que prendiam o casco, além de cavar valas por baixo dele, para passar correntes que, segundo ele, permitiriam trazer o barco de volta à superfície. E assim foi feito, com pleno sucesso. Em 1969, o Alvin Clark saiu inteiro do fundo do lago, mais de um século depois de ter afundado. Um feito e tanto.

O objetivo de Hoffmann era ganhar dinheiro exibindo o barco, nas margens do lago, como um museu vivo. Mas o sonho de fazer fortuna com isso durou pouco. Logo, passada a novidade, os visitantes começaram a minguar, o movimento tornou-se bem menor que o esperado e os parcos recursos auferidos com a venda de ingressos não foram suficientes para garantir a preservação do barco, inadequadamente mantido a céu aberto, sem maiores cuidados. Em contato direto com o ar, os ventos e as chuvas, o Alvin Clark começou a apodrecer rapidamente, o que qualquer estagiário de arqueologia saberia prever. Menos Hoffmann.

Desolado, ele passou a beber. Certo dia, bêbado e com raiva, chegou a tentar colocar fogo no barco, mas foi contido a tempo. Depois, endividado, vendeu a área onde ficava o Alvin Clark para um empreendedor imobiliário, que, no entanto, só queria saber do terreno na beira do lago. Para o comprador, aqueles restos de um velho barco na margem não passavam de um estorvo na paisagem e precisavam ser retirados. E foi o que ele mandou fazer.

O pobre barco foi destruído por guindastes, a fim de liberar a área. Vinte e cinco anos depois de voltar à vida, o Alvin Clark morreu de vez, vítima da então falta de legislação para a preservação de naufrágios, o que só passou a existir nos Estados Unidos após este episódio e a morte de Hoffmann.

Foi um triste aprendizado. Se tivesse continuado submerso ou sido enviado a um museu especializado, o Alvin Clark hoje seria uma das maiores atrações da arqueologia submarina americana. Mas acabou aos pedaços, soterrado por uma terraplenagem.

Bom e mau exemplo

Sobreviventes de dois barcos buscaram abrigo na mesma ilha, ao mesmo tempo. De um, salvaram-se todos. Do outro, bem poucos

A ilha Auckland, entre a Nova Zelândia e a Antártica, a mais de 500 quilômetros da terra firme mais próxima, é um dos lugares mais hostis dos sete mares. Chove praticamente o ano inteiro, o frio é cortante mesmo no verão e o vento furioso quase nunca dá trégua. Não se sabe o que é pior: se naufragar no mar congelante dessa parte do Pacífico ou escapar com vida do naufrágio e ficar ilhado em Auckland.

Pois foi o que aconteceu com as tripulações de dois barcos, praticamente ao mesmo tempo. Em 1864, o Grafton e o Invercauld naufragaram nos arredores de Auckland e seus tripulantes buscaram abrigo na montanhosa ilha. Só que em lados opostos dela, de forma que uma equipe jamais soube da presença da outra, apesar de terem ficado dois anos dividindo o mesmo território.

Mas as coincidências pararam por aí. Na forma como os dois grupos de náufragos se organizaram para tentar sobreviver as adversidades não houve nada em comum entre os sobreviventes do Grafton e do Invercauld.

Enquanto os 19 homens do Invercauld se degladiaram e se trucidaram na disputa por comida (que teve até episódios de canibalismo), os quatro sobreviventes do Grafton, sob o comando do capitão Thomas Musgrave, fizeram exatamente o oposto: se organizaram metodicamente, dividiram igualmente os parcos recursos que tinham e começaram a trabalhar para tentar sair de lá. Com os poucos destroços que o mar lançou na ilha, eles construíram um abrigo e até uma espécie de forno, no qual forjaram ferramentas que lhes permitiram construir um pequeno barco. Trabalharam incessantemente durante dois anos, com foco e disciplina, apesar das condições desumanas da ilha. Até que um pequeno barco ficou pronto e os quatro homens voltaram à Nova Zelândia, pelos seus próprios meios.

Já, entre os integrantes do Invercauld, só três dos 19 náufragos restaram vivos quando foram resgatados por um barco que por ali passou, tempos depois da partida dos quatro sobreviventes do Grafton. O duplo caso ilustrou bem a diferença que uma boa liderança faz e mostrou claramente a fina linha que separa a ordem do caos em situações extremas.

O lendário barco das corridas nos oceanos

Na era dos grandes veleiros cargueiros, um deles fez história. Até desaparecer para sempre

Na segunda metade do século 19, quando os grandes e bonitos clíperes dominavam o transporte de mercadorias pelos mares, seus comandantes costumavam se divertir apostando corridas para ver quem chegava primeiro ao porto de destino. Eram "competições" não oficiais e muitas vezes condenadas, porque colocavam em risco a integridade dos barcos e suas valiosas cargas.

Mas rendiam prestígio aos comandantes dos barcos e, em muitos casos, até prêmios em dinheiro, com base no lucro extra que o menor tempo das viagens gerava para os donos das cargas – especialmente se elas fossem chás da China, bebida que os ingleses apreciavam saborear "ainda frescos". Surgiram, assim, as "corridas do chá", que tinham por objetivo levar o mais rapidamente possível para as terras da rainha a primeira safra de chá chinês de cada temporada.

A mais famosa corrida do gênero aconteceu em 1866 e envolveu nada menos que cinco dos clíperes mais famosos da época: Taeping, Fiery Cross, Sérica, Taitsing e Ariel, todos tão ingleses quanto o chá das cinco. Eles partiram praticamente juntos de Foochow, na China, entre os dias 29 e 30 do mês de maio, para uma travessia de 16 000 milhas, até Londres. Exatos 99 dias depois, o primeiro barco, o Taeping, atracou no porto inglês, mas apenas 20 minutos antes do Ariel — uma diferença tão pequena que o prêmio acabou sendo dividido entre os dois comandantes.

Mais tarde, com o atalho propiciado pela abertura do Canal de Suez, o transporte do chá chinês para a Europa passou a ser feito por navios a vapor. Com isso, os clíperes ingleses, bem como a tradição das corridas oceânicas a vela, foram transferidos para outra rota, a da Inglaterra para a Austrália.

E foi logo na primeira corrida/travessia do gênero, em janeiro de 1872, que o lendário clíper Ariel desapareceu para sempre, em algum ponto do extremo sul do planeta, muito provavelmente no temido Cabo Horn, onde o Atlântico encontra o Pacífico, já que um pedaço de casco com uma letra "A" gravada foi encontrado numa ilha da região, seis meses depois. Era o fim de um dos mais lendários clíperes da História.

Aquela corrida, o Ariel também perdeu.

Barco movido a cata-vento

Para ganhar uma aposta, ele inventou um novo tipo de veleiro

A ideia era bem original: para navegar contra o vento, por que não usar um cata-vento em vez de velas? Afinal, se o mesmo princípio que permitia aos moinhos de vento se tornarem capazes de extrair até água do solo, por que não haveriam de mover um simples barco?

Foi pensando assim que, depois de fazer uma aposta num pub inglês de que seria capaz de cruzar o Atlântico com um barco de apenas 20 pés de comprimento, o austro-húngaro Nikola Primorac se lançou ao mar da Inglaterra, em 2 de junho de 1870, pretendendo chegar à Nova York, do outro lado do oceano, com um veleiro movido a cata-vento.

O plano consistia em fazer com que os ventos, que eram predominantemente contrários naquela rota, girassem grandes pás instaladas num mastro, feito um enorme ventilador ao contrário. A princípio deu certo e o pequeno barco, batizado City of Ragusa (antigo nome da cidade de Dubrovnik, na atual Croácia, onde nasceu Primorac), realmente se mostrou capaz de navegar com certa desenvoltura, mesmo sob ventos contrários.

Mas logo Primorac percebeu que o seu cata-vento náutico era grande demais para o tamanho do barco e, cada vez que o casco adernava, as pontas das pás tocavam a água e o veleiro estancava. Pelo mesmo motivo, não demorou muito para o equipamento quebrar durante a travessia. Mas nem assim, Primorac, que se lançara ao desafio na companhia de um holandês também frequentador assíduo dos pubs londrinos (e que, por sinal, estava completamente bêbado ao embarcar), desistiu de seus planos de cruzar o oceano com aquele barquinho e ganhar a aposta.

Os dois improvisaram uma segunda vela com os panos que revestiam as pás do cata-vento (havia um segundo mastro no barco com uma vela convencional) e seguiram em frente, chegando à Nova York 92 dias depois de terem partido da Europa. O vento, afinal, fez Primorac e seu acompanhante cruzarem o oceano com aquele barquinho. Mas não exatamente da forma como eles pretendiam.

Em Nova York, eufóricos com a súbita popularidade, os dois resolveram retornar do mesmo jeito, agora navegando a favor dos ventos — portanto, só com velas convencionais. Depois de descansarem por quase um mês, voltaram ao mar e, após 33 dias, tocaram novamente o solo inglês, feito que os levou a serem recebidos até pela rainha Victoria. O City of Ragusa também ganhou lugar de destaque no museu de Liverpool, onde ficou em exposição. Mas um bombardeio alemão no final da Segunda Guerra Mundial destruiu o prédio e tudo o que havia dentro dele. Inclusive o curioso e inédito barco movido à cata-vento.

O mais famoso enigma dos mares

O que aconteceu com a tripulação do Mary Celeste é um mistério sem resposta até hoje

Não há mistério mais famoso nos mares do que o destino que tiveram todos os tripulantes do barco americano Mary Celeste, encontrado à deriva, sem ninguém a bordo, mas em perfeito estado, no meio do Atlântico, em dezembro de 1872.

Quando ele partiu de Nova York, rumo a Gênova, na Itália, levava uma carga de mais de mil barris de álcool e dez pessoas a bordo, incluindo a família (esposa e uma filha pequena) do comandante, Benjamin Briggs, um experiente capitão. Mas jamais apareceu algum sobrevivente ou corpo de seus ocupantes.

É praticamente certo que eles tenham abandonado o barco, já que a única coisa que não estava a bordo era o bote salva-vidas e alguns instrumentos de navegação. Mas, por que teriam feito isso se, ao ser encontrado, o Mary Celeste ainda estava em condições de navegar? E por que trocar um barco grande e seguro por um bote pequeno e arriscado em pleno oceano?

As perguntas sempre foram bem mais numerosas que as respostas neste caso realmente intrigante e que desafia os velhos marinheiros há quase um século e meio. Muitas teorias já foram desenvolvidas, mas jamais houve uma explicação conclusiva para o que teria acontecido a bordo do Mary Celeste, entre os dias 24 de novembro (data do último registro no seu diário de bordo, após ele passar ao largo de uma das ilhas dos Açores) e 5 de dezembro de 1872, quando foi localizado por outro barco, o Dei Gratia, que fazia a mesma rota. E, muito provavelmente, jamais se saberá.

O que se sabe de concreto é que o Mary Celeste partiu de Nova York em 7 de novembro e, a julgar pelos registros no seu livro de bordo, vinha fazendo uma viagem tão tranquila quanto o estado do mar à sua volta. Até que foi encontrado boiando vazio, com quase todas as velas arriadas, mas em perfeito estado e sem nenhum sinal aparente de problema, exceto alguns detalhes intrigantes.

Um deles é que a carga de álcool estava praticamente intacta, mas nove barris jaziam vazios — teriam vazados ou sido consumidos? Outro detalhe é que havia água e comida em boa quantidade — por que trocar um barco abastecido por um simples bote no deserto de um oceano? Todos os pertences dos ocupantes também permaneciam a bordo, o que significa que eles teriam partido às pressas — mas, por qual motivo? E as velas quase todas recolhidas também indicavam que o Mary Celeste fora propositalmente parado no meio do mar, possivelmente para que os ocupantes desembarcassem — mas por que a tripulação abandonaria um barco que ainda podia navegar?

Também havia um pouco de água empoçada dentro dos porões, mas poderia ser obra da chuva, ou mesmo do mar, depois que o barco ficou à deriva. E um cabo partido boiava na popa do barco, como se tivesse rompido ao rebocar algo – seria o bote salva-vidas levando os ocupantes a reboque? Neste caso, o que de tão grave teria acontecido no Mary Celeste a ponto de ninguém poder permanecer a bordo?

Cada uma dessas perguntas gerou teses diferentes para tentar explicar um mistério que, até hoje, não tem solução. Uma delas pregava que o capitão Briggs fora vítima de um motim a bordo. Ao repreender a tripulação, que estaria bebendo parte da carga (daí os barris vazios de álcool), ele teria sido morto e atirado ao mar, com a mulher e a filha. Em seguida, temendo serem descobertos, os amotinados abandonaram o barco, com o bote, mas acabaram engolidos pelo mar, mais tarde. Contra esta teoria, pesa o fato de que não havia sinais de violência a bordo, mas nem isso pode ser garantido.

Outra tese apregoou um simples ataque de pirataria e — quem sabe? — vindo do próprio barco que supostamente "encontrara" o Mary Celeste, o Dei Gratia. Como ambos faziam a mesma rota, o Dei Gratia teria perseguido o Mary Celeste e o atacado, para que sua tripulação recebesse o dinheiro pago a quem encontrasse um barco "abandonado", conforme as regras da época.

Esta foi a principal teoria do inquérito que se seguiu ao mistério. Tanto que capitão do Dei Gratia, que rebocou o Mary Celeste até o porto de Gibraltar, como forma de pleitear o prêmio, só recebeu um sexto do valor do resgate, mesmo tendo sido absolvido por falta de provas. Por outro lado, o capitão do Dei Gratia e Briggs eram tão amigos que até jantaram juntos, na véspera da partida do Mary Celeste. Teria ele tido coragem de trair o amigo? Já as demais teorias de pirataria logo foram descartadas, porque tanto a carga quanto os pertences estavam intactos.

Mas há uma terceira hipótese para o caso e estaria ligada a um eventual risco de explosão a bordo do Mary Celeste: uma onda teria derrubado alguns tonéis de álcool (os tais barris vazios) e o vazamento do líquido inflamável colocara em pânico a tripulação, que, precipitadamente, julgou que o barco explodiria e o abandonou – o que explicaria a corda partida na popa do Mary Celeste. Ela teria sido usada para manter o bote salva-vidas atado ao barco, com todos os tripulantes dentro dele, mas rompera, fazendo com que o Mary Celeste fosse embora (já que, na pressa, nem todas as velas foram arriadas) e o bote, sem remos, não pudesse mais alcançá-lo. É uma hipótese plausível. Mas, desde aquela época, impossível de ser comprovada.

O mistério do Mary Celeste logo correu toda a Europa e até inspirou o escritor escocês Artur Conan Doyle, criador de Sherlock Holmes, a fantasiar ainda mais a história, transformando-a na de um "navio-fantasma". Era o que faltava para o mais famoso enigma dos oceanos virar, também, lenda. A lenda do barco sem ninguém a bordo.

Nos anos seguintes, o verdadeiro Mary Celeste mudou várias vezes de dono e de nome, porque ninguém queria navegar num barco tido como "maldito". Até que, em 1885, foi comprado por um comandante falido, que decidiu afundá-lo de propósito, para receber o dinheiro do seguro. E assim ele o fez, em algum ponto desconhecido do Caribe.

Por mais de um século, não se soube qual o derradeiro paradeiro do Mary Celeste. Até que, em 2001, uma expedição financiada pelo escritor de aventuras Clive Cussler garantiu ter localizado seus restos, afundados na costa do Haiti. Mas o Caribe tem tantos naufrágios que a informação foi contestada e jamais comprovada. Nem isso se soube sobre o destino daquele misterioso barco. A história do Mary Celeste jamais teve um final.

Outro mistério jamais explicado

Tal qual o caso do Mary Celeste, o aparecimento da escuna Carrol A. Deering sem ninguém a bordo jamais teve uma resposta

Outro grande enigma jamais explicado foi o encalhe da escuna americana Carrol A. Deering nos baixios que rodeiam o Cabo Hatteras, na costa da Carolina do Norte, nos Estados Unidos, em janeiro de 1921. Não pelo encalhe em si, algo comum naquela região, até hoje considerada a mais traiçoeira da costa leste americana. Mas sim porque, quando isso aconteceu, não havia ninguém a bordo. Nunca se soube que fim levaram os 12 homens que tripulavam a escuna, embora, apesar do encalhe, ela estivesse em perfeito estado — exceto pela ausência da âncora.

A Carrol A. Deering, assim batizada em homenagem à filha do dono do barco, era uma linda escuna de carga, de cinco mastros, que, no início do século do século passado, fazia rotas regulares entre a América do Norte e a América do Sul, levando mercadorias e trazendo matérias-primas. Em 19 de agosto de 1920, ela partiu do porto de Norfolk, na Virginia, para mais uma dessas travessias, rumo ao Rio de Janeiro, como sempre sob o comando do capitão William Merritt, que tinha seu próprio filho, Sewall, como primeiro assistente, e todos os demais tripulantes de origem escandinava.

Mas, desta vez, nem o comandante Merritt nem o seu filho chegaram a sair das águas americanas. Na altura de Delaware, os dois adoeceram e tiveram que deixar o barco. O comando da escuna passou, então, para as mãos de W. Wormell, um velho capitão já quase aposentado, recrutado às pressas para substituir Merritt, um capitão que gozava de total respeito dos marinheiros. Mas o mesmo não podia ser dito do novo comandante, que passou a ser alvo de comentários maldosos dos tripulantes, em especial de seu primeiro assistente, Charles McLellan, também convocado para substituir o filho de Merritt na tarefa de ajudar a conduzir o barco até o Rio de Janeiro.

Na viagem de ida ficou claro que Wormell tinha certas dificuldades, em especial na visão, causada pela idade avançada. Por isso, o ambicioso primeiro assistente McLellan não nutria muito respeito pela hierarquia a bordo. Suas reclamações sobre o capitão tornaram-se cada vez mais frequentes e ácidas. Mesmo assim, nada de anormal aconteceu na viagem.

Em 2 de dezembro de 1920, o Carrol A Deering levantou velas no Rio de Janeiro e partiu de volta aos Estados Unidos, parando em Barbados, para repor suprimentos. Lá, durante uma noitada nos bares da ilha, McLellan embebedou-se e criticou abertamente o capitão Wormell ao comandante de outro barco americano de passagem pela ilha, o Snow, dizendo que, sem ele para ajudar, a Carrol A. Deering não conseguiria navegar. Por fim, garantiu, em alto e bom som, que "se tornaria capitão antes de chegar a Norfolk", num claro exemplo de insubordinação. McLellan acabou preso, mas foi perdoado por Wormell, que o recolocou no barco. E a Carrol A Deering seguiu viagem.

Quase um mês depois, um faroleiro da costa da Carolina do Norte avistou o barco, fez contato, mas só pode entender, por meio de um marinheiro com forte sotaque escandinavo, que eles haviam perdido a âncora. Três dias após esse contato, a Carrol A. Deering foi vista encalhada nos baixos do Cabo Hateras, mas o mar agitado não permitiu uma abordagem, o que só aconteceu quatro dias depois. E o que os homens do resgate encontraram deixou todo mundo intrigado.

Não havia ninguém a bordo, mas tudo estava em perfeito estado, exceto pelo sumiço de dois botes, dos pertences da tripulação, do diário de bordo e dos equipamentos de navegação do barco — cla-

O MENINO DOS TRÊS NAUFRÁGIOS

Em 1874, o barco alemão Dr. Hansen naufragou na Terra do Fogo, deixando alguns náufragos isolados numa baía. Dias depois, eles foram resgatados pelo explorador argentino Luis Piedra Buena. Entre os socorridos, estava um menino, chamado Federico Rudge, dono de um provável recorde: o de maior número de naufrágios na infância. Com apenas seis anos de idade, aquele havia sido o seu terceiro naufrágio. Todos, felizmente, bem-sucedidos.

ros sinais de que a Carrol A. Deering havia sido abandonada, aparentemente antes de encalhar nos baixios — que, por sinal, eram bem conhecidos pelos marinheiros do barco e, portanto, poderiam ter sido evitados. Mas por que eles teriam abandonado a escuna se ela estava em perfeito estado? Esta é a pergunta que, tal qual no caso do Mary Celeste, jamais teve resposta.

Um inquérito foi aberto pela Guarda Costeira americana, mas não chegou a conclusão alguma — até porque, após um mês de frustradas tentativas de desencalhar a escuna dos baixios, a Carrol A. Deering foi dinamitada, para não comprometer a navegação na área. Com isso, desapareceram também eventuais vestígios que pudessem ajudar a decifrar o enigma do desaparecimento daqueles 12 homens. O caso foi dado por encerrado um ano depois, em 1922, sem uma conclusão final.

Na época, diversas teorias tentaram elucidar o mistério. Uma delas pregava o que a escuna havia sido vítima de uma tempestade que passara pela região, o que teria assustado a tripulação, levando-os a abandonar a embarcação. Mas logo ficou provado que a tormenta havia passado fora da rota do barco e, de mais a mais, os tripulantes da escuna eram experientes demais para cometer o erro banal de abandonar um barco em bom estado.

Outra teoria foi a de pirataria. Depois de ser avistada pelo faroleiro, a Carrol A. Deering teria sido atacada por contrabandistas de rum do Caribe, que viviam de olho em barcos de bom porte para transportar ilegalmente bebibas alcoólicas para os Estados Unidos, então em plena Lei Seca. Mas eles teriam perdido o controle do barco nos baixios, encalhado e fugido nos botes, depois de matar toda a tripulação e atirar os corpos ao mar. Mas não havia nenhum sinal de violência a bordo e nenhum corpo foi encontrado na área.

Também ganhou muita popularidade o fato do desaparecimento da tripulação ter acontecido dentro dos limites do chamado Triângulo das Bermudas, o que contribuiu para alimentar ainda mais as especulações sobre fenômenos inexplicáveis na região.

Mas, de todas as hipóteses, a mais provável é que a escuna tenha sido vítima de um motim, tendo em vista o comportamento acintoso do primeiro assistente McLennan contra o comandante Wormell, o que foi testemunhado pelo comandante do Snow, naquele bar em Barbados. Por esta teoria, McLennan teria arregimentado outros tripulantes, dado cabo do capitão e fugido com os amotinados, nos barcos salva-vidas.

Contudo, mesmo a mais aceita das hipóteses esbarra no detalhe de que não seria muito fácil para quase uma dúzia de homens viverem o resto de seus dias no mais completo anonimato. Além disso, nenhum registro de chegada de "náufragos", como eles poderiam ser interpretados, foi feito em toda a região. A menos que, depois de fugirem nos botes, os amotinados tenham sido engolidos pelo mar (ou pela tal tempestade), já que as condições de navegação na ocasião eram tão complicadas que a própria abordagem da escuna teve que aguardar quatro dias para ser feita. Mas nenhum indício disso tampouco foi encontrado.

O desaparecimento dos 12 tripulantes da Carrol A Deering é um mistério sem solução até hoje, tal qual o enigmático encontro do Mary Celeste boiando no Atlântico, 49 anos antes.

O folclórico homem-boia

Vestindo uma roupa especial que inflava, o irlandês Paul Boyton navegava usando o próprio corpo como barco

O irlandês Paul Boyton foi uma espécie de marinheiro que jamais precisou de um barco para navegar, porque usava o próprio corpo para isso. No final do século 19, quando trabalhava como salva-vidas numa praia americana, ele conheceu uma novidade que mudaria sua vida para sempre: uma roupa de borracha que inflava e fazia o usuário boiar feito uma rolha na água. Ela havia sido recém-criada pelo americano Clark Merriman (que batizara a novidade com o seu sobrenome), para ajudar a salvar vítimas de naufrágios. Cobria o corpo inteiro, feito uma roupa convencional de mergulhador, mas tinha câmaras internas de ar que permitiam ao corpo flutuar, sem nenhum esforço.

Boyton, que era um aventureiro nato, ficou tão fascinado com aquela inovadora roupa de borracha que se ofereceu para virar garoto-propaganda da invenção e de uma maneira bem original: "navegando" (e não apenas boiando) com ela. Seu objetivo era ficar famoso e lucrar com isso, além de se divertir, porque sempre gostou fazer coisas diferentes.

Entre uma escapada e outra para combater, como voluntário, em conflitos que nada tinham a ver com ele, como a Guerra Civil americana, Boyton começou a fazer pequenas travessias com aquela estranha roupa inflável. Ele vestia o traje, entrava na água e seguia, boiando, para onde a correnteza o levasse. Às vezes, usava um pequeno remo ou um prosaico guarda-chuvas como "vela", para dar algum rumo ao seu deslocamento.

Com o tempo, foi ganhando destreza e confiança no seu peculiar meio de navegação. E passou a reunir pequenas plateias nas exibições que fazia nas praias de Atlantic City. Virou, enfim, uma atração turística. Mas ainda era pouco para ele. Boyton queria mais. Queria ficar mundialmente famoso e decidiu que, para isso, precisaria navegar num oceano de verdade com aquela estranha roupa. Nunca ninguém jamais tentara nada igual. E isso o entusiasmava.

Boyton traçou um plano. Embarcaria num navio e, quando ele estivesse longe da costa, pularia na água e voltaria boiando, com a ajuda de um pequeno remo. Nos primeiros dias de outubro de 1874, ele embarcou no vapor Queen, que seguia dos Estados Unidos para a Irlanda, e, quando o navio estava a cerca de 450 quilômetros do litoral, vestiu a roupa de borracha, aproximou-se da amurada e, no instante em que ia deslizar para a água, foi barrado por um oficial do barco, que o impediu de fazer aquilo, por temer problemas com as rígidas autoridades americanas.

— Deixe para fazer sua experiência quando chegarmos às águas da Irlanda, que é o seu país natal" — disse-lhe o oficial. Boyton achou aquela sugestão melhor ainda, pois na Irlanda, seu feito ganharia ainda mais notoriedade.

Assim sendo, quando o navio se aproximou da costa irlandesa, Boyton, apesar do mar agitado, pulou na água e foi "navegando" com o próprio corpo até o litoral, onde foi recebido como ídolo nacional. Lá, e em boa parte da Europa, ficou conhecido como o "destemido homem-rã", depois de realizar outras façanhas com sua estranha roupa. Como navegar nos principais rios do continente (Tâmisa, Reno, Sena e Danúbio) e cruzar o Canal da Mancha, entre a França e a Inglaterra, numa travessia ininterrupta de 24 horas, na qual, pela primeira vez, remou e velejou ao mesmo tempo, após prender um pequeno mastro, com vela, na ponta dos pés.

Com o tempo, Boyton foi incorporando novos elementos a sua inusitada forma de navegar. Nas travessias mais longas, passou a incluir na sua roupa uma bússola, buzina, água, comida, foguetes sinalizadores e até uma espécie de tridente, para, segundo ele, afastar eventuais tubarões. Nas exibições, aparecia lendo ou fumando enquanto boiava, picardia que lhe rendeu até uma marca de charuto batizada com o seu nome. Conseguiu, enfim, ficar famoso, como sempre ambicionara. Mas não parou por aí.

Aventureiro incorrigível, em 1880, Boyton aceitou atuar como voluntário na guerra do Peru contra o Chile, usando sua silenciosa e imperceptível forma de navegar para se aproximar dos navios chilenos e fincar-lhes bombas de disparo retardado nos cascos. Conseguiu alguns resultados, mas, com a vitória chilena no conflito, foi considerado inimigo e quase acabou preso. Escapou por pouco e voltou aos Estados Unidos.

Lá, retomou as apresentações com sua roupa especial, mas, desta vez, em um local fechado, em Chicago, juntamente com alguns animais marinhos amestrados. Batizou o local de "Águas de Boyton" e tornou-se, com isso, o precursor dos parques temáticos. Em seguida, mudou-se para os arredores de Nova York, onde ampliou o show e fundou o Sea Lion Park, que, mais tarde, viria a ser a base para o até hoje mais célebre parque de diversões dos Estados Unidos, o histórico Coney Island, um dos ícones do lazer americano no século passado.

Boyton morreu anos depois, rico, ainda mais famoso e feliz por ter conquistado a notoriedade que sempre almejara, a partir de uma ideia que, a príncipio, parecia maluca demais para dar certo. Mas foi o único caso de sucesso da roupa de borracha Merriman. Comercialmente, ela nunca deu certo, nem atingiu o propósito de evitar mortes nos naufrágios. Só serviu mesmo para os espetáculos de seu mais fervoroso usuário.

SAQUEADORES DE NÁUFRAGOS

Uma das maiores selvagerias envolvendo naufrágios aconteceu em 1875, na costa da Inglaterra, quando o navio de passageiros Deustschland bateu nas pedras e afundou parcialmente, deixando muitas pessoas boiando no mar. Mais de dez pequenos barcos de pescadores da região de Kent estavam ali por perto, testemunhando o acidente, mas não prestaram socorros às vítimas: aguardaram que elas morressem afogadas, para, em seguida, saquear-lhes os corpos, em busca de joias e outros objetos de valor. Depois, ainda invadiram o navio semissubmerso e roubaram o que puderam, antes que ele fosse a pique. Os pescadores-saqueadores só foram descobertos tempos depois, quando tentaram vender objetos identificados como sendo das vítimas do naufrágio.

O capitão sumiu e ele assumiu

Quando uma onda arrastou o comandante para o mar, quem passou a pilotar o navio foi um simples passageiro

Na segunda metade do século 19, para mostrar sua emergente força industrial, os Estados Unidos decidiram criar uma linha própria de navios, construídos apenas com matéria-prima nacional, a American Line. Um destes navios foi o Pennsylvania, que passou a operar a rota regular entre a Filadélfia e Liverpool.

Em 21 de fevereiro de 1874, ele partiu para mais uma travessia do Atlântico, levando um bom volume de carga e apenas 12 passageiros. Entre eles, um ex-marinheiro chamado Cornelius Brady, que embarcara de última hora. Aquela seria a última viagem do comandante do Pennsylvania, Lewis Bradburn, que logo assumiria outro posto. E foi mesmo.

Dois dias depois de o Pennsylvania partir, o tempo mudou e foi piorando cada vez mais, até formar um furacão. O pior daquele ano. Na noite de 27 de fevereiro, o mar ganhou montanhas colossais de águas e uma delas estourou com tal força sobre a proa do navio que arrancou um pedaço do convés, inundando o salão abaixo dele. Mas o pior ainda estava por vir.

Perto da meia-noite, outra onda gigante desabou sobre a ponte de comando do Pennsylvania levando tudo o que encontrou pela frente, inclusive parte da própria cabine e seus cinco ocupantes. Entre eles, o capitão Bradburn, que também foi engolido pelo mar.

A tragédia deixou o Pennsylvania à deriva e sem comando. Ao perceber o ocorrido, o terceiro oficial e único tripulante que restou a bordo — e que, pela hierarquia, deveria assumir o posto — teve uma crise nervosa e recusou-se a assumir o comando do navio. Foi quando entrou em cena aquele passageiro de última hora.

O ex-marinheiro Cornelius Brady, que um ano antes havia sobrevivido a um naufrágio, resolveu assumir o papel de comandante do Pennsylvania, mesmo jamais tendo pilotado um navio. Ele subiu ao que restou da ponte de comando, diminuiu a velocidade e colocou a proa na direção das ondas, a fim de diminuir os impactos e evitar o que parecia inevitável: o naufrágio. Em seguida, deu ordem aos demais passageiros para que tentassem tapar, com o que desse, a entrada de água a bordo, especialmente pelo teto do salão danificado, enquanto ele manobrava o navio entre as ondas. E foi o que ele fez por horas a fio.

Quando o dia amanheceu e a tempestade havia diminuído um pouco, o Pennsylvania ainda flutuava. Mas veio outro problema: onde eles estavam, naquela imensidão do oceano? E qual rumo deveriam seguir, se não havia mais nenhum instrumento de navegação a bordo?

Pela duração da viagem até então, Cornelius estimou que deveriam estar na metade do caminho, ou seja, no meio do oceano, o que não trazia vantagem alguma já que a distância seria a mesma tanto para um lado quanto para o outro do Atlântico. Optou, no entanto, em regressar aos Estados Unidos. Apontou o navio para o que julgava ser a direção noroeste e foi avançando, a baixa velocidade, para não inundar ainda mais o casco.

Com o navio naquele estado e tendo no comando um simples marinheiro, aquela travessia tinha tudo

O CAPITÃO QUE NÃO TINHA BARCO

O inglês Matthew Webb entrou para a História como o primeiro homem a atravessar o Canal da Mancha a nado, entre a Inglaterra e a França, em 24 de agosto de 1875. Mas, bem antes disso, já era reverenciado nos portos ingleses por sua bravura, força e coragem. Sempre que alguém da região precisava de algum auxílio no mar, lá estava ele para ajudar. No mais famoso dos casos, Webb não pensou duas vezes em mergulhar de um navio em movimento para resgatar um marinheiro que caíra nas turbulentas águas do Atlântico Norte. E salvou o sujeito. Pelo feito, passou a ser respeitosamente chamado de "Capitão" Webb, mesmo não tendo direito a patente. E foi assim que o seu nome ficou registrado nos anais dos nadadores que venceram a mais famosa travessia a nado do planeta.

para acabar em tragédia. Era como colocar um enfermeiro para conduzir uma cirurgia cardíaca. Mas, milagrosamente, nada de pior aconteceu. E o tal passageiro que virara comandante até acertara o rumo.

Uma dúzia de dias depois, o Pennsylvania chegou a um porto dos Estados Unidos com todos os passageiros a salvo e a carga intacta. Cornelius Brady foi saudado como herói pela imprensa e recebeu da empresa dona do navio um cheque de mil dólares, como recompensa. Mas ele devolveu o prêmio: era baixo demais para o que havia feito. Só a carga que salvara estimara em 250 vezes aquele valor, sem falar nas vidas humanas, que não têm preço.

Indignado, Cornelius recorreu à Justiça e entrou com um processo de indenização contra a armadora do navio. Perante o juiz, todos os passageiros do Pennsylvania afirmaram que sem o comando firme e intuitivo de Cornelius eles jamais teriam sobrevivido. Tampouco o navio. Portanto, o valor da recompensa era injusto.

Pressionada, a American Line dobrou o valor do prêmio. Ainda assim, míseros dois mil dólares, bem pouco para o que aquele passageiro convertido em capitão fizera por todos. Mas, sem outra opção, Cornelius aceitou. Seu verdadeiro prêmio acabou sendo o reconhecimento pelo corajoso e extraordinário ato de assumir um navio mesmo sem saber como pilotá-lo.

A brava companheira de um aventureiro

Ela tanto fez que convenceu o marido a levá-la junto numa louca travessia, que acabou por transformá-la em heroína

Em 1876, Alfred Johnson, um modesto imigrante dinamarquês radicado nos Estados Unidos, virou notícia por ter cruzado o Atlântico Norte sozinho com um pequeno barco de pesca, a fim de comemorar o centenário da independência americana. Aquela travessia inspirou o americano Thomas Crapo a fazer o mesmo, mas com um barco menor que o de Johnson, já que sua intenção era ganhar fama e todo o dinheiro que isso pudesse lhe trazer.

Ex-marujo, ex-soldado, ex-pescador, ex-baleeiro e ex-dono de peixaria, Crapo projetou e construiu o barco que usaria na travessia, deixando-o bem parecido com os que usava na época em que caçava baleias — animal pelo qual nutria um tremendo trauma. Batizado de New Bedford, em homenagem à cidade onde ele vivia, o barco media seis metros de comprimento e tinha um único compartimento fechado. No tamanho, era apenas 15 centímetros menor que o de Johnson, mas bem mais robusto, pois o ex-caçador de baleias queria estar bem preparado se encontrasse um daqueles bichões que tanto temia. O que ele não contava era com uma repentina mudança de planos, quando sua esposa, Joanna, decidiu ir junto na viagem. Ela bateu tanto o pé que conseguiu convencê-lo.

Como o intuito de Crapo era sobrepujar Johnson, que navegara sozinho, ter mais alguém a bordo poderia diminuir o mérito de sua façanha. Mas, pressionado pela mulher, que não abria mão de acompanhá-lo, ele resolveu a questão tornando a esposa uma simples passageira, sem nenhuma interferência na navegação. Ela ficaria confinada num canto do barco, sem fazer nada, como uma simples testemunha ocular da viagem.

Mas a presença de Joanna a bordo acabou atraindo bem mais atenção para a travessia do que ele poderia imaginar, já que, até então, pelo que se sabia, nenhuma mulher havia se lançado em tamanha ousadia. Se conseguisse, Joanna se tornaria a primeira mulher a cruzar o Atlântico Norte num pequeno barco a vela. Sem querer, o primeiro objetivo de Crapo (o de ficar famoso) fora alcançado, antes mesmo dele se lançar ao mar. Até o New York Times mandou repórteres para a largada do casal, em maio de 1877. E ele começou a ganhar dinheiro ali mesmo, com a venda de fotografias dos dois no barco.

Mas se o marketing acidental funcionou bem, o mesmo não se pode dizer do seu barco. Crapo partiu sem sequer ter testado o New Bedford em mar aberto. E como o casco era de madeira, o barco deveria ter ficado um tempo na água para as tábuas dilatarem, vedando assim os vãos e evitando infiltrações futuras. Como isso não foi feito, os vazamentos começaram logo após a partida. Mas Crapo seguiu em frente, com o porão cheio d´água, até a quase vizinha ilha de Martha's Vineyard, onde comprou uma bomba manual, que, no entanto, não resolveu o problema.

Os Crapo seguiram, então, para outra cidade, onde o problema, enfim, foi sanado. Com isso, a partida definitiva teve que ser adiada em quase um mês. Até que, em 2 de junho, o casal partiu novamente, sem imaginar as novas dificuldades que enfrentariam no caminho.

Acertar o rumo da navegação até o outro lado do oceano não era um grande problema para Crapo, porque ele contava com o intenso tráfego de embarcações na rota. Em caso de dúvidas, pensou, bastaria perguntar o caminho a quem passasse. Mas o que ele não imaginava era que esse mesmo fluxo intenso de navios se tornaria um tremendo problema para um barco tão pequeno quanto o deles.

No pior episódio do gênero, quase um mês depois, Joanna não resistiu à monotonia do mar e cochilou, enquanto fazia o seu turno de vigia para que o marido dormisse um pouco – o que, por si só, representava o rompimento da proposta de Crapo de tê-la a bordo como simples passageira. Ela só despertou ao ouvir um grande navio vindo na direção contrária, e berrou para o marido. Crapo acordou atônito e apavorado, mas escalou o mastro com a agilidade de um gato e ficou balançando uma lanterna, a fim de ser visto pelo outro barco. Deu certo e o navio desviou a tempo. Mas por muito pouco não atropelou os dois.

Logo depois disso, Joanna adoeceu, a ponto de o marido temer por sua vida. Ele, então, pediu ajuda a um navio que passavam, o cargueiro alemão Astronom, que não só parou como seu capitão se ofereceu para levá-la para terra firme. Mas Joanna recusou: ela queria permanecer com o marido, naquele barquinho. Era, acima de tudo, uma mulher de fibra.

Joanna continuou doente até o fim da atribulada viagem, que ainda teve a quebra do leme do barco, que precisou ser consertado ali mesmo, na água – os frequentes problemas no barco eram um constante tormento. Mesmo assim, contrariando todos os prognósticos, na noite de 21 de julho, 50 dias após ter partido do litoral dos Estados Unidos, o casal desembarcou em Newland, na costa da Inglaterra, com Joanna sendo recebida como uma heroína. E ofuscando totalmente no marido. Mas ele não se incomodou com isso. O importante era lucrar com a travessia, o que fez em seguida, exibindo o barco na Inglaterra e nos Estados Unidos e escrevendo um livro com a saga do casal.

Com o dinheiro que ganhou, Crapo investiu em barcos de transporte de carga, mas o negócio não progrediu e ele logo voltou a miséria. Para sair dela, bolou outra audaciosa viagem: navegar de New Bedford a Cuba com um barco realmente minúsculo, de apenas pouco mais de 2,5 metros de comprimento, no qual, por razões óbvias, só caberia ele — o que, desta vez, deixaria sua brava mulher de fora. Ela reclamou, mas aceitou, resignada.

Em maio de 1899, Crapo partiu de sua cidade natal e nunca mais foi visto vivo. Seu corpo foi encontrado boiando no litoral da costa sul dos Estados Unidos, pouco tempo depois. Como não tinham filhos, Joanna acabou só. Tudo o que lhe restou foi o livro escrito pelo marido, que ela republicou e transformou em seu sustento, até sua morte, de causas naturais, em 1915. Joanna Crapo terminou seus dias bem mais famosa do que o inconsequente marido aventureiro.

Além de náufragos, também contaminados

Muitos dos que sobreviveram ao naufrágio de um vapor no rio Tâmisa sucumbiram com a poluição daquelas águas

Quem hoje vê a qualidade das águas do Tâmisa custa a imaginar que, até o início do século passado, o rio que cruza a capital da Inglaterra era tão sujo e contaminado que foi o responsável por aumentar ainda mais a catástrofe que se seguiu ao naufrágio do barco de passeio Princess Alice, bem perto do centro de Londres.

Era noite de 3 de setembro de 1878 quando o Princess Alice, um grande vapor que fazia passeios turísticos pelo rio, foi atingido pelo cargueiro Bywell Castle, que descia a grande velocidade, empurrado pela maré favorável. O Princess Alice foi partido ao meio e afundou em menos de cinco minutos, deixando centenas de vítimas na água imunda do rio — que, na época, recebia todo o esgoto da capital inglesa.

Nunca se soube o número exato de vítimas, mas é certo que mais de 600 pessoas morreram naquela noite, no pior desastre da navegação no Rio Tâmisa até hoje. E outras continuaram morrendo nos dias subsequentes, vítimas da contaminação adquirida durante o tempo em que ficaram boiando, à espera de socorro.

O único consolo é que as vítimas do Princess Alice deixaram um legado. Foi por causa daquela tragédia que foi criado o primeiro plano de despoluição do Tâmisa, hoje um dos mais famosos exemplos de descontaminação fluvial do planeta.

A primeira vez do Brasil

Uma série de acidentes e mortes marcaram a primeira volta ao mundo pelo mar de um barco brasileiro

A segunda metade do século 19 marcou a transição dos barcos a vela para os navios a vapor. Mas, durante bom tempo, muitas embarcações, receosas de uma mudança tão radical na forma de navegar, usaram os dois sistemas simultaneamente, navegando ora com o vento, ora a motor.

No Brasil, um dos primeiros barcos a incorporar a novidade das caldeiras (sem, no entanto, abrir mão dos mastros) foi a corveta Vital de Oliveira, da Marinha Brasileira. Ela ainda usava casco de madeira, mas já estava equipada com um engenho auxiliar de propulsão mecânica — uma novidade e tanto na época.

Por esse motivo, em 1879, quando a corporação decidiu empreender aquela que seria a primeira circum-navegação do planeta feita por uma embarcação com bandeira brasileira (oficialmente, não havia sequer registros de que algum cidadão brasileiro já tivesse feito isso), o navio escolhido para aquela viagem foi a Vital de Oliveira, então a melhor e mais moderna nave militar brasileira. O objetivo da viagem era treinar novos marinheiros e demonstrar o poderio da Marinha do Brasil para o restante do continente sul-americano.

O comando do barco foi entregue ao capitão-de-fragata Julio de Noronha, que selecionou uma tripulação de quase 100 homens para aquela longa viagem, prevista para durar mais de um ano. Mesmo com o advento do motor, a velocidade média dos barcos continuou sendo praticamente a mesma de antes, porque não era possível levar a bordo um estoque de carvão que permitisse navegar a motor o tempo todo, muito menos na velocidade máxima.

A Vital de Oliveira partiu do porto do Rio de Janeiro em 19 de novembro de 1879, e, ao longo da viagem, foi derrubando fronteiras. Tornou-se, entre outros feitos, o primeiro navio brasileiro a atravessar o então recém-construído Canal de Suez. Mas, por outro lado, enfrentou acidentes que quase transformaram aquela travessia na primeira grande tragédia náutica nacional. No pior deles, seis marinheiros morreram durante a travessia do Pacífico, vítimas de beribéri, uma doença causada pela falta de vitamina B no organismo. O problema foi causado por um interminável nevoeiro, que acompanhou o navio por metade do percurso, umidificando o ambiente e apodrecendo os alimentos a bordo. No mesmo trecho, outros três marinheiros morreram vítimas de um tipo de acidente bastante corriqueiro naqueles tempos, a queda no mar.

A primeira perda aconteceu na chegada do barco à França, quando um marinheiro caiu do mastro e sumiu no mar. A escala francesa teve um objetivo também diplomático: embarcar uma missão brasileira que dali seguiria até a China, a fim de tentar convencer os chineses a imigrarem para o Brasil, para substituir a mão de obra escrava, recém-proibida no país, e que acabou não dando em nada. Da China, a Vital de Oliveira seguiu adiante e chegou ao Japão, já do outro lado do mundo.

Como acontecia em todos os portos por onde passava, a escala do navio brasileiro no Japão foi longa e repletas de cerimônias e homenagens. Afinal, nunca um barco oficial brasileiro passara por lá. Mas, em seguida, veio o pior trecho da viagem: a travessia do Pacífico e as mortes causadas pela comida apodrecida.

Ao chegar a São Francisco, do outro lado do oceano, outros 16 marinheiros brasileiros tiveram que ser hospitalizados por causa de infecções contraídas na travessia, e por lá ficaram. O navio, então, seguiu para Acapulco, na costa do México, onde outro susto quase virou uma nova tragédia: um terremoto atingiu a cidade durante a escala do barco na cidade.

Até que, 15 meses depois de ter partido do Brasil, a Vital de Oliveira finalmente retornou ao Rio de Janeiro, trazendo 25 homens a menos na tripulação, mas com um grande feito no currículo: o de ter se tornado o primeiro barco brasileiro a dar uma volta ao mundo navegando. Desde então, o nome Vital de Oliveira nunca mais deixou de ser usado em alguma embarcação da corporação.

O DRAGÃO DO MAR DO CEARÁ

Quase ninguém já ouviu falar do pescador cearense Chico da Matilde. Mas não há turista que vá à Fortaleza, no Ceará, e não visite o centro cultural Dragão do Mar. Pois Chico da Matilde e Dragão do Mar foram a mesma pessoa — o jangadeiro Francisco José do Nascimento, que, em 1881, liderou um movimento contra o desembarque de escravos na cidade. Indignado com o estado dos negros que chegavam, Chico usou sua liderança entre os jangadeiros para convencê-los a não mais transportar os escravos dos navios até o porto, decretando assim uma greve até então inédita. Foi o primeiro movimento antiescravagista do Brasil e rendeu ao corajoso jangadeiro, também responsável pelo fim da escravidão no Ceará, quatro anos antes do restante do país, o apelido Dragão do Mar. Mesmo assim, Chico da Matilde morreu praticamente esquecido.

Eles roubaram um navio!

Mais de um século depois dos piratas, três golpistas repetiram o feito de surrupiar um barco inteiro

Apesar do tamanho gigantesco dos oceanos, esconder um navio não é algo tão fácil assim. Por isso, a notícia de que um cargueiro de 460 toneladas havia sido levado por três homens para um destino ignorado causou tanta surpresa na Escócia, onde aconteceu o fato, em outubro de 1880.

Tudo começou quanto três homens de boa aparência (mas usando sobrenomes falsos, como se descobriria mais tarde) apareceram no porto de Glasgow, em busca de um grande barco que pudesse ser alugado para um cruzeiro no Mediterrâneo. O líder do grupo se apresentou como James Henderson (embora se chamasse James Bernard), disse ser parente de um influente almirante inglês e propôs um contrato de seis meses, com pagamento adiantado da primeira parcela – o que foi acordado por meio de um documento, mas, como também se descobriria mais tarde, com dinheiro que não existia.

Com a proposta aceita, o trio saiu recrutando tripulantes e comprando provisões para a viagem à crédito nas lojas da cidade, que tampouco veriam a cor do dinheiro, já que aqueles três homens eram vigaristas profissionais, especializados em fraudes financeiras e outros golpes bem mais baixos.

Mas tudo isso só foi descoberto depois que o grupo partiu da cidade, a bordo de um navio espertamente surrupiado. De Glasgow, eles desceram em direção ao Estreito de Gibraltar, caminho natural de qualquer navio que se dirigisse ao Mediterrâneo. No caminho, fizeram questão de serem notados em todos os portos e pontos de controle, para não levantar suspeitas nos donos da embarcação. Só que o destino daquela viagem era outro. Quando chegaram a Gibraltar, em vez de adentrar o Mediterrâneo, eles cortaram as comunicações, apagaram todas as luzes e seguiram em frente, em completo silêncio.

O objetivo era simular um naufrágio sem sobreviventes nas águas do Mediterrâneo, enquanto o grupo navegava a todo vapor para o outro lado do Atlântico, rumo ao porto brasileiro de Santos, onde o navio chegou em 26 de dezembro, já com outro nome e outras cores em diversas partes do casco.

Para os tripulantes contratados, que nada sabiam do golpe, Henderson inventou uma história mirabolante, apresentando-se como um coronel americano em missão secreta — razão pela qual precisava alterar a aparência do navio, a começar pelo nome, que passou a ser Bantam — o mesmo de outra embarcação devidamente registrada. Aos que não gostaram da ideia de navegar para o outro lado do mundo com um navio adulterado, Henderson foi claro: os que não cooperassem seriam mortos e atirados na água. Obviamente, todos concordaram em manter a farsa.

Em Santos, começaram, então, os novos golpes. Henderson negociou o frete de uma carga de café brasileiro para a França, mas, ao sair do porto, de novo, tomou outro rumo e desceu para a África do Sul, onde vendeu a mercadoria usando notas falsas. Em seguida, partiu em disparada para a Austrália — mas não sem antes trocar novamente o nome do navio para Índia, também clonado de outro navio legalmente registrado.

Em abril de 1881, depois de cruzar todo o Índico protegido pela precariedade das comunicações na época, o grupo chegou à Austrália, onde o plano era vender o navio. E eles teriam conseguido, não fosse um detalhe imprevisível: um funcionário do porto australiano havia acabado de retornar da Escócia, onde ficara sabendo do curioso furto de um navio. E, apesar dos disfarces no casco, reconheceu a embarcação, depois de estranhar alguns dados de sua documentação.

Avisada, as autoridades australianas retiveram o navio no porto e, depois de confirmar com os antigos proprietários de que se tratava do mesmo barco, prenderam Henderson e seus comparsas por conspiração, golpe, roubo de carga, estelionato e, por fim, furto de embarcação, algo que não se via desde os tempos dos piratas. Mesmo assim, as penas dos três foram brandas. Henderson foi condenado a apenas sete anos de prisão e os demais, metade disso. Já o navio furtado jamais retornou à Escócia. Rebatizado, pela terceira vez, como Ferret (nome pelo qual ficou conhecido o caso), foi vendido legalmente a uma empresa australiana, e, anos depois, acabou encalhado numa praia da costa da Austrália. Já de Henderson e seus comparsas, nunca mais se ouviu falar.

O alto preço de um descaso

O comandante achou que não havia acontecido nada e foi embora, enquanto o outro navio afundava

Até a criação do Canal do Panamá, os barcos americanos que quisessem ir de uma costa a outra em seu próprio país tinham que contornar toda a América do Sul, numa travessia tão longa quanto perigosa. Essa situação só começou a mudar em 1855, quando uma ferrovia foi construída no istmo panamenho, ligando, por meio de trilhos, o Atlântico ao Pacífico.

Com isso, as viagens pelo mar entre as costas leste e oeste dos Estados Unidos passaram a ser feitas em duas etapas, uma em cada oceano, em diferentes barcos, com uma baldeação ferroviária entre eles. Vários navios, quase todos a vapor, se dedicaram a essa dupla jornada. Um deles foi o SS Pacific.

O SS Pacific era considerado um dos melhores barcos do gênero e operava no lado do Pacífico, fazendo, a princípio, a rota convencional para a Califórnia — ou seja, o trecho entre o Panamá e São Francisco. Mas quando os gritos de "ouro!" passaram a ecoar nas geladas terras do Alasca, ele tomou outro rumo e passou a levar garimpeiros bem mais acima no mapa. E foi numa dessas viagens que aconteceu a tragédia.

Era o retorno da primeira travessia do SS Pacific ao Alasca, em novembro de 1881, quando, ao navegar entre a ilha Victoria, no Canadá, e São Francisco, nos Estados Unidos, a imprudência do comandante de outro navio, o Orpheus, causou a colisão das duas embarcações.

Mas o choque foi tão leve que, aparentemente, nenhum dos dois barcos sofrera maiores danos. Diante disso, o comandante do Orpheus nem parou para averiguar e seguiu viagem, na escuridão da noite. O SS Pacific também fez o mesmo, depois de seu comandante inspecionar superficialmente o casco de madeira e concluir que estava tudo bem. Mas não estava.

O alerta de que algo bem mais sério havia ocorrido com o SS Pacific naquela leve colisão só veio quando um dos passageiros detectou água entrando em sua cabine, que ficava abaixo da linha d´água do casco. E já era tarde demais. Em minutos, o SS Pacific inundou por completo e, com o peso da água, partiu-se em dois, ficando uma parte completamente separada da outra.

Aterrorizados, os passageiros começaram a se atirar na água gelada enquanto os poucos botes salva-vidas que puderam ser baixados logo foram tombados pelos desesperados, que tentavam embarcar a qualquer custo. No final, a macabra contabilidade do SS Pacific somou apenas dois sobreviventes entre os quase 300 ocupantes do vapor.

Um inquérito foi instaurado e a conclusão foi que o responsável havia sido o capitão do Orpheus, Charles Sawyer, que além de colidir com o SS Pacific, abandonara o local sem oferecer ajuda. Também foi levantada a suspeita de que ele estaria bêbado no instante do acidente e que teria se aproximado do SS Pacific deliberadamente, para pedir informações sobre a região, pois não sabia bem onde estava.

Como se não bastasse tudo isso, na manhã seguinte, o Orpheus ainda encalhou (e, em seguida, afundou, felizmente sem vítimas) num ponto próximo ao da colisão, o que, segundo algumas testemunhas da própria tripulação de Sawyer, foi um ato proposital, para encobrir eventuais provas de que teria sido ele o causador da colisão com o SS Pacific.

Sawyer, no entanto, negou tudo e alegou que não havia indícios de que aquele leve choque pudesse trazer maiores consequências aos barcos envolvidos, razão pela qual seguira em frente. Também disse que ventava muito na hora do acidente, o que dificultaria parar totalmente o barco, e que, por causa do próprio vento, não havia escutado os apitos desesperados posteriormente emitidos pelo SS Pacific. Mas de nada adiantou.

O comandante do Orpheus foi condenado por negligência e omissão de socorro (além de não esclarecer totalmente as circunstâncias da perda do próprio barco) e terminou seus dias amargurado e malfalado entre a comunidade náutica americana. Mas, ainda assim, em situação infinitamente melhor do que a das quase 300 vítimas fatais do SS Pacific.

Duas colisões e um mistério

Depois da primeira colisão, os dois navios voltaram a bater um no outro no meio do oceano, sem saber como

O choque entre dois navios não é nenhum fato raro. Mas dois navios se chocarem duas vezes no mesmo dia, e afundarem praticamente juntos por causa disso, é algo realmente excepcional. Mas foi o que aconteceu em 19 de março de 1884, na costa da França.

O navio francês Frigorifique, um dos primeiros cargueiros-frigoríficos da História, navegava a baixa velocidade durante um denso nevoeiro, quando viu surgir à sua frente, vindo com certa velocidade, o vapor inglês Rumney. O choque foi inevitável e o Frigorifique, danificado, começou a fazer água. Seu comandante ordenou, então, o abandono do barco e todos os tripulantes foram recolhidos pelo próprio Rumney, que, em seguida, seguiu adiante, agora a baixa velocidade.

Porém, pouco depois e não muito distante daquele ponto, o vulto de um navio apareceu em rota de colisão com o Rumney, que só escapou de uma nova batida porque o seu comandante conseguiu desviar a tempo. A embarcação passou tão próxima do cargueiro inglês que foi possível ler o seu nome pintado no casco: Frigorifique, o mesmo navio que todos a bordo do Rumney já davam como naufragado depois daquele choque entre os dois barcos.

Mesmo sem compreender aquilo, o comandante do Rumney seguiu em frente, cada vez mais devagar no nevoeiro. Logo veio a noite e outro navio surgiu no rumo do Rumney. E era o mesmo Frigorifique, que inexplicavelmente teimava em perseguir o cargueiro inglês, mesmo sem ter ninguém a bordo.

Desta vez, porém, não deu tempo de desviar e os dois navios bateram novamente, ficando engatados um ao outro. Mas, ao contrário da primeira vez, agora o Rumney levara a pior e começou a afundar.

Sem entender o que estava acontecendo (seria uma maldição e o navio francês estaria voltando para se vingar?), todos passaram para os botes salva-vidas, exceto um dos tripulantes do Rumney, que resolveu subir a bordo do Frigorifique para tentar desvendar aquele mistério.

A resposta veio rápida: uma das caldeiras do avariado navio francês ainda funcionava e o seu leme ficara travado em uma posição levemente curvada na primeira colisão com o cargueiro inglês — o suficiente para o Frigorifique ficar dando longas voltas no mar. Isso explicava os dois subsequentes encontros com o navio inglês, que, por causa do nevoeiro, avançava muito lentamente e praticamente não saia do lugar.

Mas o destino do Frigorifique não foi nada diferente do Rumney. Já bastante inundado, ele também começou a afundar logo após o desvendamento do mistério, e os dois navios naufragaram praticamente juntos.

Apesar das duas colisões e do duplo naufrágio, as tripulações escaparam ilesas e voltaram para terra firme com uma incrível história para contar: a do dia em que dois navios bateram duas vezes um no outro, na vastidão do oceano.

O triste fim do verdadeiro Pi

Na vida real, o garoto que inspirou a famosa fábula teve um fim bem mais cruel e dramático

No famoso livro *A Vida de Pi*, um menino convive com um tigre e outros animais selvagens num bote salva-vidas, depois de o navio no qual eles navegavam ter afundado. Uma obra de ficção, claro, já que seria impossível alguém sobreviver a uma situação tão bizarra. Mas o que poucos sabem é que o criador do personagem, o escritor Yann Martel, se inspirou em um fato real para criar a sua fábula: o naufrágio do barco Mignonette, quando ia da Inglaterra para a Austrália, em 1884.

O naufrágio colocou um jovem de apenas 17 anos, chamado Richard Parker (não por acaso, mesmo nome escolhido pelo menino do livro para batizar o tigre que lhe servia de bizarra companhia), em um pequeno bote no meio do oceano com mais três homens, que se revelariam bem mais brutais do que as feras da história de Martel.

Depois de dias boiando no mar sem água e com pouquíssima comida, o jovem Parker adoeceu e foi ficando cada vez mais fraco. Vendo que o estado dele definhava, o capitão do barco, Thomas Dudley, sugeriu aos outros dois homens que se livrassem logo do garoto, porque isso representaria não só uma boca a menos para comer o quase nada que eles tinham, como representaria alimento extra, já que o objetivo era também transformá-lo em comida. E assim foi feito.

Moribundo, Parker foi apunhalado no pescoço e teve partes de seu corpo devorado pelos demais ocupantes do barco. Dias depois, no entanto, o grupo foi encontrado, resgatado e, após um rápido interrogatório, o assassinato, seguido de canibalismo, veio à tona. Os três, então, foram presos. Mas não por muito tempo.

No julgamento, o grupo foi incrivelmente absolvido, pois o juri entendeu que não havia salvação para o garoto no estado em que ele se encontrava, e porque, do contrário, teriam morrido os quatro, por falta de comida — um abominável caso de assassinato justificado e canibalismo aceitável.

Na sua obra, Yann Martel optou por um final bem mais suave para o garoto Pi, ao contrário do destino cruel e dramático que teve o verdadeiro Richard Parker.

Golpe de sorte no mar aberto

O marinheiro caiu do barco em movimento no meio do oceano, mas foi visto pela janelinha da cabine

Cair no mar durante uma travessia oceânica é a pior coisa que pode acontecer a qualquer navegante, porque as chances de resgate são bem pequenas.

Por isso, o que aconteceu com um dos marinheiros do clipper Flying Cloud, durante uma travessia do Atlântico, em 1885, só pode ser classificado como puro golpe de sorte.

Como era costume na época, a esposa do comandante do Flying Cloud, Josiah Creasy, viajava a bordo e, sem ter o que fazer, apreciava o mar pela janelinha de sua cabine quando viu algo que lhe pareceu ser um homem na água. Apesar da velocidade do barco e da falta de certeza sobre o que havia visto, ela correu e deu o alerta ao marido — que, imediatamente, mandou baixar as velas, contou a tripulação e constatou que, de fato, faltava um homem.

Um bote foi enviado ao ponto onde o marinheiro supostamente tinha sido visto (algo difícil de precisar, porque os clíperes navegavam a grandes velocidades e percorriam grandes distâncias até pararem), mas retornou sem o náufrago. O comandante enviou, então, dois outros barcos, com ordens de só retornarem quando a noite chegasse, o que, aí sim, decretaria o fim daquele pobre coitado.

Quatro horas mais tarde e pouco antes de os barcos retornarem, ele, finalmente, foi encontrado, a mais de três quilômetros do ponto onde o Flying Cloud se encontrava. Trazido a bordo, o sortudo marinheiro ainda ganhou um recompensa: ficou em recuperação alojado na própria cabine da mulher que, involuntariamente, salvou sua vida.

Depois da tragédia, a barbárie

O naufrágio do vapor Rio Apa foi seguido por um pavoroso ataque aos cadáveres

Até o início do século passado, a navegação ao longo do litoral brasileiro era um misto de aventuras e riscos. A sinalização era precária, a fiscalização inexistente e os saques aos barcos acidentados tão impunes quanto frequentes. Isso só começou a mudar a partir da primeira década do século 20, em boa parte, por conta de uma tragédia.

Na madrugada de 12 de julho de 1887, o navio a vapor Rio Apa, da Companhia Nacional de Navegação, que partira do Rio de Janeiro com destino a Montevidéu com várias escalas no caminho, não suportou a fúria do vento Carpinteiro (aquele que sopra tão violento que "prega" os barcos em terra firme — daí o nome com o qual foi batizado pelo gaúchos) e naufragou a cerca de quatro milhas da costa do Rio Grande do Sul, enquanto aguardava a maré certa para entrar na então precária barra de Rio Grande, onde faria mais uma escala.

Nunca se soube o número exato de vítimas, porque, na época, também o controle de passageiros era bem precário. Mas é certo que ninguém sobreviveu ao naufrágio. A maioria dos passageiros eram soldados brasileiros que seguiam para o Uruguai, a fim de por lá atingir, através dos rios da bacia do Prata, a distante província brasileira de Corumbá, em Mato Grosso. Na época, por incrível que pareça, este era o caminho mais viável até lá. Havia pelo menos 60 soldados entre os estimados quase 120 ocupantes do barco.

Naquela noite, o Carpinteiro soprou com a fúria de um quase ciclone. Além do Rio Apa, ele afundou outros três barcos no litoral de Rio Grande. Mesmo assim, durante mais de dez dias, o Rio Apa foi considerado apenas "desaparecido", porque não havia nenhum vestígio do seu afundamento. Só quando os primeiros corpos começaram a dar nas praias, cinco dias depois, é que o naufrágio foi oficializado. E foi quando começou a barbárie.

Moradores da região e bandoleiros saqueadores de naufrágios (na época, algo bem comum no deserto e inóspito litoral gaúcho) passaram a atacar os cadáveres com a fúria de abutres, em busca de qualquer coisa de valor. Até mãos foram decepadas, para extrair anéis dos dedos das vítimas. Para encobrir a barbárie, alguns corpos foram enterrados pelos próprios saqueadores na areia da praia, o que também impossibilitou saber o número exato de vítimas.

A tragédia gerou indignação e a imprensa gaúcha passou a pressionar o governo federal para que melhorasse as condições de navegação no litoral brasileiro, sobretudo no Rio Grande do Sul, investindo em sistemas de previsão do tempo e na construção de um molhe na barra do porto de Rio Grande, para que os navios não tivessem mais que ficar parados ao largo, a mercê do mar, como aconteceu no caso do Rio Apa.

E foi graças a isso que, no final da segunda década de 1900, foi construído o atual molhe que protege a entrada e saída do porto de Rio Grande. Mesmo assim, só quase 30 anos depois daquela que foi considerada a mais vergonhosa tragédia do litoral gaúcho.

A incrível jornada da canoa Liberdade

Antes de se tornar o primeiro homem a dar a volta ao mundo navegando sozinho, Joshua Slocum fez algo ainda mais extraordinário

No final do século 19, o americano Joshua Slocum protagonizou dois feitos que o içaram à galeria dos grandes navegadores de todos os tempos. Um deles foi ter se tornado o primeiro homem a dar a volta ao mundo velejando sozinho. O outro — e ainda mais extraordinário, dado às condições em que aconteceu o fato — foi ter navegado do Brasil aos Estados Unidos, com a mulher e os dois filhos pequenos, a bordo de um simples barquinho que ele mesmo construiu, com recursos rudimentares, enquanto estava no litoral do Paraná, depois de perder sua escuna num naufrágio e não ter como voltar para casa.

Foi a extraordinária viagem do barco Liberdade — assim mesmo, em português, porque ele foi para a água no exato dia em que a Princesa Isabel decretou o fim da escravidão no Brasil, em 13 de maio de 1888. O barco construído por Slocum era tão rústico e acanhado que ele o chamava de "canoa".

A travessia, que todos julgavam impossível (a ponto de alguns brasileiros se despedirem da família com o sinal da cruz nos portos por onde a embarcação passava, na sua obstinada volta para casa), durou 55 dias de mar e rendeu, além de admiração e respeito ao velho marinheiro, um detalhado relato feito pelo próprio Slocum, que o transformou numa espécie de precursor dos escritores náuticos.

Desde aquela época, Joshua Slocum era um exemplo de determinação e competência náutica. Depois de perder o barco no qual transportava cargas entre o Brasil e o Uruguai num baixio da baía de Paranaguá, ele não desanimou. Munido de um simples machado, única ferramenta que sobrou do naufrágio, decidiu construir, ele próprio e na precariedade da então esquecida vila de Antonina, um barco capaz de levar sua família de volta aos Estados Unidos.

Para isso, usou madeiras da mata brasileira, costurou à mão velas extraídas de velhos sacos de farinha e esculpiu cada tábua com a única ferramenta que tinha, além de fixar varas de bambu ao casco para garantir que o barco não afundasse, caso virasse. Mas nem seria preciso tamanha cautela.

Apesar de construída de maneira precária, a brava "canoa" Liberdade, que não era bem uma canoa, mas sim um típico dori americano equipado com velas que lembravam os juncos chineses, que Slocum tinha visto numa velha gravura em Antonina, navegou sem nenhum problema do Paraná até a capital dos Estados Unidos, como prova de que,

DEPOIS, O MUNDO INTEIRO

Com a experiência na navegação em barco pequeno que ganhou na travessia do Brasil aos Estados Unidos, Joshua Slocum se lançou, anos depois, em outra viagem, bem mais longa e histórica: a volta ao mundo velejando em solitário. E tornou-se o primeiro homem a realizá-la. A jornada durou três anos e dois meses, entre abril de 1895 e junho de 1898, e rendeu-lhe ainda mais respeito como navegador, porque foi feita sem nenhum instrumento de navegação e com apenas US$ 1,70 no bolso. Slocum usou um velho pesqueiro adaptado, o Spray, de 33 pés, mesmo barco com o qual ele desapareceria no mar, 11 anos depois, em data incerta de novembro de 1909, durante uma viagem que pretendia chegar ao Rio Orinoco, na costa da Venezuela. Seu corpo e seu barco jamais foram encontrados.

para os grandes navegadores, o mar nunca foi um empecilho e sim um caminho.

A saga de Slocum começou em fevereiro de 1886, quando ele partiu de Nova York com sua escuna Aquidneck, levando a bordo, além de uma variada carga para portos do Brasil, Uruguai e Argentina, sua jovem segunda esposa e os dois filhos pequenos do primeiro casamento: Victor, de 14 anos, e Garfield, de cinco.

Durante cerca de um ano e meio, Slocum fez diversas viagens entre o Brasil e países vizinhos, levando e trazendo mercadorias. Numa delas, durante uma escala no porto de Paranaguá, chegou a enfrentar um início de motim entre seus ajudantes, o que o levou a matar dois tripulantes. Foi, então, preso, mas não por muito tempo. Mas o pior ainda estava por vir, poucos meses depois.

Após passar o Natal de 1887 ancorado na remota vila de Guaraqueçaba, Slocum partiu para mais uma viagem até o Uruguai. Mas não chegou a sair da Baía de Paranaguá. Um traiçoeiro banco de areia fez o Aquidneck encalhar de tal forma que jamais conseguiu sair de lá. Slocum buscou, então, abrigo para ele e sua família no primitivo povoado de Antonina.

As perspectivas de sair daquela esquecida baía paranaense e voltar para casa não eram nada boas. Sem sua escuna e sem dinheiro, a única saída de Slocum foi construir, ele mesmo, outro barco. Usando apenas um machado e alguns objetos salvos do naufrágio, pôs o plano em prática, se servindo da fartura de madeiras da mata atlântica brasileira.

Com gravetos de bambu, Slocum improvisava compassos para traçar as curvas do futuro casco. E com pó de carvão, riscava as madeiras a serem cortadas com

O NAVIO FANTASMA MAIS VISTO DO ATLÂNTICO

Barcos abandonados que vagam por muito tempo à deriva nos oceanos não são casos raros. Alguns chegam a passar anos a fio avançando sem ninguém a bordo. Em 1888, um caso ficou especialmente famoso: o do cargueiro W.L.White, que foi abandonado no Caribe e, durante meses, avançou ao sabor das correntezas, até dar nas pedras da costa da Escócia, do outro lado do Atlântico, onde, por fim, afundou. No caminho, foi avistado por nada menos que 38 navios e até ganhou um apelido: "Ghost White" (fantasma branco), por causa do seu nome.

o único machado. O resultado foi um barco de 35 pés que ficou pronto em quatro meses. Era quase todo aberto, mas resistente. Daí Slocum chamá-lo de "canoa", numa referência aos pequenos mas bravos barquinhos usados pelos pescadores brasileiros.

O dia em que a "canoa brasileira" de Slocum foi para a água foi o mesmo da abolição da escravatura no Brasil. Ele, então, resolveu batizá-la com o nome Liberdade, em homenagem a data. Em seguida, foi pedir permissão às autoridades portuárias de Paranaguá para iniciar sua viagem de volta aos Estados Unidos, com a família a bordo. A resposta foi negativa: a Marinha Brasileira não queria deixar Slocum partir para uma viagem tão longa naquele barco aparentemente tão frágil.

Mas, ao ver que ele estava determinado a partir de qualquer jeito, os agentes portuários optaram por relaxar na vigilância. Assim sendo, na manhã de 24 de junho de 1888, Slocum embarcou com sua mulher e os dois filhos na Liberdade e saiu de Paranaguá, para mais de 5 000 milhas de mar até a América do Norte. Ninguém acreditava que ele conseguisse chegar lá. Tampouco que os quatro fossem capazes de sobreviver tanto tempo no mar, a bordo de um barco tão precário.

Mas a rústica Liberdade logo mostrou que navegava como um barco de verdade, apesar do desconforto causado pelos modestos espaços. Em pouco mais de um dia de navegação, Slocum alcançou Santos e, dali, avançou até o Rio de Janeiro. No litoral carioca, veio o maior susto de toda a viagem: durante a noite, quando navegava ao largo da aldeia de Cabo Frio, o barco bateu em uma baleia e sofreu avarias na quilha. Mesmo assim, ele seguiu adiante.

Ao chegar à Salvador, para reparos, a Liberdade foi recebida com festa pelos abolicionistas, graças ao seu nome pintado no casco – ainda mais em se tratando

TRAVESSIA MAIS QUE DEMORADA

A mais lenta travessia oceânica que se tem notícia foi a do barco a vela inglês Red Rock, em 1899. Vítima de uma desesperadora sequência de calmarias no Mar de Coral da Austrália, ele levou 112 dias (ou quase quatro meses) para vencer pouco mais de 950 milhas náuticas (cerca de 1 800 quilômetros). A velocidade média durante aquela travessia em câmera lenta foi de menos de meio nó (ou míseros 700 metros) por hora. A nado teria sido bem mais rápido.

de um barco conduzido por um estrangeiro. Seis dias depois, Slocum parou novamente em Recife, para descansar, antes do trecho mais duro daquela longa jornada. De Recife até Barbados, no Caribe, foram 19 dias ininterruptos no mar aberto e navegação sem parar.

Para se guiar no mar, Slocum usava as estrelas, sobretudo o Cruzeiro do Sul, no trecho abaixo da linha do Equador, e a estrela Polar, dali em diante. E jamais perdeu o rumo. Quando dizia às pessoas de onde estava vindo com aquele barco, ninguém acreditava. Era uma ousadia inédita, especialmente pelo fato de haver uma mulher e duas crianças a bordo.

Até que, em 27 de dezembro de 1888, seis meses após ter partido da distante Paranaguá, a Liberdade tocou o solo americano, em Cape Roman, na Flórida, concretizando um dos maiores feitos náuticos da História. De lá, Slocum ainda navegou boa parte da costa leste americana até Washington, onde, uma vez cumprida a jornada, doou sua engenhosa canoa ao principal museu da cidade, o Smithsonian.

Mas o lendário barco de Slocum jamais chegou a ser exposto. Um dos motivos foi que ele ainda não era tão famoso quanto ficaria oito anos depois, ao completar a primeira circum-navegação em solitário do planeta com outro barco: o Spray, uma pequena escuna de pesca que ele adaptou para aquela inédita viagem. Outro motivo foi que, naquela época, não era usual que um barco inteiro fosse parar dentro de um museu.

O barco que viria a se tornar um dos mais mitológicos da história náutica americana, passou 16 anos ao relento nos fundos do museu, enquanto o Smithsonian tentava convencer Slocum a levá-lo embora, o que ele finalmente fez, no início de 1909, depois de já ter dado a volta ao mundo. Mas o fim da Liberdade foi ainda mais triste: o próprio Slocum tratou de destruí-la.

AFUNDOU E VOLTOU SOZINHO

Pode voltar a flutuar um barco já afundado sem que ninguém tenha feito nada para isso? Pois, pelo menos uma vez, isso aconteceu. No final do século 19, na costa americana da Carolina do Norte, a barcaça cargueira A. Ernest Miles afundou quando transportava um carregamento de sal, em uma área de fortíssima correnteza. Tempos depois, contudo, ela ressurgiu, apenas semissubmersa, numa região de bancos de areia, a algumas milhas dali. A explicação para o fenômeno foi que, em contato com a água, o sal se dissolveu antes que a barcaça chegasse ao fundo. E, mais leve, ela teria sido empurrada pela correnteza para águas rasas antes de tocar o fundo, onde parte de seu casco ficou à mostra. Um fato improvável, mas, como ficou provado, não impossível.

Já completamente envolvido com a ideia de partir para uma segunda volta ao mundo, e sem ter onde guardar o velho barco, pois já havia rompido relações com a mulher e os filhos, Slocum cortou a Liberdade em pedaços, aproveitando apenas algumas partes para melhorar o Spray e outras para vender como suvenir nas lojas de Washington.

Nada restou do lendário barco que deu início à saga do navegador que hoje é considerado um dos maiores de todos os tempos.

Vítima das ondas loucas?

O desaparecimento de um navio sem deixar nenhum vestígio, fez o mundo a começar a acreditar no fenômeno das ondas gigantes

Como pode um navio maior do que um campo de futebol desaparecer sem deixar nenhum vestígio, nem mesmo um simples pedaço de madeira boiando no mar? A resposta é a mesma que até hoje intriga os pesquisadores do sumiço do Waratah, um navio misto de carga e passageiros, que fazia a rota entre a Austrália e a Inglaterra quando sumiu, sem deixar nenhum fragmento, num ponto qualquer da costa da África do Sul, em julho de 1909.

Foi um dos grandes mistérios da época e até hoje desperta várias teorias, nenhuma, contudo, comprovada. De certo mesmo só há o fato de que o Waratah, um navio novo e que retornava de sua viagem inaugural, partiu do porto de Durban, na África do Sul, rumo à quase vizinha Cidade do Cabo, onde faria mais uma escala, e jamais chegou lá. Por quê? Ninguém soube dizer.

A última vez que o navio desaparecido teria sido supostamente visto foi na noite seguinte à sua partida de Durban, quando teria cruzado com o cargueiro Guelph, com o qual, como era hábito na época, quando ainda não havia rádio em todos os barcos (ironicamente, o Waratah estava regressando a Europa justamente para receber um), tinha trocado sinais de luzes, na tentativa de os dois navios se identificarem.

Mas uma fortíssima tempestade assolava a região, com ondas de até dez metros de altura, e o máximo que o operador do Guelph conseguiu identificar foram as três últimas letras do nome da outra embarcação: "TAH". Seria muita coincidência haver outro navio passando por ali naquela noite com a mesma terminação no nome, mas, por outro lado, ele jamais pode afirmar que se tratava do Waratah.

Dois dias depois, como o Waratah não chegou à Cidade do Cabo, começaram as buscas — que não deram em nada e se arrastaram por longos seis meses. Ninguém podia acreditar que um navio daquele porte pudesse desaparecer no mar sem deixar nenhum indício. O Waratah sumiu por inteiro, como se tivesse sido engolido de uma só vez pelo oceano. E a explicação mais provável é que tenha sido isso mesmo o que aconteceu.

A hipótese mais aceita é que o Waratah tenha sido vítima de um fenômeno que, vez ou outra, sem nenhuma lógica ou frequência, muito menos aviso prévio, assola a costa sul-africana: as ondas gigantes, mas solitárias, também chamadas de "ondas loucas" — muralhas descomunais de água, que surgem do nada e engolem tudo, inclusive navios inteiros.

Durante muito tempo, a ciência negou a existência destas superondas, baseada em estudos que mostravam que as ondulações nos oceanos seguem padrões lineares de tamanho. Portanto, as ondas não poderiam variar tanto de tamanho de uma para outra. E como, até então, elas jamais eram testemunhadas (até porque ninguém sobrevivia para descrevê-las), eram classificadas como lendas criadas por velhos marinheiros. Mas, um dia, tudo isso mudou.

O BARCO QUE SE RECUSAVA A MORRER

O Sea Serpent foi um dos mais longevos clíperes dos sete mares, com mais de 35 anos de navegação. Mas poderia ter durado ainda mais. Em 12 de junho de 1891, durante uma travessia entre a Irlanda e o Canadá, ele foi dado como prestes a afundar pela sua tripulação e abandonado no mar. Todos foram resgatados por outro barco que passava, enquanto o Sea Serpent ainda flutuava — mas de maneira tão precária que era certo que ele afundaria em seguida. Mas não. Mais de quatro meses depois, o Sea Serpent foi avistado, ainda flutuando, a quase 2 000 quilômetros daquele ponto, antes de — agora, sim — desaparecer para sempre. Mas, provavelmente, o Sea Serpent afundou porque estava à deriva, sem ninguém no comando. Se não tivesse sido abandonado, o lendário Sea Serpent poderia ter tido vida ainda mais longa.

Na tarde do dia 1 de janeiro de 1995, pela primeira vez, uma onda com proporções fora de qualquer padrão foi registrada e testemunhada por várias pessoas ao mesmo tempo. O colosso de água, que chegou a 26 metros de altura num dia em que o tamanho das ondulações não passava dos 12 metros, quase colocou abaixo a plataforma de petróleo Draupner, fincada no Mar do Norte, onde estavam as testemunhas — que, por sinal, só sobreviveram porque estavam abrigadas numa plataforma bem alta e não num simples navio. Foi a primeira prova irrefutável de que as ondas anormais existiam de fato.

Batizada de "Onda do Ano-Novo", aquela muralha d'água do primeiro dia de 1995 gerou a classificação de um novo tipo de ondulação marítima, que até então a ciência relutava em admitir. Ela não era um tsunami nem consequência de algum maremoto distante. Tampouco fazia parte de uma série de ondas do mesmo porte. Era uma onda solitária e absurdamente alta, em meio a outras menores. Quase uma anomalia da natureza. Mas, depois daquele dia, os pesquisadores começaram a descobrir que as ondas gigantes não eram tão anormais assim.

Embora não suficientemente estudadas até hoje, sabe-se que as "ondas loucas" (*freak waves*, em inglês, como são mais conhecidas) são formadas pela "sucção" das ondas menores mais pró-ximas, o que, além de aumentá-las, amplifica sobremaneira o vão que as antecedem, já que elas "sugam" as ondas à sua frente. O resultado é um "buraco" na água, seguido de uma descomunal parede líquida, quase tão vertical que chega a quebrar como uma onda de praia. Mas o fenômeno só acontece em alto-mar e, aparentemente (já que a ciência ainda pouco sabe sobre as ondas gigantes), apenas em locais com situações especiais.

FEVEREIRO NEGRO

Tal qual o 11 de setembro para os americanos, o dia 27 de fevereiro ficou tragicamente marcado para sempre na história do pequeno povoado de Póvoa do Varzim, no litoral norte de Portugal. Naquela data, em 1892, uma perversa combinação de fatores meteorológicos (lua nova, queda acelerada da pressão atmosférica e fortes ventos que subitamente rodaram de leste para sudoeste) gerou uma colossal tormenta, que fez dez barcos de pesca que estavam no mar naufragarem simultaneamente, matando nada menos que 105 pescadores e deixando mais de 120 órfãos no pobre vilarejo. Praticamente todas as famílias de Póvoa do Varzim perderam pelo menos um membro no episódio, que ficou conhecido, tal qual ocorreria mais de um século depois nos Estados Unidos, apenas pela data: "O 27 de fevereiro".

O Mar do Norte, entre a Irlanda e a Noruega, onde aconteceu o registro daquela "onda do ano-novo", é um deles. Os mares da Antártica, também. Mas em nenhum ponto do planeta o fenômeno é mais intenso do que na costa da África do Sul, o que explicaria o sumiço do Waratah e de outros navios que ali tiveram o mesmo enigmático fim.

Ao longo do litoral sul-africano flui a Corrente das Agulhas, famosa por sua velocidade e mudanças climáticas abruptas. Em certas situações, ao se chocar com águas tempestuosas vindas da Antártica, a Corrente das Agulhas gera ondas absurdas. E algumas dessas ondas ganham proporções fenomenais.

Os cientistas estimam que a força de uma onda gigante pode chegar a 100 toneladas por metro quadrado ou quase sete vezes mais do que podem suportar os navios, que são construídos para aguentar impactos de 15 toneladas por metro quadrado de água batendo no casco. E como elas quebram feito ondas de praias, podem partir cascos ao meio, se desabarem em cima deles. São, portanto, quase uma sentença de morte para navios de pequeno e médio porte.

Hoje, na medida do possível, os navios tentam evitar navegar pelas zonas mais sujeitas ao surgimento das ondas gigantes, como certas áreas da costa sul-africana. Mas, na época do Waratah, ninguém sabia disso.

Seu comandante, Joshua Ilbery, com mais de 30 anos de mar, era um homem experiente e, ao partir da Austrália, já havia notado que o Waratah apresentava alguns problemas de estabilidade, que teriam que ser sanados tão logo retornasse à Inglaterra. Mesmo assim, naquela viagem, levava uma tenebrosa carga de chumbo e 212 passageiros a bordo — que viraram 211, quando um deles desistiu da viagem na escala em Durban, alegando que havia tido uma premonição sobre um naufrágio. Aquele homem acabaria se tornando o único "sobrevivente" do Waratah, embora não estivesse a bordo quando o que quer que tenha sido aconteceu com o navio.

Mas, talvez, ele não tenha sido o único.

Tempos depois do desaparecimento do Waratah, um homem mentalmente confuso surgiu vagando numa praia da África do Sul, dizendo coisas sem nexo, mas intercalando-as com palavras que davam a entender "Waratah" e "onda grande". Acabou internado num hospício. Mas, para muitos, não se tratava de nenhum maluco e sim do único real sobrevivente da tragédia, embora isso nunca tenha sido comprovado. Até porque o ponto exato onde o navio desapareceu jamais foi descoberto.

Em 2001, uma expedição financiada por um empresário sul-africano anunciou ter encontrado o Waratah no fundo do mar, há menos de dez quilômetros da costa. O fato causou furor, mas não passava de um engano. O casco submerso era o de um navio da Segunda Guerra Mundial, que acabou sendo descoberto por acaso. E ao lado dele jaziam os destroços de outro naufrágio, o do navio Oceanos 4, que afundou em agosto de 1991, também por causa das ondas, mas cujos 57 passageiros tiveram a sorte de serem resgatados.

Já o destino do Waratah e de seus ocupantes continua ignorado até hoje. É um mistério que, talvez, só mesmo as ondas gigantes consigam explicar.

Façanha sem a devida recompensa

Os pioneiros da travessia do Atlântico a remo tiveram que remar até para voltar para casa. E ainda foram ludibriados no prêmio

No final do século 19, quando as travessias à vela do Atlântico já não eram nenhuma novidade, o editor do jornal americano National Police Gazette, Richard Fox, resolveu lançar um desafio: daria um prêmio a quem atravessasse o Atlântico com um barco a remo, de Nova York à Europa.

Dois ex-marinheiros noruegueses radicados nos Estados Unidos, Gottleb (ali rebatizado "George") Harbo e Gabriel (autorrenomeado "Frank") Samuelsen, decidiram aceitar o desafio e mandaram construir um casco de madeira de 18 pés de comprimento para aquela inédita travessia, que começou no dia 6 de junho de 1896.

O barco, batizado com o sobrenome do próprio editor do jornal em sua homenagem, foi escassamente equipado com uma âncora, uma bússola, uma lamparina e um fogão a óleo, que, por sinal, não funcionou durante a viagem. Mas tinha, também, uma espécie de guarda-mancebo ao redor do casco, para facilitar desvirá-lo, no caso de capotamentos no mar — o que, de fato, aconteceu algumas vezes durante a jornada. Numa dessas ocasiões, eles acabaram perdendo praticamente todos os suprimentos que tinham. E só não foram levados pelas ondas porque haviam se amarrado ao casco.

Depois disso, Harbo e Samuelsen chegaram a ser confundidos com náufragos, foram socorridos com víveres por barcos que passavam e derivaram tanto para o norte que toparam até com icebergs. Mas, por fim, 55 dias depois, chegaram à costa da Inglaterra, exaustos e semicongelados, porém relativamente famosos.

De lá, seguiram, ainda remando, até Paris, onde foram recebidos pelo próprio Richard Fox, que na cerimônia de premiação lhes concedeu apenas duas medalhinhas de ouro, explicando que o verdadeiro prêmio em dinheiro viria do que eles ganhariam com a cobrança de ingressos para as pessoas admirarem o barco, na volta aos Estados Unidos.

Embora decepcionados com a oferta do empresário, eles embarcaram, junto com o seu valente barco, em um vapor de volta à Nova York, em busca de algum dinheiro. Mas ficariam ainda mais indignados quando o tal vapor encalhou nas imediações da costa americana de Cape Cod por falta de carvão para fazer funcionar as caldeiras.

Quando o capitão do vapor ordenou que todos os objetos de madeira a bordo fossem queimados para virar combustível, Harbo e Samuelsen trataram de salvar o pequeno barco, colocando-o na água. E como não havia garantias de que o navio conseguiria chegar ao destino, resolveram continuar a viagem remando. Para quem havia atravessado o Atlântico inteiro a remo, aquilo seria quase um passeio.

Em Nova York, eles, de fato, ganharam algum dinheiro, exibindo o barco nas ruas da cidade. Mas nem de longe chegou a ser o que haviam sonhado receber quando se inscreveram para aquela travessia que, até então, ninguém havia feito. Foi um prêmio muito pequeno para tamanho feito.

O velho golpe que deu certo

Para salvar a empresa da falência, o comandante simulou um acidente contra a seguradora e ainda ficou vivendo no mesmo lugar onde tudo aconteceu

Afundar deliberadamente um barco em mau estado para receber o dinheiro do seguro é um golpe tão antigo quanto as próprias seguradoras, apesar das investigações estarem cada vez mais severas. Mas, no final do século 19, não era assim.

Por isso, na primavera de 1897, quando o comandante italiano Cosmo Marasciulo partiu de Gênova com destino à América do Sul no comando do vapor Sarita, um velho navio há muito clamando por uma reforma, a ordem que ele recebeu da dona da empresa, que também se chamava Sarita, foi bem clara: ele deveria dar fim ao navio, para que o dinheiro do seguro salvasse a empresa da falência. Foi o que o obediente comandante fez.

Ao passar pelo inóspito litoral do Rio Grande do Sul, famoso pelos fortes ventos que sempre tentam atirar os barcos de encontro a costa, o comandante Marasciulo resolveu usar a má fama da região a seu favor e colocou o Sarita à todo vapor na direção da então deserta Praia do Cassino, nas imediações da cidade de Rio Grande. O encalhe, proposital, deixou o Sarita entalado na areia, bem perto da praia, e todos os ocupantes desembarcaram sem maiores problemas. Depois caminharam por dois dias na praia, até a cidade, onde registraram a ocorrência.

Na época, um precário inquérito, feito com

UM BARCO COM DOIS NOMES?

Em 6 de março de 1897, uma violenta tormenta na costa da Cornualha, no sul da Inglaterra, decretou o fim da escuna cargueira Syracuse, que navegava com destino a Nápoles, na Itália. No dia seguinte, diversos escombros do barco foram dar nas praias da região, mas um deles acabou gerando uma tremenda confusão. Era um remo pintado com o nome de outro barco, o Bavaria, o que levou as autoridades a concluir que, junto com a Syracuse, outra embarcação havia naufragado na tempestade. Só que não havia registro de nenhum barco chamado Bavaria navegando naquelas águas, naquele dia. O enigma só foi decifrado bem depois, quando um velho marinheiro lembrou que "Bavaria" era o antigo nome da Syracuse, que tinha sido vendida e rebatizada. Mas não devidamente alterada em todos seus equipamentos.

base apenas no depoimento do próprio comandante, atestou que o navio encalhara por conta dos fortes ventos e, com base nele, meses depois, a armadora do Sarita recebeu a indenização pela perda do barco.

Para os habitantes da então pequena Rio Grande, a história do naufrágio do vapor Sarita teria terminado aí, não fosse um detalhe: a paixão que o comandante Marasciulo desenvolveu pela cidade, a ponto de decidir se mudar para lá. Após idas e vindas entre a Itália e o Brasil, ele se radicou de vez em Rio Grande, arrumou emprego como comandante de barcos brasileiros que faziam viagens frequentes à Buenos Aires e lá casou com uma argentina, que também se mudou para a cidade gaúcha, dando início a uma grande família, hoje bastante conhecida na região: os Marasciulo.

O patriarca Cosmo Marasciulo morreu anos depois de contar a verdadeira história de sua chegada ao Brasil aos seus herdeiros, mas não a tempo de ver inaugurado um farol no exato local do encalhe de seu barco, que, não por acaso, foi batizado de farol Sarita. Mas, para muitos, foi uma inadequada homenagem a um velho golpe que ali deu certo.

Nobre gesto de um comandante consciente

Para evitar que outros barcos tivessem o mesmo destino que o dele, o capitão incendiou o próprio navio

No século 19, os desastres marítimos eram tão frequentes que começou a surgir um novo tipo de problema nas águas mais frequentadas pelos barcos: os acidentes causados pelos restos de outros naufrágios. Na rota do Atlântico Norte, entre a Europa e Nova York, a mais movimentada na época, por conta da intensa migração para a América, esse problema levou as grandes empresas de navegação a contratarem vigias de convés, cuja única função era visualizar detritos na água, a fim de impedir que os barcos os atropelassem.

Mas foram restos de naufrágios na movimentada rota entre a Inglaterra e os Estados Unidos que determinaram o fim do Veendam, um grande barco de passageiros, que viajava com 212 imigrantes e 85 tripulantes, em fevereiro de 1898. Apesar da intensa atenção dos vigias, que já haviam detectados objetos flutuantes no mar dias antes, o Veendam bateu em algo na superfície do mar que danificou seriamente o seu casco e fez parar os motores, por conta, também, da quebra do hélice.

Imediatamente, as bombas de sucção, que, na época eram operadas apenas manualmente pela tripulação, foram acionadas, mas logo se mostraram incapazes de dar conta da água que entrava. Todos os homens a bordo, inclusive passageiros, foram convocados a fazer um desesperado revezamento nas bombas, para tentar manter o navio flutuando, até que chegasse algum socorro.

A vida de todos a bordo do Veendam passou a depender apenas da quantidade de água que os próprios ocupantes do navio conseguissem extrair de dentro do barco, usando para isso apenas a força dos braços. Era preciso tirar, no mínimo, a mesma quantidade de água que entrava. Do contrário, o navio iria a pique.

A exaustiva operação de manter um navio flutuando graças apenas ao esforço daqueles homens durou dois dias. E o mar já estava quase vencendo a disputa quando, ao amanhecer do terceiro dia, finalmente surgiu um navio no horizonte. Era o transatlântico americano St. Louis, que ao notar que o Veendam estava ligeiramente tombado para um dos lados, se aproximou para ajudar.

Apesar do mar agitado, a operação de resgate foi um sucesso e todos os ocupantes do Veendam foram salvos. Mas as bombas manuais só pararam de ser operadas quando restou apenas um homem a bordo, o próprio comandante do barco, G. Stenger.

Como manda o protocolo, ele foi o último a abandonar o navio. Mas, antes de sair, tomou a nobre precaução de evitar que outros barcos tivessem o mesmo fim que o Veendam. Acendeu uma tocha e pôs fogo no navio, a fim de diminuir a quantidade de detritos no mar. Um gesto que se todos fizessem teria poupado muitas vidas no passado.

CAPÍTULO 3

GUERRAS E ODISSEIAS NOS MARES

1900 A 2000

Traído pelo próprio país?

Uma das teorias para o naufrágio do transatlântico Lusitania é que ele teria sido entregue pelos próprios ingleses aos inimigos alemães

Em maio de 1915 a Inglaterra estava em apuros com os alemães e precisava convencer os Estados Unidos a ajudá-la, nos primórdios da Primeira Guerra Mundial. Surgiu, então, uma oportunidade: um navio inglês de luxo, o Lusitania, estava partindo de Nova York abarrotado de passageiros ingleses e americanos. Cheios também estavam os seus porões, mas com uma carga altamente explosiva: 170 toneladas de munições, que a Inglaterra trazia dos Estados Unidos.

Um mês antes, os jornais americanos haviam publicado um aviso da embaixada da Alemanha de que, a partir de então, todos os navios ingleses e de seus aliados estariam sujeitos a ataques. Mesmo assim, dias depois, o Lusitania, então o maior transatlântico da empresa Cunard, partiu de Nova York com destino a Liverpool, levando quase 2 000 pessoas e aquela perigosa carga.

A travessia do Atlântico Norte transcorreu sem nenhum contratempo. Mas, na manhã de 7 de maio, ao chegar à zona mais crítica da viagem, junto à costa da Irlanda, onde sabidamente abundavam os submarinos alemães (na semana anterior, eles haviam afundado 23 navios na região), o comandante do Lusitania, William Tur-

SÓ O BARCO SOBREVIVEU

Em 1902, a escuna americana Courtney Ford não suportou uma violenta tempestade na costa do Alasca e foi propositalmente encalhada — e depois abandonada — pelos seus tripulantes. Certos de que o barco não resistiria mais que alguns dias antes de ser destruído de vez pelas ondas, o grupo foi embora, a pé, até o povoado mais próximo. E nunca mais se ouviu falar do caso. Até que, meio século depois, o vento começou a desenterrar um velho casco soterrado a mais de um quilômetro e meio da praia. Era ela, a Courtney Ford, ainda parcialmente em bom estado. O barco não só não foi destruído pelo mar naquele episódio, como sobreviveu 50 anos debaixo da terra, sendo afastado gradativamente da praia pela ação mutante das marés no Alasca. Quando voltou à luz do dia, em 1952, nenhum dos antigos tripulantes da Courtney Ford estava vivo. Ela sobreviveu. Eles não.

ner, recebeu uma estranha ordem do Almirantado Britânico, então chefiado por Winston Churchill. Ela mandava o navio se aproximar bastante da costa, o que limitava sua capacidade de manobra. Além disso, o cruzador Juno, que seria enviado para proteger o transatlântico, não apareceu no local determinado. O resultado foi uma terrível tragédia, para muitos premeditada pelo próprio Churchill, que já havia comentado que "se acontecesse algum problema na travessia de algum navio vindo dos Estados Unidos, seria melhor ainda".

Para se proteger de um possível ataque, o comandante Turner passou a contar apenas com o nevoeiro daquela manhã de mar bem calmo, que, no entanto, o impedia de navegar mais rápido. Navegando a baixa velocidade e sem a mesma capacidade de manobrar, o Lusitania virou alvo fácil para o submarino alemão U 20, do impetuoso capitão Walter Schwieger, que buscava ganhar prestígio aumentando sua tonelagem de navios afundados e, que, por isso, não hesitara em mandar para o fundo até o navio-hospital Astúrias, dias antes. O que Schwieger encontrou naquele domingo foi um prêmio: um grande transatlântico, navegando sem nenhuma proteção.

O primeiro torpedo atingiu o meio do casco do Lusitania com precisão germânica. Em seguida, veio uma segunda explosão, ainda mais forte: a das munições que o próprio navio transportava. Em apenas 18 minutos, o transatlântico afundou por completo. Tão rápido que só deu tempo de baixar seis dos 22 barcos salva-vidas que o navio possuía. Entre os que sobreviveram a explosão, a maioria morreu afogada. Até porque, por falta de instrução, muitos passageiros vestiram os coletes salva-vidas ao contrário e acabaram ficando de cabeça para baixo na água..

DO NAUFRÁGIO AO PALÁCIO

Moifaa foi um cavalo de corrida da Nova Zelândia que ficou famoso na Inglaterra em 1904, ao vencer a mais prestigiosa prova do turfe inglês, a Grand National. Mas esta não foi sua única façanha. Nove anos antes, quando era transportado da Nova Zelândia para a Europa, o barco que o levava naufragou na costa da Inglaterra e ele só escapou com vida porque nadou até uma ilha próxima. Graças à sua força física e resistência, Moifaa sobreviveu ao episódio sem sequelas e logo voltou às corridas, vencendo, por fim, a mais famosa delas. Na época, o rei inglês Edward ficou tão impressionado com a saga daquele animal que decidiu comprá-lo. Com isso, Moifaa deixou de ser o "Cavalo Marinho", como havia sido apelidado depois do episódio do naufrágio, para virar o "Cavalo do Rei".

Para completar o cenário da tragédia, os primeiros barcos de regaste só chegaram ao local duas horas depois, apesar da proximidade com a costa. E nem assim o cruzador Juno apareceu para ajudar. A explicação foi que o governo inglês não queria perder um valioso navio de guerra para aquele submarino, que continuou de tocaia na região. Além disso, para o Almirantado, mais importante do que a segurança do Lusitania era garantir a chegada incólume de outro navio ainda mais precioso, o HMS Orion, a base de Scapa Flow, o que aconteceu simultaneamente ao ataque ao transatlântico — que, neste caso, foi transformado numa espécie de "boi de piranha".

A macabra contabilidade da tragédia somou 1 198 mortes, entre as 1 959 pessoas que havia a bordo do Lusitania — quase o mesmo que o Titanic, três anos antes. Nos Estados Unidos, a indignação com a morte de tantos americanos levou o país, por fim, a aderir a guerra, como aliado da Inglaterra, apesar de todos os indícios de que teria sido o próprio Churchill que teria tramado (ou, ao menos, facilitado) o ataque ao transatlântico. Se este era o plano, deu certo.

A concha que salvava vidas

Preocupado com o destino dos náufragos, um norueguês inventou um barco à prova d´água

No início do século passado, o norueguês Ole Brude vivia atormentado pela quantidade de vidas perdidas nos naufrágios. Decidiu, então, construir um barco salva-vidas que realmente protegesse seus ocupantes das intempéries. O projeto resultou numa pequena embarcação toda fechada, para que o mar não a invadisse durante as tempestades. Na aparência, mais parecia uma concha, embora tivesse mastro e fosse movida por uma pequena vela.

Para provar que seu invento era seguro e à prova de naufrágios, Brude resolveu fazer uma travessia com a engenhoca, que recebeu o nome de Uraed, algo como "sem medo", em norueguês. E optou por atravessar logo o Atlântico, levando três amigos a bordo.

Mas havia outro objetivo naquela longa travessia: ganhar um prêmio em dinheiro que estava sendo oferecido pelo governo da França a quem melhorasse a segurança no mar, cujos jurados estariam na Feira Mundial de Saint Louis, nos Estados Unidos, no final daquele ano. Brude queria chegar lá navegando seu estranho bote, o que certamente chamaria a atenção do público e também dos juízes.

A travessia, que começou na Noruega, em 7 de agosto de 1904, levou cinco meses para ser completada, mas foi bem-sucedida. Contudo, quando Brude finalmente tocou o solo americano, a feira há muito tinha terminado. E, embora reconhecido como útil, o seu invento não se tornou o sucesso imediato que ele imaginava.

Só sete décadas depois, quando Brude já havia falecido, é que os barcos salva-vidas hermeticamente fechados, como era o pioneiro Uraed, começaram a ser usados como botes salva-vidas em barcos oceânicos. Hoje, todos são assim.

O submarino que não conseguia se esconder

Por mais que tentasse, o U-20 não parava de ser perseguido na superfície. Até que ficou claro o motivo

Por muito pouco, o submarino alemão U-20, que, mais tarde, afundaria o transatlântico Lusitânia, não foi destruído pelos ingleses logo no começo da Primeira Guerra Mundial. Certo fim de tarde de 1914, quando navegava submerso guiado apenas pelo que via no periscópio, o capitão alemão Walther Schwieger avistou duas balizas bem distantes uma da outra e resolveu passar entre elas. Mas algo raspou no casco e o submarino, imediatamente, começou a afundar, sem capacidade de manobrar.

Quando estancou no fundo do mar, Schwieger percebeu que havia caindo numa armadilha: uma gigantesca rede de cabos de aço prendia o submarino. E ele ouviu o barulho de um navio, certamente inimigo, se aproximando na superfície. O capitão alemão mandou dar ré à toda força e, por sorte, desvencilhou o U-20. Mas, estranhamente, passou a ser perseguido pelo navio, mesmo estando submerso.

Embora navegasse à toda velocidade e mudasse abruptamente de rumo, o U-20 não conseguia se livrar daquela incômoda perseguição. Até que veio a noite e, por fim, o navio ficou para trás. Protegido pela escuridão, Schwieger, então, emergiu e descobriu por que vinha sendo seguido com tamanha precisão: preso à popa do submarino, jazia um pedaço da malha de aço com uma das balizas. Ela vinha agindo como uma espécie de bóia, indicando claramente onde estava o submarino, enquanto havia luz do dia. Só mesmo a escuridão fez o navio perder o U-20 de vista. Para as futuras vítimas do Lusitania, teria sido um alívio se isso não tivesse acontecido.

O que aconteceu com eles?

Os dois primeiros brasileiros vítimas da Primeira Guerra Mundial geraram, também, um mistério eterno

Parte do episódio que decretou as duas primeiras mortes de brasileiros na Primeira Guerra Mundial jamais foi esclarecido. Em 18 de outubro de 1917, o submarino alemão U-93 localizou e inter-

O CAMINHÃO QUE AFUNDOU UM SUBMARINO

Pelo menos um submarino alemão da Primeira Guerra Mundial teve um fim nada provável. Em 2 de setembro de 1917, quando patrulhava as águas da Noruega, o U-28 avistou o cargueiro inglês Olive Branch, que levava um carregamento militar para a Rússia, e não teve dúvidas: se aproximou bastante e disparou um torpedo. O tiro foi certeiro e atingiu bem o centro do casco, onde ficava o depósito de munições que o navio transportava, o que potencializou ainda mais o disparo. O Olive Branch explodiu feito uma granada e provocou uma chuva de detritos na água. E, ironicamente, foi isso que decretou o fim, também, do seu agressor. Um dos caminhões militares que o navio transportava voou pelos ares e caiu em bem em cima do submarino alemão, afundando-o junto. Todos os 39 ocupantes do U-28 morreram. Bem mais que os poucos tripulantes do cargueiro. E alguns deles até sobreviveram.

ceptou o cargueiro brasileiro Macau, quando ele estava a cerca de 200 milhas da costa da Espanha, a caminho da França, com um inofensivo carregamento de café.

Na ocasião, o capitão alemão Helmut Gerlach ordenou que todos os tripulantes abandonassem o navio e, em seguida, o explodiu. Mas, antes disso, exigiu que o comandante do navio brasileiro, Saturnino Furtado de Mendonça, fosse a bordo do submarino — o que ele fez, na companhia do taifeiro Arlindo Dias dos Santos. Nunca mais nenhum dos dois foram vistos, o que gerou uma crise política entre o Brasil, até então neutro no conflito, e a Alemanha — que, por fim, levou o país a entrar na Guerra.

O desaparecimento dos dois brasileiros, jamais devidamente explicado, arruinou de vez as relações entre os dois países, já então rompidas desde que o Brasil, em retaliação aos ataques anteriores de dois outros navios nacionais em águas estrangeiras, confiscara 46 embarcações alemães que estavam em portos brasileiros – uma delas, o próprio Macau, que com isso ganhou outro nome, outra bandeira, e que acabaria sendo destruído pelos próprios compatriotas que o construíram.

Na sequência ao sumiço dos dois marinheiros, o governo brasileiro fez severas cobranças de explicações aos chanceleres alemães e continuou fazendo, mesmo após o fim do conflito, ao longo de quatro sucessivos governos. Em vão. Tudo o que o país e os familiares dos desaparecidos foram informados foi que, após serem capturados e interrogados (algo comum em tempos de guerra), os dois brasileiros teriam sido colocados em um bote e liberados no mar. E o que aconteceu dali em diante, o governo alemão disse não saber informar.

Uma das teorias mais propagadas na época foi a de que os dois brasileiros poderiam ter sido recolhidos por algum navio de passagem, que, no entanto, também teria sido atacado pelos alemães, sem deixar sobreviventes. Outra, bem mais fantasiosa, ligava o desaparecimento dos brasileiros ao temperamento do próprio comandante Furtado de Mendonça. Famoso por sua valentia, ele teria disparado contra Gerlach ao subir no submarino e sido imediatamente fuzilado, juntamente com o taifeiro Arlindo. Mas esta história jamais foi comprovada.

Já o destino do submarino alemão carrasco do navio brasileiro não foi muito diferente dos dois marinheiros sumidos para sempre. Três meses depois, ele também desapareceu, quando navegava no Canal da Mancha. E assim ficou por quase um século. Até que, no início de 2015, atraídos por relatos de pescadores que viviam reclamando de terem suas redes enganchadas num trecho específico do litoral da cidade francesa de Penmarch, na Bretanha, mergulhadores encontraram o U-93, a 85 metros de profundidade, vítima de uma mina submarina.

O submarino estava praticamente intacto, mas com a escotilha de acesso a cabine estranhamente aberta, o que fez imaginar que seus ocupantes poderiam ter tido tempo de escapar, antes de o submarino afundar.

Teriam eles fugido ou morrido? O destino dos dois tripulantes brasileiros do Macau não foi o único caso inexplicado que o U-93 levou para o fundo do mar.

O último combatente

Na Tanzânia, um navio alemão da Primeira Guerra Mundial navega até hoje

Os raros turistas que decidem atravessar o lago Tanganika, entre a Tanzânia, Burundi, Zâmbia e a República Democrática do Congo, no leste da África, costumam levar um susto quando vêem o barco no qual será feita aquela viagem: o MV Liemba, um arcaico navio a vapor construído em 1913, que combateu nas águas daquele mesmo lago ainda na Primeira Guerra Mundial. Trata-se de um dos raros navios daquele conflito que ainda navega e, também, um dos mais antigos barcos de passageiros em atividade no mundo.

Mas o que torna o MV Liemba ainda mais interessante é a sua própria história. Ele foi construído em pedaços na Alemanha, com o nome Goetzen, para ajudar a defender aquela parte da África, então sob domínio alemão. Mas só foi montado na Tanzânia, a milhares de quilômetros de distância, porque, como o lago Tanganika fica quase no meio do continente africano, não daria para o navio chegar lá navegando. O Goetzen foi dividido em partes e acondicionado em cerca de 5 000 caixas, que foram transportadas (primeiro de navio, depois de trem) da Europa até o coração da África, onde, finalmente, foi montado — feito um gigantesco Lego.

A montagem do Goetzen, que era equipado com quatro poderosos canhões, só ficou pronta em 1915, quando a Primeira Guerra já corria solta na Europa e ameaçava invadir os domínios alemães na África. Mas logo o navio se transformou em uma espécie de barreira contra a penetração dos Aliados, porque na região não havia outro barco tão bem equipado.

Os ingleses, então, decidiram usar o mesmo expediente dos alemães e despacharam para o Tanganika dois outros navios, igualmente desmontados. Os combates entre o Goetzen e os navios ingleses no grande lago africano foram frequentes e intensos, até que os alemães, já enfraquecidos pelo avanço dos Aliados, decidiram por um fim no seu valioso navio: retiraram os quatro canhões e ordenaram que a própria tripulação do Goetzen o afundasse, para que ele não caísse em mãos inimigas.

Antes, porém, os engenheiros encarregados de ajudar no afundamento do MV Liemba (os mesmos que o haviam montado) tomaram algumas precauções. Uma delas foi revestir suas partes mais críticas, como ferragens, caldeiras e sistema de propulsão, com uma espessa camada de graxa, visando protegê-las da água, para um dia resgatar o navio do fundo do lago, o que de fato aconteceu — mas pelos ingleses.

Quando a guerra terminou, a Inglaterra, depois de constatar que a precaução dos engenheiros alemães de fato protegera o navio da corrosão, resolveu trazer o Goetzen de volta à superfície. Em seguida, doou o navio ao governo da Tanzânia, que após substituir as caldeiras a vapor por motores a combustão, recolocou o navio para navegar no próprio lago, rebatizado como MV Liemba. O que acontece até hoje, mais de 100 anos depois.

A tragédia do Titanic brasileiro

Nunca se soube por que o transatlântico Príncipe de Astúrias estava tão fora de sua rota quando atropelou uma ilha, causando a maior tragédia do mar brasileiro de todos os tempos

Era sábado de Carnaval. Para descontrair os passageiros naquela longa travessia, que já durava 17 dias, foi organizado um baile a bordo. A festa se estendeu até as primeiras horas da madrugada de domingo, 5 de março de 1916, quando, então, todos se recolheram aos seus camarotes, animados com a iminente chegada ao porto de Santos, prevista para as primeiras horas da manhã seguinte. Mas o transatlântico espanhol Príncipe de Astúrias jamais chegou lá. Um par de horas após o fim do baile, a viagem dos infelizes ocupantes daquele navio (cujo número exato jamais foi sabido, pois é certo que havia imigrantes clandestinos a bordo), acabou abruptamente numa laje submersa da ponta da Pirabura, na parte de fora de Ilhabela, no litoral de São Paulo.

A pedra rasgou o casco feito uma faca afiada, e o grande vapor foi para o fundo em pouco mais de cinco minutos, apesar dos seus 151 metros de comprimento. Oficialmente, morreram (afogados ou arremessados pelo mar de encontro às pedras da costeira da ilha) 511 dos 654 passageiros e tripulantes. Mas é certo que foram mais, bem mais, por conta não só dos clandestinos não contabilizados pela empresa dona do navio, como pelo hábito da época de só registrar os passageiros da primeira e da segunda classe. Foi a maior tragédia no mar do Brasil de todos os tempos. Uma espécie de Titanic brasileiro. Até porque os dois desastres aconteceram na mesma época: a das grandes migrações para as Américas.

Em 17 de fevereiro de 1916, o luxuoso transatlântico Príncipe de Astúrias partiu de Barcelona com destino a Santos, Montevidéu e Buenos Aires, repleto de europeus, quase todos imigrantes que vinham tentar a vida na América do Sul. Tripulantes e passageiros partiram assombrados pelos ataques que os navios vinham sofrendo na costa europeia, por conta da Primeira Guerra Mundial, e pelo fantasma do naufrágio do Titanic, apenas quatro anos antes. Mas a travessia transcorreu sem nenhum incidente. Ao passar pela linha do Equador, o navio cruzou com o seu irmão gêmeo, o Infanta Izabel, pertencente à mesma empresa e que fazia a mesma rota, só que no sentido oposto. E foi fotografado por alguns passageiros do outro barco. Foram as últimas imagens do grande navio.

Uma semana depois, o Príncipe de Astúrias chegou à costa brasileira e foi descendo, rente ao litoral, a caminho do porto de Santos. Já próximo a Ilhabela, numa área de mar abrigado, fez uma parada não prevista e alguns dos seus porões de carga foram abertos. O motivo, segundo o comandante espanhol José Lotina, era realocar um carregamento de cortiça que havia sido colocado equivocadamente sobre mercadorias que teriam que ser desembarcadas no primeiro porto de escala do navio. Alguns fardos de cortiça foram, então, removidos e deixados no próprio convés, detalhe que acabaria sendo a salvação de muitas vidas, no dia seguinte, o último da história do navio.

Mas era sábado de Carnaval, dia de festa a bordo, e nenhum passageiro prestou muita atenção naquela parada imprevista no litoral paulista, nem para o mar meio agitado, fruto de uma tempestade que se aproximava. Logo, o Príncipe de Astúrias retomou a viagem. Mas não por muito tempo. Por volta das três da madrugada, a tempestade desabou e a visibilidade despencou, justamente quando o navio navegava rente a face leste de Ilhabela, onde a grande concentração de minérios na terra costumava provocar pequenas variações nas agulhas magnéticas das bússolas dos barcos.

Não se sabe se por isso, ou se porque a tripulação estava um tanto perdida na rota, mas às 3h45 da madrugada o grande transatlântico atingiu em cheio a laje submersa da ponta da Pirabura, um obstáculo há muito conhecido, na ponta da ilha. O impacto abriu um rasgo de mais de 40 metros no seu duplo casco de aço e o navio imediatamente começou a ser inundado. Reza a lenda que os tripulantes da cabine de comando só visualizaram o perigo quando um raio da tempestade que se aproximava iluminou o mar revolto e revelou a fatal proximidade com a pedra.

— É terra? — teria perguntado, assustado, o comandante Lotina a um dos oficiais, antes de dar ordem de "ré a toda força" à casa de máquinas. Mas já era tarde demais.

Um estrondo estremeceu o navio inteiro, despertando os passageiros para o pior dos pesadelos. Instantaneamente, o Príncipe de Astúrias começou a encher feito uma banheira, impedindo que muitos deles sequer conseguissem sair de suas cabines. Morreram afogados e trancados. Os imigrantes clandestinos, que ocupavam a terceira classe, na parte mais baixa do casco, tiveram menos chances ainda. Pouquíssimos escaparam com vida daquele turbilhão de água, potencializando ainda mais a tragédia, pois jamais se soube quantas pessoas, afinal, havia ali dentro.

Em contato com a água fria, as caldeiras explodiram e o navio inteiro ficou às escuras, dificultando ainda mais a desesperada busca por uma saída. Só alguns tiveram tempo para vestir os coletes salva-vidas. Em um par de minutos, o Príncipe de Astúrias começou a embicar de proa, ergueu a popa, e em menos de cinco minutos desceu para o fundo.

Na escuridão, a força da água entrando arrancou uma criança dos braços do pai. Desesperado, ele tateou ao redor e sentiu um corpinho se debatendo na água. Agarrou-o e saltou com ele para o mar. Só depois descobriu que havia salvado uma criança que não era sua filha. Mas acabou virando. A menina, que perdera a família na tragédia, acabaria sendo adotada por aquele pai desconsolado. Mas os dois foram exceções naquela macabra noite de horror.

Nos poucos minutos que tiveram entre acordar e tentar escapar, os passageiros pouco ou nada puderam fazer. Um homem foi visto esfaqueando um passageiro para tentar roubar o seu colete salva-vidas. Outro tentou acabar com a própria vida usando uma arma, mas, de tão nervoso, errou todos os disparos. Ao ver o navio irremediavelmente perdido, até o próprio comandante Lotina teria se matado. Mas isso jamais foi comprovado, já que seu corpo nunca fui encontrado.

Apenas um bote salva-vidas foi para a água, porque saiu boiando, sozinho, quando o casco desapareceu debaixo dele. Ao mergulhar, a chaminé incandescente do Príncipe de Astúrias transformou o mar ao redor em água fervente. Alguns que sobreviveram ao afogamento morreram queimados, mesmo estando dentro d´água. Para aumentar ainda mais o drama, chovia forte e o mar estava revolto no instante da tragédia, com ondas que arremessavam os sobreviventes de encontro às pedras da ilha, a poucos metros de distância. Pouquíssimos conseguiram escalá-las; muitos morreram esmagados. Minutos depois do choque, a superfície turbulenta do mar era uma mistura de restos do naufrágio, sobreviventes desesperados e corpos inertes ou dilacerados. Não poderia haver cenário mais trágico.

Só escapou quem nadou no sentido contrário ao da ilha, a fim de evitar as pedras da costeira, ou deu a sorte de se agarrar a um dos fardos de cortiça que jaziam no convés do navio desde aquela parada não prevista — e que, graças a isso, saíram boiando na catástrofe. O único bote salva-vidas logo se encheu de náufragos e começou a fazer viagens até as águas menos furiosas de uma das reentrâncias da ilha, o Saco da Pirabura, onde os sobreviventes eram desembarcados. O barco fez três viagens e resgatou mais de 100 pessoas — quase todas as que escaparam com vida daquele navio, que, por conta dos clandestinos, muito provavelmente levava bem mais do que as 654 pessoas registradas nos documentos.

Na manhã seguinte, o vapor francês Vega navegava entre o Rio de Janeiro e o porto de Santos quando estranhou a quantidade de detritos na água, ao largo de Ilhabela. Preocupado, o seu comandante resolveu se aproximar da ilha e logo começaram a aparecer corpos. E mais corpos. Mais adiante, surgiu o heroico bote salva-vidas do Príncipe de Astúrias fazendo mais uma busca por sobreviventes. Era o fim do pesadelo para os poucos que escaparam com vida do naufrágio. Todos foram resgatados pelo outro navio.

Pelos números oficiais, até hoje contestados por todos que pesquisaram a fundo o naufrágio, morreram naquele acidente 511 pessoas e apenas 143 sobreviveram. Destas, 87 eram tripulantes do navio, ou mais da metade da tripulação inteira. Já entre os passageiros registrados (os clandestinos, obviamente, não tinham como ser contabilizados), só houve 58 sobreviventes, o que ilustrou bem a perversidade da tragédia. Como os passageiros dormiam no instante do acidente, não tiveram tempo de escapar do navio inundado. Já a tripulação, que na maior parte estava em serviço, teve melhor sorte, justamente porque estava acordada.

No entanto, nos dias subsequentes, outros náufragos moribundos foram surgindo na região. Três homens e uma criança foram dar na vizinha Ilha Vitória, a mesma onde o Príncipe de Astúrias fizera aquela estranha parada na véspera do naufrágio. Já um grupo de dez pessoas atravessou Ilhabela quase inteira pela mata, até dar em seu único povoado. E um grupo de náufragos ficou dias esquecido e sem nenhum recurso em uma das praias selvagens da ilha, que, por isso mesmo, acabaria sendo batizada como Praia da Fome, como é chamada até hoje. É possível que outros sobreviventes tenham simplesmente tratado de sair o mais rápido possível da ilha e passado a viver anonimamente no país, caso dos imigrantes clandestinos.

Durante um bom tempo, uma avalanche de cadáveres continuou chegando às praias da de Ilhabela, para o horror de alguns caiçaras e alegria de outros, que passaram a saquear os mortos em busca de qualquer coisa que valesse dinheiro. Só numa das praias da ilha, depois também devidamente batizada de Praia da Caveira, o mar devolveu quase 100 vítimas do Príncipe de Astúrias. No Saco do Sombrio, redes trouxeram outros 150 — a quantidade de corpos que apareciam apenas confirmava a suspeita de que havia muito mais pessoas a bordo do que, mais tarde, diriam os documentos do navio. Era impossível saber quantos, afinal, haviam morrido. Mas é certo que foi a maior tragédia da história da navegação no mar brasileiro.

Mesmo assim, só havia dois brasileiros a bordo. Um sobreviveu, o outro, não. O sobrevivente foi um jovem gaúcho, chamado José Martins Vianna, que voltava para casa, em Santana do Livramento, depois de uma temporada estudando na Europa. Ele foi salvo por uma espanhola que também ajudou a recolher outros três náufragos da água — e, por isso, mais tarde foi recebida como heroína em Santos, para onde os sobreviventes foram levados pelo outro navio.

Já a brasileira Soyla da Silva, mulher do argentino Juan Mas y Pi, não teve a mesma sorte e desapareceu junto com o marido. O casal viajava com uma missão especial: cuidar de 20 estátuas de bronze que estavam sendo levadas para a inauguração de um monumento em homenagem ao centenário da imigração espanhola em Buenos Aires. Os dois desapareceram no mar, enquanto as estátuas desciam para o fundo, contribuindo para desencadear outro capítulo na história do naufrágio do Príncipe de Astúrias: a busca pelo o que havia no interior do navio.

Além das estátuas e outras mercadorias, o Príncipe de Astúrias levava carregamentos de chumbo, cobre e estanho, além de um grande volume de bagagens dos passageiros, já que a maioria estava de mudança para a América do Sul e, portanto, viajava com todos os seus pertences mais valiosos. Mais relevante que tudo, no entanto, era um carregamento, não declarado, de cerca de 11 toneladas de ouro, que, ao que tudo indica, estava sendo levado para a abertura de um banco na Argentina. A fortuna fez faiscar os olhos dos exploradores de naufrágios, além de gerar outras teorias para a tragédia. Uma delas é que, justamente por conta daquele ouro que transportava, o Príncipe de Astúrias estava fadado a não terminar aquela viagem.

O motivo teria a ver com a aquela estranha parada que o navio fizera, na véspera do naufrágio, nas imediações da Ilha Vitória. Nela, sob o pretexto de realocar parte da carga, misteriosas caixas teriam sido retiradas do navio e passadas para um pequeno barco, que, em seguida, sumiu de vista. O que elas continham? Para muitos, as barras de ouro, numa manobra orquestrada pela própria empresa dona do navio, que passava por dificuldades financeiras. Caberia, então, ao capitão Lotina impedir que o navio chegasse ao seu destino, a fim de ocultar o desvio da mercadoria.

Segundo os defensores desta teoria, talvez o objetivo fosse apenas encalhar o navio em algum ponto ermo da costa Sul do Brasil, evacuar os passageiros e dar o Príncipe de Astúrias como perdido. Mas, ao retomar o rumo após aquela parada, a navegação teria sido prejudicada pela tempestade e agravada pela interferência magnética da ilha nos instrumentos, resultando numa tragédia não planejada. Houve até quem defendesse que, no momento do naufrágio, o comandante Lotina não estaria mais a bordo, pois teria passado para o outro barco, juntamente com o ouro, mas isso é pouco provável. Certo é que o Príncipe de Astúrias estava fora de sua rota habitual quando atropelou a ilha. E jamais se soube por quê.

Em busca do tal ouro e do que mais o navio transportasse de valor, mergulhadores piratas logo começaram a agir no local do naufrágio. Mas os primeiros a explorar o navio submerso o fizeram de maneira atabalhoada, explodindo partes do casco com dinamite. Quase nada restou intacto. Até porque, ao bater no fundo, o Príncipe de Astúrias se partiu em três partes.

Durante décadas, ao menos quatro equipes de mergulhadores fizeram expedições aos restos do navio, que até hoje repousam a uma profundidade entre 18 e 42 metros, numa área de fortes correntezas e baixíssima visibilidade — tanto que, de cada dez mergulhos, oito costumavam ser cancelados, porque os mergulhadores não enxergavam nada. Oficialmente, eles tampouco encontraram nada de realmente valioso, embora um dos que tentaram, um aventureiro grego de nome Wlazios Diamantaraz, tenha estranhamente abandonado a ilha sem dizer nada, após alguns mergulhos no local.

A única exceção talvez tenha sido outro mergulhador grego radicado no Brasil e que acabaria por se tornar o mais ativo pesquisador sobre o Príncipe de Astúrias no pais: Jeannis Platon. Depois de anos vasculhando o naufrágio com uma bem estruturada equipe de resgate (que contava até com um barco especialmente adaptado para isso), Jeannis conseguiu recuperar, entre outros objetos, uma das estátuas de bronze que seguiriam para Buenos Aires. Ainda assim, um objeto de valor apenas cultural.

Mas, na época, já não havia muito o que vasculhar no casco destroçado e explodido do navio. Os lingote de chumbo, as barras de estanho e até o gigantesco hélice, que de tão grande fora explodido e dividido em três partes, antes de ser erguido, já haviam sido derretidos e sumidos para sempre — bem como as supostas barras de ouro.

Na prática, o único legado deixado pelo Príncipe de Astúrias, além de uma dramática história, foi a construção, anos depois, de um farol na mesma ponta da Pirabura, para que outros navios não repetissem a sua tragédia — que, de certa forma, jamais foi totalmente explicada.

Ataque no mar ou crime em terra firme?

O curioso caso de um tubarão que ajudou a desvendar um assassinato

Um fato anormal aconteceu em um parque aquático da Austrália, em 25 de abril de 1935. Ao examinarem um tubarão recém-capturado, mas com claros sinais de indigestão, os veterinários encontraram, dentro do estômago do animal, um braço humano em perfeito estado.

O membro estava tão intacto que foi possível ver que ele tinha duas luvas de boxe tatuadas, o que levou a polícia a pesquisar se algum amante do esporte havia sofrido algum acidente no mar, recentemente. Logo concluíram que deveria pertencer ao ex-lutador James Smith, desaparecido misteriosamente havia poucos dias. A análise das impressões digitais comprovou que o membro pertencia a ele mesmo.

Outro exame, no entanto, revelou algo bem mais surpreendente: aquele braço havia sido cortado a faca e não arrancado pelos dentes do tubarão, o que eliminava a hipótese de um ataque. Ou seja, Smith fora esquartejado e suas partes atiradas ao mar, numa tentativa de fazer o corpo desaparecer para sempre. Só que aquele tubarão engolira o braço inteiro sem mastigá-lo e, uma vez capturado, colocou o plano do assassino por água abaixo.

Investigando a vida pregressa da vítima, a polícia chegou a um sócio de Smith, chamado Patrick Brady, que negou o crime, e também ao construtor de barcos Reg Holmes, que acusou Brady pela morte do pugilista. E Brady foi detido. Mas, pouco antes de seu julgamento, Holmes, que era a principal testemunha, apareceu morto, com um tiro. Sem o depoimento de Holmes, não houve como acusar Brady pela morte do pugilista.

Apesar do esforço involuntário daquele tubarão glutão, o caso acabou sem nenhuma punição.

O sumiço do barco dos garotos

Apesar da guerra que se aproximava, o mundo inteiro se sensibilizou com o desaparecimento de 40 jovens cadetes alemães no Pacífico

Dois anos antes de a Segunda Guerra Mundial começar, a Alemanha comprou da Bélgica um grande barco a vela, de quatro mastros, para ser usado no treinamento de jovens cadetes da marinha mercante. Batizado de Admiral Karpfanger, ele fez sua primeira viagem em setembro de 1937, entre Hamburgo e a Austrália, com uma tripulação que incluia 40 jovens aprendizes de marinheiros, com idades entre 15 e 17 anos. O objetivo era ensinar rapidamente as técnicas de navegação, porque, secretamente, Hitler já planejava a invasão de países vizinhos e sabia que precisaria de muitos novos oficiais para isso.

A viagem durou quatro meses de intensos treinamentos a bordo, mas transcorreu sem nenhum incidente. Um mês depois de chegar a Austrália, em 8 de fevereiro de 1938, o Admiral Karpfanger iniciou a travessia de volta à Europa, optando desta vez pela rota mais curta, via Pacífico Sul e Cabo Horn, pois o objetivo era estar de volta à Alemanha antes de maio, a tempo de melhor preparar os cadetes para a guerra que se aproximava.

Mas o Admiral Karpfanger jamais chegou a lugar algum. Desapareceu por completo, sem deixar nenhum vestígio, o que gerou uma comoção mundial por conta da jovem tripulação, a despeito da bandeira da Alemanha nazista no barco. Jamais se soube sequer onde ele afundou nem por quê. A hipótese mais provável é que o barco tenha colidido com um bloco de gelo nos mares antárticos e afundado sem ter como pedir socorro, porque a única coisa sabida é que o seu rádio apresentara problemas logo após partir da Austrália.

Isso ficou claro nas quatro únicas comunicações da embarcação com a base alemã em solo australiano. A primeira aconteceu apenas três dias após a partida e comunicou que tudo corria bem a bordo. A segunda, já repleta de chiados, foi bem mais difícil de entender. A terceira, quase um mês depois, fez saber, com extrema dificuldade, que o barco se encontrava a cerca de 1 500 milhas ao sul da Nova Zelândia, o que indicava uma navegação bem lenta, possivelmente por conta da rota escolhida, repleta de gelo e famosa pelo seu mar nada amistoso. E o quarto e derradeiro contato pelo rádio aconteceu no dia 12 de março, quando mal deu para avisar ao segundo oficial do barco que o seu primeiro filho havia nascido. Em seguida, o rádio emudeceu de vez. Foi a última vez que se teve notícias do Admiral Karpfanger.

Durante todo aquele mês de março, os familiares dos tripulantes, sobretudo os pais dos jovens cadetes, aguardaram, ansiosos, notícias sobre o avanço da viagem. Mas a companhia dona do barco, a Hamburg-Amerika, não deu nenhum retorno, porque simplesmente não sabia onde o navio estava. Só no início de abril a empresa emitiu um comunicado, dizendo que a razão do silêncio era, sem dúvida, por causa de uma pane no rádio de bordo. Também garantiu que nenhum outro barco reportara qualquer avistagem do Admiral Karpfanger porque, como o objetivo era treinar bem os garotos, ele navegava em uma área remota, de navegação mais árdua e não utilizada pelos navios comerciais. Mas, com certeza, aquelas não eram as únicas verdades a respeito do barco alemão. Naquelas alturas, o Admiral Karpfanger já devia ter virado tragédia. Mas nada foi aventado aos familiares.

Só no início de maio, quando nenhum registro da passagem do barco pela ilha brasileira de Fernando de Noronha foi feito, como era hábito na época, é que os responsáveis pela Hamburg-Amerika começaram a ficar seriamente preocupados. Consultados, outros barcos que vinham do Pacífico para a Europa reportaram muito gelo no mar nas imediações do Cabo Horn, o que fez acender o sinal de alerta na empresa. Mesmo assim, nada foi dito aos parentes dos garotos que estavam a bordo e a companhia continuou se recusando a admitir que o Admiral Karpfanger pudesse ter afundado. O mês de maio também passou sem nenhuma notícia do barco.

Só em julho, quando a pressão das famílias atingiu níveis insustentáveis, já que o Admiral Karpfanger deveria ter chegado a Hamburgo em maio, é que a Hamburg-Amerika resolveu agir. Mandou que um dos seus navios fizesse a mesma rota do barco desaparecido e pediu ajuda aos governos do Chile e da Argentina nas buscas. Diversos vestígios e restos de naufrágios foram encontrados. Mas, aparentemente, nenhum deles era do barco que eles procuravam.

Agosto chegou e a única certeza sobre o Admiral Karpfanger era que ele havia mesmo desaparecido. Mesmo assim, só em setembro a empresa emitiu um comunicado admitindo isso. Apesar da iminência do avanço bélico nazista na Europa, o mundo inteiro se sensibilizou com o desaparecimento do barco dos garotos e mensagens de condolências foram enviadas tanto aos familiares quanto ao próprio governo alemão.

Em 21 de setembro, o nefasto sino do Lloyd's tocou em Londres, oficializando a perda do Admiral Karpfanger e iniciando toda sorte de especulação sobre o que teria acontecido com ele. Entre as hipóteses levantadas, uma delas pregava que, na ânsia de preparar bem os cadetes, o comandante do Admiral Karpfanger teria forçado demasiadamente o barco, fazendo-o navegar a todo pano numa região que exige cautela. Outra especulava que o barco alemão poderia ter sido desviado para uma ilha remota do Pacífico, a fim de montar uma base secreta, já visando a guerra que se aproximava. De todas as teorias, no entanto, a mais provável era mesmo o choque acidental com um bloco de gelo.

Nos meses seguintes, as buscas continuaram, mas sem nenhum resultado, exceto um intrigante pedaço de porta com uma placa de metal na qual se lia, em alemão, "capitão e oficiais", encontrada numa das ilhas nas proximidades ao Cabo Horn — e que, segundo a empresa que reformara o Admiral Karpfanger antes de sua viagem bem poderia ser do barco desaparecido.

Mas ficou por isso mesmo. Para os familiares daqueles 40 jovens só restou a dor da perda e a eterna dúvida sobre o que, afinal, aconteceu com o barco dos garotos.

O navio que decidiu o destino dos seus tripulantes

O Brasil não estava na rota do transatlântico Windhuk, mas foi onde seus 244 tripulantes vieram parar. E daqui não saíram mais

O porto de Hamburgo estava particularmente agitado na manhã de 21 de julho de 1939. Entusiasmados com a boa performance da economia alemã, depois da crise desencadeada com o fim da Primeira Guerra, e embalados pelo forte sentimento nacionalista que tomava conta do país nos dias que antecederam o início de um novo conflito mundial, mais de uma centena de passageiros preparava-se para embarcar em um longo cruzeiro de ida e volta à África, a bordo de um dos melhores transatlânticos alemães da época: o Windhuk ("canto do vento", em alemão). O navio era tão luxuoso que tinha uma tripulação quase duas vezes maior que o número de passageiros: 250 tripulantes, quase todos tão alemães quanto o próprio comandante, Wilhelm Brauer.

A viagem estava prevista para durar 60 dias, com escalas em diversos países da Europa antes de descer até Moçambique, de onde o navio regressaria ao mesmo porto da Alemanha. Mas o Windhuk jamais voltou — embora nenhuma tragédia tenha acontecido naquela viagem. Ao contrário, ela teve um final feliz para todos os tripulantes do navio, mesmo tendo o Windhuk ido parar do outro lado do Atlântico, no porto brasileiro de Santos, cinco meses depois.

BRASILEIROS TAMBÉM POR ACASO

Quando recebeu a notícia de que a Itália aderira à Segunda Guerra Mundial, como aliada da Alemanha, em 7 de junho de 1940, o comandante do luxuoso transatlântico italiano Conde Grande navegava entre Santos e Buenos Aires, com mais de 1 500 passageiros. Sem nenhum alarde, deu meia volta, a fim de evitar os navios militares ingleses que sabidamente patrulhavam a região do Rio da Prata, e retornou ao porto brasileiro. Ali, os passageiros foram alocados em navios com outras bandeiras e seguiram viagem. Mas os tripulantes, não. Ficaram em Santos, tomando conta do navio e o fizeram por tanto tempo que alguns deles acabaram por fixar residência na cidade, tal qual os tripulantes do Windhuk, seus vizinhos de cais.

Quando, em 1º de setembro de 1939, a Alemanha invadiu a Polônia, dando início à Segunda Guerra Mundial, o Windhuk estava tranquilamente atracado no porto da Cidade do Cabo, na África do Sul, com seus passageiros aproveitando as mordomias de bordo, que incluiam uma requintada gastronomia. Mas a ordem era clara: o Windhuk deveria sair imediatamente daquela então colônia inglesa e retornar à Alemanha. Avisados, quase todos os passageiros decidiram desembarcar ali mesmo, ficando a bordo apenas os tripulantes — exceto um deles, que havia saído para passear em terra firme no seu dia de folga e não conseguiu voltar para o navio a tempo.

Às 22 horas do mesmo dia, o navio saiu do porto às pressas e com pouco combustível, o que levou o comandante Brauer a optar por navegar só até a cidade de Lobito, na costa da atual Angola, que nada tinha a ver com o conflito. Ali, ele esperava abastecer o navio e seguir viagem para a Alemanha. Mas, no precário porto angolano, o Windhuk teve que esperar dois longos meses até conseguir um pouco mais de combustível para poder voltar ao mar. Confinados no navio, os tripulantes do Windhuk, inocentes garçons, camareiros, engenheiros e marinheiros, todos civis em nada envolvidos com a guerra, não faziam a menor ideia do que se passava na distante Europa. Tampouco o que o destino lhes reservaria dali em diante. Só restava esperar e torcer para que o navio conseguisse, finalmente, partir.

Cinco deles não suportaram a angústia da espera e traçaram um plano para voltar para casa por conta própria, com um dos barcos salva-vidas do navio. Certa noite, colocaram o bote na água e partiram a remo. Dois meses e meio depois — e após receberem a ajuda de um navio português que lhe forneceu mantimentos no meio do caminho —, o grupo foi dar numa praia das distantes Ilhas Canárias, num feito e tanto. Já o comandante do Windhuk tinha outras preocupações além da fuga de tripulantes e da carência de suprimentos, inclusive comida para tanta gente a bordo, durante tanto tempo: ele não sabia como driblar os navios ingleses que já patrulhavam trechos da costa africana.

No início de novembro, depois de conseguir um pouco de combustível, surgiu uma brecha na patrulha dos ingleses. O Windhuk, então, partiu ainda mais escondido que da primeira vez, juntamente com outro navio alemão, o Adolf Woermann, que também aguardava uma chance de escapar do cerco dos ingleses aquartelado naquele porto angolano. A bordo, não havia comida suficiente para toda a tripulação na longa viagem que o Windhuk faria (uma ironia num navio famoso justamente por sua gastronomia), nem tampouco era garantido que o combustível desse para chegar a Alemanha.

Mesmo assim, o comandante Brauer mandou soltar as amarras, apagar todas as luzes do navio e ganhou o mar, seguido pelo Adolf Woermann, que, no entanto, não foi longe. Descoberto pelos ingleses, ele foi atacado e afundado logo após sair de Angola. Já o Windhuk seguiu em frente. Mas nem o seu comandante sabia exatamente para onde. Importante era escapar do cerco.

No afã de driblar os ingleses, o Windhuk navegou em linha reta Atlântico adentro, saindo da rota natural para a Europa e alongando a distância até a Alemanha — um grande problema frente a questão do combustível. Seria, portanto, necessário parar em outro porto, para reabastecer. Mas, qual, se os ingleses patrulhavam praticamente toda a costa africana? Foi quando Brauer teve a ideia de seguir em frente, cruzar todo o oceano e buscar recursos em algum país sul-americano, todos ainda neutros na guerra.

A fim de evitar as rotas mais usadas pelos navios, o comandante do Windhuk decidiu navegar bem mais ao sul do que o habitual. E quase foi parar nas ilhas Malvinas. O acréscimo extra no percurso tornou o nível do combustível ainda mais crítico. Para economizar, o Windhuk passou a se arrastar no mar, a míseros seis nós de velocidade, quando tinha capacidade de navegar três vezes mais rápido do que isso, em velocidade de cruzeiro. Além disso, para escapar o mais rápido possível da crítica área da costa africana, ele chegou a navegar a 22 nós de velocidade, o que sugou sobremaneira os seus tanques.

A bordo do Windhuk, a situação dos tripulantes era angustiante. Eles não tinham comida, nem destino fixo, tampouco sabiam se o combustível daria para chegar a algum porto seguro. Gastavam os dias vendo o mar passar, lentamente, sob o casco, sem saber para onde estavam indo. Nem o comandante Brauer arriscava um palpite mais certeiro sobre para qual porto seguir. Sem muita convicção, acabou optando por rumar para Baia Blanca, na costa da Argentina. Mas, para complicar ainda mais as coisas, foi informado dos ataques que o couraçado alemão Graf Spee vinha sofrendo na região e resolveu evitá-la. Foi quando o porto de Santos, na costa brasileira, surgiu como a melhor opção.

O Brasil ainda não havia entrado na guerra e, portanto, era seguro para um navio alemão. Ainda assim, Brauer tomou uma precaução: mandou camuflar o Windhuk com outro nome, outra bandeira e até outra cor no casco, que deixou de ser cinza e virou preto. A pintura, feita com latas de tinta que restavam no porão, aconteceu em pleno mar, durante a própria navegação, e foi uma arriscada epopeia que durou vários dias. Os marinheiros ficavam dependurados sobre a água, com o navio em movimento. Quem caísse estaria perdido, porque o comandante avisara que não haveria como manobrar o navio. Por sorte, ninguém caiu.

O novo nome e a nova "nacionalidade" do Windhuk foi escolhida ao acaso. Como havia alguns asiáticos trabalhando na lavanderia do navio, Brauer optou pelo nome de um navio japonês que costumava visitar o porto para o qual estavam indo, o Santos Maru, e mandou que os tripulantes orientais o escrevessem num pedaço de papel, para ser copiado no casco — bem como a confecção de uma bandeira, algo fácil no caso da japonesa, que se resume a uma bola vermelha sobre fundo branco. E assim foi feito. Só que os tripulantes eram chineses, não japoneses, e o novo nome do Windhuk acabou escrito com caracteres errados.

Mas ninguém percebeu o erro. Nem mesmo os práticos do porto de Santos, que, ao verem o navio chegando, estranharam apenas o fato de o verdadeiro Santos Maru ter voltado tão rápido, já que havia partido dali dias antes. E, ainda por cima, voltou com duas chaminés em vez de apenas uma. A confusão foi esclarecida, entre risos e tapinhas nas costas, assim que os funcionários do porto subiram a bordo e deram de cara com uma tripulação de alemães de olhos azuis e não japoneses de olhos puxados. Como o Brasil ainda não tinha se posicionado na guerra, nada aconteceu com eles. Apenas o navio ficou retido, como era praxe nos tempos de guerra. Era o dia 7 de dezembro de 1939 — data que, até hoje, é comemorada pelos descendentes daqueles mais de 200 alemães, que nunca mais quiseram sair do Brasil.

Para os 244 tripulantes do Windhuk, a nova e tranquila vida em Santos passou a ser uma espécie de recompensa pelas privações e temores que passaram durante aquela longa e tensa viagem. Eles ganharam a liberdade de fazer o que bem quisessem, desde que não saíssem do município. Inclusive deixar o navio e ir morar na cidade. Alguns começaram a namorar garotas locais. Outros se casaram, como os tripulantes Hildegard e August Braak, cuja cerimônia aconteceu no próprio navio e com a presença até do prefeito.

Para os moradores de Santos, aquele grupo de alemães boas-praças nada tinha a ver com as notícias ruins que chegavam da Europa. E não tinham mesmo, porque não passavam de pacíficos marinheiros transformados em vítimas indiretas da guerra. Eles ficaram na cidade por mais de dois anos, em total harmonia com os brasileiros.

A situação só começou a mudar em janeiro de 1942, quando, em resposta ao afundamento de navios brasileiros na costa do Nordeste, o Brasil decretou guerra aos países do Eixo. Imediatamente, todos os tripulantes do Windhuk foram presos, na mesma cidade onde já se sentiam em casa. Contribuiu também para isso o gesto patriótico de alguns deles, a começar pelo comandante Brauer, de sabotar o próprio navio no porto de Santos. Quando ficaram sabendo que o Windhuk seria confiscado e vendido aos americanos, então já em guerra contra a Alemanha, eles levaram sacos de areia, pedra e cimento para dentro do navio e atiraram dentro de seu maquinário, que ficou inutilizado. O objetivo era que o Windhuk não pudesse mais navegar e assim não saísse do Brasil. Mas não foi o que aconteceu.

Rebocado, o navio acabou sendo levado para os Estados Unidos, onde foi recuperado e convertido em navio de combate. Já o destino dos seus tripulantes foi ainda mais improvável. Depois de passarem uma temporada na Casa de Detenção de Imigrantes, em São Paulo (eles eram tão numerosos que não cabiam na pequena cadeia de Santos), acabaram se transformando nos primeiros ocupantes dos campos de concentração em território brasileiro, aqui chamados de "campos de internação", para onde, depois, também foram levados italianos e japoneses.

A bordo de um trem lacrado e com a patética escolta de soldados fortemente armados, os pacatos tripulantes alemães foram divididos em grupos e mandados para cinco destes campos, todos no interior do estado de São Paulo: Bauru, Ribeirão Preto, Pirassununga, Guaratinguetá e Pindamonhangaba, este o maior do gênero no país. Neles, no entanto, a despeito do trabalho por vezes forçado, seguiram gozando quase a mesma liberdade de antes, já que não representavam perigo algum ao país.

No campo de concentração de Pindamonhangaba, em clima de total camaradagem com os guardas, os marinheiros alemães receberam autorização para construir suas próprias casas, criaram galinhas, ordenharam vacas, jogavam futebol contra times que vinham de fora, assavam pães para vender aos visitantes e até saiam para fazer compras na cidade – ocasião em que chegavam a dividir rodadas de cerveja com os próprios guardas que os vigiavam. Também os músicos da orquestra do navio eram frequentemente convidados para tocar em festas na cidade, e os cozinheiros do Windhuk passaram a preparar jantares sofisticados para os oficiais do próprio campo. De presidiários, eles nada tinham.

Na maior parte do tempo, a vida era tão agradável nos campos de internação que o mesmo casal Hildegard e August, que havia se casado quando o Windhuk estava atracado no porto de Santos, resolveu ter um filho ali mesmo. Nasceu assim Carl Braak, o único brasileiro que veio ao mundo dentro de um campo de concentração. Hoje, ele é o principal convidado nos encontros anuais que os descendentes dos tripulantes do Windhuk, já que todos já morreram, organizam em um restaurante de São Paulo, que não por acaso leva o mesmo nome do navio, sempre no dia 7 de dezembro, data que ele chegou ao Brasil. O último tripulante morreu em 2015.

Nos campos de internação, onde viveram por mais de três anos, os marinheiros do Windhuk se habituaram ainda mais com a vida no país. Quando a guerra terminou, em 1945, o governo brasileiro, sem saber o que fazer com aquele incômodo grupo, deu a eles duas opções: voltar para a Alemanha, arrasada pela guerra, ou ficar de vez no Brasil, com direito a cidadania. Praticamente todos escolheram a segunda opção. Apesar do sotaque carregado, já eram brasileiros de coração.

Em seguida, eles se espalharam por cidades de São Paulo, Santa Catarina Minas Gerais e Rio de Janeiro, e foram trabalhar em diversas áreas. Um deles, chegou a vice-presidência da Coca-Cola no Brasil. Já Hildegard, mãe de Carl, tornou-se uma das maiores especialistas do país em ortóptica, uma área da oftalmologia que trata de desvios oculares. Muitos, porém, preferiram subir a serra que brotava aos pés do campo de internação de Pindamonhangaba e foram trabalhar, como cozinheiros, no recém-criado Grande Hotel de Campos do Jordão, cidade que, até então, era apenas um centro de tratamento para tuberculosos.

Com a experiência culinária que tinham do navio, os alemães do Windhuk transformaram aquele hotel em um centro de excelência gastronômica e foram praticamente os responsáveis por implantar as bases do que viria a ser a estância turística de Campos do Jordão nos dias de hoje. Outro tripulante, porém, preferiu abrir um bar em São Paulo, batizá-lo com o nome do navio, e passar a reunir os antigos companheiros para relembrar as histórias do passado — o precursor do restaurante Windhuk, onde os seus descendentes se encontram até hoje.

Já o navio deixou de existir há muito tempo. Depois de servir nas guerras do Vietnã e da Coreia, sob bandeira americana e com o nome USS Le Jeune, o ex-Windhuk acabou seus dias num ferro-velho asiático. Mas o seu sino foi preservado e ainda toca, todos os dias, em um quartel de treinamento do exército americano, na Califórnia, onde, no entanto, quase ninguém sabe que o navio de onde ele veio acabou decidindo o improvável destino de mais de 200 alemães, durante a guerra.

A nau dos abandonados

Ao fugir dos horrores da guerra, os passageiros judeus do S.S. Struma encontraram um final ainda mais cruel: o menosprezo pela vida humana

Entre os muitos horrores que a perseguição aos judeus na Segunda Guerra Mundial produziu, também os oportunistas se aproveitaram do desespero das famílias judias para enriquecer, ludibriando as que tentavam escapar de Hitler pelo mar. Foi o que aconteceu no caso do infame navio S.S. Struma, um dos mais tristes exemplos de desdém pela vida humana que a história da Guerra registrou.

Em 1941, quando a perseguição nazista se intensificou ainda mais, uma das saídas para os judeus passou a ser a cidade de Constança, na Romênia, de onde partiam velhos navios, rumo à Palestina. Mas a maioria deles não passavam de sucatas e eram verdadeiras arapucas. Como o S.S. Struma. Em dezembro daquele ano, atraídos por cartazes com a imagem de um lindo transatlântico e que anunciavam "uma viagem luxuosa para a Terra Prometida", 779 judeus de abastadas famílias pagaram pequenas fortunas por aquele tipo de fuga. Mas, ao chegarem ao porto, o que encontraram foi um decrépito cargueiro, construído em 1830, sem a menor condição de navegar — um "navio-caixão", como os inescrupulosos armadores da época chamavam os barcos já condenados que a guerra ressuscitara.

CAIU NO MAR E O MAR DEVOLVEU

No final de 1940, durante uma terrível tempestade de inverno no Atlântico Norte, o Primeiro Oficial do destróier inglês HMS Cossack, Peter Gretton, foi varrido do convés por uma onda, mas, por um incrível golpe de sorte, imediatamente trazido de volta ao navio, por outra. Encharcado, mas sem nenhum ferimento, o oficial correu para a ponte de comando, a fim de informar o ocorrido ao comandante. Este, depois de ouvir o relato do esbaforido subordinado, parou, pensou e passou-lhe uma jocosa reprimenda, "por desembarcar do navio sem permissão".

Os passageiros protestaram, mas o responsável pela viagem alegou que aquele era apenas o transporte até o verdadeiro transatlântico, que os aguardava fora do porto, porque era grande demais para atracar. Mentira, claro. Mesmo assim, eles embarcaram. Até porque não tinham escolha. Antes disso, todos os passageiros tiveram suas bagagens confiscadas, sob a desculpa de que as malas seguiriam depois, em outro barco, para não superlotar o S.S. Struma. Obviamente, também não era verdade. Mas o pior — bem pior — ainda estava por vir.

Uma vez em alto mar, como esperado, além de não haver transatlântico algum no aguardo dos passageiros, o velho S.S. Struma passou a apresentar um defeito após o outro. Logo no primeiro dia, o motor quebrou e o comandante teve que pedir socorro. Um barco romeno veio ajudar, mas, em troca de ajuda, exigiu que os passageiros entregassem alianças, anéis e relógios. Um verdadeiro saque.

O navio voltou a navegar, mas precariamente. A cada meia hora, precisava desligar os motores para que eles esfriassem. Até que, perto de Istambul, na Turquia, quebrou novamente. Dessa vez, foi rebocado até o porto da cidade. E lá começou o martírio dos judeus que estavam a bordo.

Como a Palestina estava sob a responsabilidade da Inglaterra, e como os ingleses temiam uma invasão descontrolada da região, eles convenceram as autoridades turcas a reter o navio no porto, alegando que seus passageiros não tinham vistos de entrada para onde seguiam — e, também, como uma forma de desestímulo aos outros navios do mesmo tipo, com o mesmo destino.

A bordo do S.S Struma, do qual ninguém podia desembarcar, a situação logo se tornou insuportável. Não havia água nem comida, embora ele estivesse atracado no porto da capital turca. E, rapidamente, o único banheiro do navio teve que ser interditado, por questões sanitárias. No porto de Istambul, o velho cargueiro exalava fedor e horror.

Depois de muitos dias e longas negociações, foi permitido o desembarque de apenas uma mulher, que estava dando à luz a bordo, e de quatro passageiros que já tinham vistos para a Palestina. Mas ficou decretado que o S.S Struma não voltaria a navegar — até porque os turcos haviam se recusado a fazer os reparos que o navio necessitava.

A agonia durou dez horripilantes semanas, ou dois meses e meio, até que, no 71º dia de espera no porto, num gesto ainda mais cruel que o dos ingleses, o governo turco decidiu cortar as amarras do S.S. Struma e expulsá-lo dali, com sua "carga humana", mesmo ele não tendo como navegar por meios próprios. Um rebocador arrastou o navio até a saída da baía e o deixou lá, inerte, à deriva, entregue à própria sorte. Nas amuradas do navio condenado, os passageiros pediam socorro. Mas ninguém apareceu para ajudar.

Como eram tempos de guerra e os submarinos alemães patrulhavam aquelas águas com rigor implacável, o final daquela história era tão previsível quanto abominável. E foi o que aconteceu. Sem conseguir se locomover, muito menos se esconder, o S.S. Struma não durou mais do que uma noite no mar. Virou alvo fácil para os torpedos de um submarino nazista e explodiu por inteiro, afundando em seguida.

Dos 774 passageiros que restavam a bordo (entre eles 103 crianças), apenas um sobreviveu – porque foi encontrado, por acaso, no dia seguinte, boiando no mar, por um barco pesqueiro. E embora a explosão tenha sido vista da própria Istambul, nenhum tipo de socorro foi enviado ao local.

Ironicamente, no dia seguinte a tragédia, chegou a Turquia uma burocrática autorização inglesa para que as crianças do S.S. Struma fossem desembarcadas. Mas já era tarde. A guerra havia produzido mais uma brutal desumanidade.

O grande comandante Pequeno

Para não comprometer a sobrevivência dos seus companheiros, o comandante José Moreira Pequeno sacrificou a própria vida

Um dos primeiros heróis do Brasil na Segunda Guerra Mundial foi o comandante do navio Cairú, do Lloyd Brasileiro, José Moreira Pequeno. Na fria noite de 8 de março de 1942, quando o Cairú se aproximava de Nova York com um carregamento que incluía cristais de mica, material bastante usado na indústria bélica da época, foi torpedeado pelo submarino alemão U-94, que, aparentemente, sabia da carga que o navio brasileiro transportava. O Cairú partiu-se em dois. Só houve tempo de embarcar os sobreviventes em quatro botes salva-vidas.

Num deles, estava o comandante Pequeno, que, já bastante doente, só aceitara conduzir o Cairú naquela viagem porque não queria parecer covarde, frente aos riscos que representavam os ataques alemães em águas internacionais. Foi o primeiro nobre gesto do comandante, que, ao embarcar, ficou encolhido num canto do bote. O segundo foi que, ao amanhecer, ele não estava mais lá.

Sabendo que não suportaria aquela situação por muito tempo, e ciente de que um cadáver a bordo só pioraria ainda mais as coisas, Pequeno optou pelo suicídio, em silêncio, deslizando borda afora durante à noite, quando parte dos seus subordinados dormia.

Dias depois, quase todos os sobreviventes do Cairú foram resgatados e, uma vez de volta ao Brasil, fizeram questão de engrandecer ainda mais a dignidade de um grande comandante, que era pequeno só no nome.

O terror do mar brasileiro

Como um submarino alemão semeou o horror no litoral do Nordeste e pôs o Brasil na Segunda Guerra Mundial

Caía a tarde e uma improvisada festinha acontecia no Baependy, um grande paquete, como se chamavam na época os navios mistos, de carga e passageiros, que navegavam entre os portos do litoral brasileiro. Era aniversário de um dos tripulantes e seus colegas — e até alguns passageiros—se reuniram no convés para comemorar a data.

Afinal, não havia com o que se preocupar naquele sábado, 15 de agosto de 1942. Embora a Segunda Guerra Mundial estivesse em curso, os comba-tes estavam praticamente restritos à Europa, os Estados Unidos mal haviam aderido ao conflito e o Brasil era um país oficialmente neutro na questão — além de ficar bem distante de tudo aquilo. Além disso, naquele dia, o Baependy navegava no sempre pacato litoral de Sergipe, na altura do Rio Real, na divisa com a Bahia, depois de ter partido de Salvador com destino a Maceió, levando a bordo 306 pessoas, sendo 249 passageiros.

Apesar do mar agitado, o Baependy, do Lloyd Brasileiro, na época a maior empresa de navegação do Brasil, navegava tranquilo em seus habituais nove nós de velocidade, a não mais que dez milhas da costa, como fora recomendado que os navios fizessem em tempos de guerra, a fim de evitar a exposição excessiva no mar aberto. E praticamente às escuras, também por precaução, embora os alemães tivessem determinado exatamente o contrário — que os navios navegassem iluminados e com a bandeira do país pintada no casco, para serem facilmente identificados os que fossem de nações neutras, como era o caso do Brasil. Mas os brasileiros não fizeram nem uma coisa nem outra.

Embora 15 navios com bandeira brasileira já tivessem sido atacados por submarinos alemães desde o início das hostilidades, todos os casos aconteceram em águas estrangeiras, e nada indicava que algo semelhante pudesse acontecer na costa brasileira. A guerra parecia tão distante do Brasil quanto a lua. Mas só até aquele 15 de agosto de 1942.

E tudo porque, dias antes, um grande submarino alemão, o U-507, havia penetrado secretamente em águas brasileiras e aguardava, sorrateiro, que algum navio se aproximasse do litoral do Nordeste, onde ele navegava. O U-507 era uma máquina moderna de guerra, fruto da avançada engenharia alemã, com quatro disparadores de torpedos e capaz de navegar a 18 nós na superfície e metade disso submerso — números espantosos para a época.

Mas, tão letal quanto a capacidade técnica daquele submarino, era o homem que o comandava: o capitão Harro Schacht, para azar dos brasileiros um dos mais eficientes e frios oficiais da Kriegsmarine, a Marinha de Guerra alemã, durante a Segunda Guerra Mundial.

ELE PARTIU, O INIMIGO PASSOU

Quando, em julho de 1942, o comandante Harro Schacht, do U-507, abandonou o patrulhamento no Atlântico e desceu para a costa brasileira, acabou permitindo que os Aliados conquistassem uma importante vitória contra os alemães nas distantes areias dos desertos do Egito. Ali, um regimento de tanques ingleses aguardava, encurralado, que chegassem motores vindos dos Estados Unidos para tentar conter o avanço alemão no Norte da África. Estes equipamentos estavam a bordo do navio Seatrain Texas, que levava uma das cargas mais estratégicas da Segunda Guerra — tanto que recebeu o codinome de "navio do tesouro". Mas, quando o Seatrain Texas chegou à Cintura do Atlântico, onde faria a travessia do oceano, o U-507, que, até então, patrulhava a região, já havia partido, rumo ao Brasil. Por uma fração de tempo, Schacht perdeu sua maior presa. E, com isso, os ingleses acabariam virando o jogo no continente africano.

Foi o próprio Schacht que decidiu se separar da flotilha de submarinos nazistas que patrulhavam a chamada Cintura do Atlântico, o trecho mais curto de mar entre as Américas e a África, após um incômodo jejum de vítimas, e rumar, sozinho, para o litoral brasileiro, a fim de realizar "manobras livres". Ou seja, ataques solitários, mas generalizados, a fim de aumentar a sua tonelagem de navios afundados e, também, o seu prestígio junto aos líderes nazistas.

Foi ele, também, que decretou o trágico destino de mais de 600 brasileiros, muitos deles mulheres e crianças, ao torpedear navios de passageiros sem nenhum aviso. Foi Harro Schacht, enfim, que fez o Brasil a entrar na Segunda Guerra Mundial, após a nação, indignada, romper sua neutralidade.

No entanto, teria sido, talvez, ainda pior se o plano original de Hitler para a costa brasileira tivesse sido colocado em prática. Meses antes da decisão de Schacht de trazer o U-507 para atacar navios brasileiros em nossas próprias águas, o líder nazista havia concebido um ataque-surpresa de submarinos alemães aos principais portos do Brasil — Santos, Rio de Janeiro, Salvador e Recife.

A ação, que recebeu o codinome "Operação Brasil", tinha vários objetivos: dar uma resposta ao bombardeio que o submarino italiano Barbarigo, do Eixo simpático aos nazistas, havia sofrido de um avião americano após um ataque frustrado ao cargueiro brasileiro Comandante Lyra, nas proximidades de Fernando de Noronha, meses antes; mostrar o poderio alemão aos inimigos Aliados, algo fácil já que o Brasil de sete décadas atrás não tinha como oferecer a menor resistência; e — acima de tudo — interromper o fluxo de matérias-primas brasileiras para a Europa e os Estados Unidos, especialmente a borracha, vital para a indústria bélica.

Seria o maior ataque planejado da Alemanha nazista contra uma nação das Américas — uma espécie de Pearl Harbour brasileiro. Mas não chegou a ser executado. Dias depois da partida de dez submarinos para a missão (entre eles, o próprio U-507, de Schacht), a Operação Brasil foi abortada, após Hitler ser alertado de que o ataque fatalmente levaria os demais países da América do Sul a também aderirem ao conflito, fortalecendo os Aliados.

O cancelamento da operação livrou o Brasil de uma tragédia certa, mas acabou gerando outra, ao fazer Harro Schacht se interessar em atacar, de maneira autônoma, feito um lobo solitário, a desprotegida costa brasileira. Parecia ser uma boa escolha para quem buscava aumentar rapidamente o seu currículo de navios afundados. E foi mesmo.

No desprotegido litoral do Nordeste brasileiro, Schacht encontrou um terreno fértil para pôr em prática os seus planos de destruição indiscriminada de navios mercantes. Naquela época, apesar dos torpedeamentos já sofridos por navios brasileiros no exterior, o risco de ataques em águas brasileiras não passava de uma remota possibilidade, o que gerou certa displicência nas empresas de navegação.

Schacht sabia da existência de navios militares americanos no porto de Recife, e que eles fatalmente partiriam em seu encalço logo após o primeiro ataque nos arredores da cidade. Por isso, descartou as águas de Pernambuco e seguiu para o esquecido litoral de Sergipe, onde não havia tal risco. E foi ali que ele cruzou com o Baependy, naquele início de noite.

Schacht nem se deu ao trabalho de identificar pessoalmente a vítima. Ao ser informado, pelo vigia, de que o navio não trazia as "marcas de neutralidade" exigidas pela Alemanha, mandou preparar os torpedos, cada um com mais de sete metros de comprimento, e se aproximou do paquete — tarefa fácil, porque o velho Baependy, ex-vapor Tijuca, construído na Alemanha em 1899 e ironicamente confiscado pelo governo brasileiro quando da eclosão da Primeira Guerra Mundial, praticamente se arrastava na água. Em seguida, o vigia avistou outro navio, mais distante, e também avisou Schacht. Mas o comandante alemão preferiu se concentrar na sua primeira vítima. Do outro navio, ele cuidaria em seguida.

Às 18h53, já no lusco-fusco do dia, partiu o primeiro disparo (mais alguns minutos e o Baependy teria sido protegido pela escuridão da noite, mas o destino não quis assim). O torpedo, no entanto, errou o alvo e passou reto pela popa do vapor. A bordo, ninguém viu nem percebeu nada. Nem mesmo quem estava no convés, participando da tal festinha de aniversário.

Irritado, Schacht mandou que o submarino se aproximasse ainda mais e, quando estava a uma distância de menos de 1 000 metros, ordenou mais dois disparos, um na sequência do outro, para ter certeza de êxito no ataque e para não dar tempo de a tripulação do Baependy avisar as autoridades. Desta vez, nada deu errado.

O primeiro torpedo acertou em cheio um dos compartimentos de carga, fazendo o Baependy estremecer inteiro e começar a verter água para dentro do casco imediatamente. E o segundo disparo, apenas 30 segundos depois (o que, inclusive, contrariava as convenções de guerra, que previam um tempo para que os ocupantes abandonassem o barco torpedeado), foi ainda mais letal: atingiu a casa de máquinas, inundando as caldeiras, que, em contato com a água, explodiram.

Com o navio em chamas e já totalmente adernado, sequer houve tempo para pôr todos os botes salva-vidas na água — só um ou outro foi lançado ao mar. Os ocupantes dos camarotes inferiores morreram na hora, afogados ou queimados. E mesmo para os que estavam do lado de fora praticamente não houve escapatória. Quem não morreu afogado na inundação causada pelo primeiro disparo, sucumbiu à explosão gerada pelo segundo. Em menos de cinco minutos, o Baependy, de quase 120 metros de comprimento, afundou por completo.

Aos sobreviventes, só restou pular na água, embora ventasse muito e o mar estivesse revolto. O ataque foi tão fulminante que a única medida que o comandante do Baependy conseguiu executar foi disparar o apito do navio, a fim de tentar chamar a atenção de algum eventual barco nas proximidades. Mas só as próprias vítimas do vapor ferido de morte, que tentavam se manter na superfície agarradas a qualquer coisa que flutuasse, ouviram o desesperado chamado, além do próprio algoz do navio, Harro Schacht, que com o seu submarino semissubmerso, acompanhou tudo de perto, pelo periscópio. Mas nada fez para socorrer os sobreviventes – bem poucos, por sinal. Das mais de 300 pessoas que havia no Baependy, só 36 sobreviveram — 270 morreram naquele primeiro ataque da guerra no mar brasileiro.

Em seguida, após se certificar de que Baependy descera para sempre para as profundezas, o comandante do submarino alemão partiu novamente para o ataque. Agora, contra outro navio brasileiro, o Araraquara, que também se aproximava.

Minutos antes, o comandante do Araraquara até vira um clarão no horizonte, mas não passou pela sua cabeça que pudesse ser a explosão de um navio. Muito menos o ataque de um submarino. E seguiu viagem, que tinha como destino o mesmo porto de Maceió, para onde também seguia o Baependy. Mas ele também não chegou nem perto de lá. Menos de uma depois, quando navegava a cerca de 15 milhas de Aracaju, o Araraquara também voou pelos ares, por conta de outro torpedo disparado pelo U-507. Desta vez, preciso feito uma engrenagem, o petardo partiu o navio ao meio.

Eram nove da noite daquele mesmo 15 de agosto — menos de duas horas depois da tragédia do Baependy — e outros 131 brasileiros estavam mortos nas águas do Nordeste. Só 11 das 142 pessoas que estavam a bordo do Araraquara sobreviveram ao ataque e ao também imediato naufrágio da segunda vítima dos torpedos do U-507 em águas brasileiras.

E a ousadia de Schacht não parou por aí. Naquela mesma madrugada, a poucas milhas dali, um terceiro navio brasileiro também seria afundado pelo seu submarino: o também paquete Aníbal Benévolo, que vinha de Salvador para Aracaju com 154 tripulantes e passageiros.

Eram quatro da manhã quando a nova vítima surgiu no periscópio do submarino alemão, bem perto de onde, àquelas alturas, os poucos sobreviventes do Baependy lutavam pela vida, agarrados a escombros ou espremidos no único bote salva-vidas que se desprendeu do navio, durante o naufrágio (os sobreviventes do Araraquara nem isso tiveram — só uma prancha de madeira, que improvisaram como jangada).

Como o Aníbal Benévolo também não exibia nenhum símbolo de neutralidade, Schacht ordenou o ataque. E foi ainda mais fulminante. Atingido bem ao centro do casco, o navio afundou em inacreditáveis 45 segundos, como o comandante alemão registrou, orgulhoso, no diário de bordo do submarino. Era quase um recorde. E como todos os passageiros dormiam no instante do torpedeamento, a eficiência do ataque foi ainda maior: apenas quatro pessoas sobreviveram.

Após o naufrágio do Aníbal Benévol, Schacht, contidamente, comemorou. Em pouco mais de nove horas, atuando num raio de apenas 30 milhas, ele liquidara três navios, que custaram a vida de 551 brasi-

BEM MAIS SIMPLES DO QUE PARECIA

Na década de 1970, os supostos desaparecimentos de navios e aviões no chamado Triângulo das Bermudas viraram uma febre mundial, por conta de um livro de sucesso. Mas raríssimos casos não tiveram uma explicação científica mais tarde. Um dos episódios classificado como "misterioso" não passou de um prosaico incidente: o surgimento do cargueiro cubano Rubicon à deriva, perto da costa da Flórida, em 22 de outubro de 1944, sem ninguém a bordo, exceto um solitário cachorro. E o restante da tripulação? Os fanáticos logo passaram a fantasiar histórias, ignorando, contudo, a verdadeira: a de que o Rubicon apenas se soltara da amarra na qual estava ancorado numa baía cubana e fora arrastado pela correnteza ao longo do estreito que o separa Cuba da Flórida, enquanto sua tripulação aproveitava um dia de folga em terra firme — benefício que o coitado cachorro de um deles não teve.

leiros — mais do que total de mortes entre os 25 000 pracinhas, que, nos anos seguintes, atuaram na Europa, após o Brasil aderir à guerra, justamente por causa dos ataques do U-507. Nem nos campos de batalha, que vitimaram 454 soldados da Força Expedicionária Brasileira, morreram tantos brasileiros.

Mesmo assim, apesar das dimensões da tragédia, ninguém no Brasil ficou sabendo rapidamente dos ataques. Como nenhum dos navios teve tempo de pedir socorro, o governo brasileiro ignorava o que se passava no litoral do Nordeste. Só quando o Aníbal Benévolo não chegou ao porto de Aracaju e os sobreviventes foram dar nas desertas praias de Sergipe, junto com os primeiros corpos das vítimas dos naufrágios, é que o país, perplexo, começou a se dar conta do que estava acontecendo. Enquanto isso, o U-507 já buscava novas vítimas.

Depois da bem-sucedida ação em águas sergipanas, Schacht resolveu navegar até as imediações da entrada da baía de Todos os Santos, em Salvador, onde o movimento de navios era bem mais intenso e a topografia do leito marinho permitia um esconderijo perfeito para o seu submarino. Como na maior parte do litoral da Bahia a plataforma continental tem menos de três milhas de largura, isso permitiria ao U-507 atacar e imediatamente se esconder em águas profundas.

Ao longo de todo o dia 16, um domingo, Schacht não avistou nenhum navio. Mas sua sorte voltou a mudar na manhã seguinte, quando a fumaça da chaminé do vapor Itagiba surgiu ao longe, a menos de 100 quilômetros da capital baiana.

O Itagiba era outro paquete e seguia do Rio de Janeiro para Salvador, com 181 pessoas. Seu comandante, José Ricardo Nunes, já tinha ouvido rumores sobre os ataques em Sergipe, mas estava tão perto de seu porto de destino que nada podia fazer a não ser seguir em frente, torcendo para que nada de ruim acontecesse. Mas aconteceu.

Na altura do farol do vilarejo de Morro de São Paulo, já quase na entrada da baía, um único torpedo disparado pelo U-507 pôs a pique o Itagiba. Mas, desta vez, ao menos deu tempo de baixar alguns botes salva-vidas e alocar um punhado de passageiros neles. Entre eles, uma menina de quatro anos de idade, que viajava com o pai.

Mas, quando o mastro do navio desabou sobre o bote, arremessando longe o pai da menina, o barco ficou inutilizável. Um marinheiro, então, colocou a criança dentro de uma caixa que flutuava vazia no meio do pandemônio e ali ela ficou, por seis horas, até ser resgatada pela escuna Aragipe, o primeiro barco a chegar ao local do naufrágio. Mais tarde, a imagem da menina flutuando dentro de uma tosca caixa de madeira seria usada pelo governo brasileiro para ilustrar a crueldade nazista e justificar ainda mais a entrada do país no conflito.

Por muito pouco, porém, a escuna Aragipe também não sucumbiu ao apetite voraz de Schacht — que, depois de afundar o Itagiba, permaneceu à espreita na região. Ela só não foi também mandada pelos ares enquanto resgatava as vítimas, porque Schacht considerou que não valia a pena gastar um torpedo com um barco tão pequeno. E também porque algo bem melhor despontava no horizonte: o navio cargueiro Arará.

O Arará havia partido de Salvador pouco antes de a Capitania dos Portos da Bahia ser informada (com dois dias de atraso) dos ataques e decidir fechar o porto da cidade. Mas, sem rádio nem nenhum meio de comunicação com a terra firme, seu comandante, José Coelho Gomes, nada sabia sobre a presença de um submarino nazista oculto nas águas onde ele navegava.

Ao ver destroços boiando no mar, ele deu ordens para parar o navio, a fim de resgatar as vítimas, julgando ter sido um naufrágio acidental. Mas não era. Eram os sobreviventes do Itagiba, que a Aragipe deixara para trás, porque não cabia mais ninguém na escuna.

Pelo periscópio, a pouca distância, Schacht observou toda a movimentação do Arará. Mas esperou que ele resgatasse as últimas 18 vítimas do Itagiba para, de novo, disparar. Nenhum dos sobreviventes do primeiro ataque escapou com vida do segundo. E 20 dos 35 tripulantes do Arará tiveram o mesmo destino, incluindo o seu comandante. O navio afundou rápido, praticamente sobre o próprio Itagiba.

Mesmo com a continuidade dos ataques, só na noite do dia 17 houve a primeira tentativa de caçar o submarino alemão que passara a aterrorizar o mar brasileiro. Um avião americano de patrulha decolou de Recife e localizou o U-507 na superfície, ao sul de Salvador, enquanto a tripulação alemã tentava resolver um problema num dos tubos lançadores de torpedos.

Bombas foram lançadas do avião, mas a destreza de Schacht, um comandante de mão cheia, fez o submarino submergir a tempo e driblar os petardos que vinham do alto. Um deles, contudo, gerou um vazamento de óleo, que foi apressadamente comemorado pelos brasileiros como o fim do pesadelo. No dia seguinte, jornais noticiaram apressadamente o afundamento do submarino. Mas, a quilômetros dali, o U-507 ainda navegava e buscava novas vítimas.

A seguinte, a sexta sob bandeira brasileira, foi um simples saveiro de carga, o Jacira, que fazia o transporte de pequenas mercadorias entre os municípios de Ilhéus e Itacaré, no sul da Bahia. Mas, naquele caso, o objetivo de Schacht era apenas repor a despensa do submarino, pois sabia que já havia sido descoberto e era hora de deixar o país.

Depois de emergir bem ao lado da humilde tripulação do saveiro, que jamais havia ouvido falar em submarinos, que dirá em nazistas, Schacht, de arma em punho, obrigou que o barco parasse, saqueou o que precisava, ordenou que os seis homens (um deles, um clandestino, o que, mais tarde, geraria um patético processo da Capitania contra o mestre do barco) passassem para o bote salva-vidas e afundou o Jacira, com uma carga de demolição — nem torpedo usou, porque não precisava.

Após isso, o U-507 tomou o rumo do caminho de volta à Europa. Mas não sem antes mandar também para o fundo, desta vez com grande esforço, o cargueiro sueco Hammaren, que navegava ao largo da costa baiana, contabilizando mais meia dúzia de mortes.

A maneira obstinada com que Schacht pôs fim ao navio sueco mostrou bem a disciplina e determinação do comandante do U-507, tido pelos próprios nazistas como um oficial extremamente disciplinado. Primeiro, Schacht disparou um torpedo. E errou, por conta daquele defeito que não conseguira sanar quando do bombardeio pelo avião americano. Em seguida, disparou outro. Que também falhou. Um terceiro torpedo foi lançado, mas, igualmente, errou o alvo. Ele, no entanto, não se deu por vencido. Emergiu bem ao lado do navio e passou a atacá-lo com armas de convés. Apavorada, a tripulação abandonou o cargueiro, que foi abordado e explodido. Schacht não era do tipo que desistia fácil.

Ele já havia demonstrado isso antes de vir para a costa brasileira, durante a primeira incursão de submarinos nazistas nas águas do Caribe, no início de 1942. Ali, Schacht atacou diversos navios mercantes, alguns com requintes de perversidade. Metralhou, na água, sobreviventes do cargueiro americano Federal, posto a pique por ele minutos antes, e, tal qual fizera no Hammaren, subiu a bordo do hondurenho Amapala, que não conseguira afundar com torpedos, e abriu pessoalmente as válvulas do casco, debaixo de uma chuva de bombas dos aviões Aliados. Por essas e outras, acabou recebendo a Cruz de Ferro, a principal condecoração da Alemanha nazista.

No Brasil, no entanto, a violência e covardia dos ataques de Schacht feriram o orgulho nacional, geraram indignação popular e levaram o povo às ruas, pedindo retaliação à altura. Foi a gota d'água para o governo de Getúlio Vargas tomar a decisão de sair daquela pseudoneutralidade, já que o país vinha apoiando os Estados Unidos há tempos, e colocar o Brasil na Segunda Guerra Mundial, ao lado dos Aliados – uma consequência direta das ações de Harro Schacht no litoral brasileiro, naquele fatídico mês de agosto, que ficou conhecido como o "agosto negro". Nem o próprio Hitler teve mais influência na adesão do Brasil ao conflito.

Mas a relação de Schacht com o Brasil não pararia por aí. Seis meses depois, em janeiro de 1943, ele voltou ao mar brasileiro com o mesmo U-507, em perseguição a um comboio de navios que seguia para o Recife. E foi quando ele encontrou o seu fim.

Na ânsia de alcançar o comboio, Schacht passou a navegar à toda velocidade na superfície, onde o U-507 era bem mais rápido que submerso. Com isso, deixava um rastro claramente visível na água, que podia ser visto facilmente do alto. Ele sabia dos riscos que isso representava. Mas a determinação com que caçava suas presas e a obediência ao dever de afundar o maior número possível de navios, como forma de enfraquecer o inimigo, eram mais fortes do que o instinto de salvar a própria pele.

Foi fácil para o avião Catalina, que decolara de Fortaleza para escoltar o comboio de navios localizar, enquadrar e despejar duas bombas de profundidade sobre o submarino alemão, em algum ponto ao largo da costa do Rio Grande do Norte, onde a profundidade passa fácil dos 3 000 metros. Schacht chegou a mergulhar apressadamente para tentar escapar do bombardeio, mas nunca mais voltou à superfície.

Desapareceu para sempre no mar potiguar, levando consigo (como seria de se esperar de alguém que nutria certo desprezo pela vida humana) toda a sua tripulação, de 53 homens, mais três comandantes de navios ingleses que ele havia torpedeado, capturado e feito prisioneiros no submarino alemão. Nunca mais o U-507 foi visto. Mas o que ele causou, ficou para sempre na História brasileira.

O triste fim do Titanic de Hitler

Na Segunda Guerra Mundial, o afundamento do transatlântico alemão Wilhelm Gustloff matou seis vezes mais que o mais famoso naufrágio da História

O mais famoso naufrágio da História, o do Titanic, que, em sua viagem inaugural, bateu em um iceberg e matou mais de 1 500 pessoas, não foi o pior de todos. Em número de vítimas, o naufrágio do transatlântico alemão Wilhelm Gustloff, na Segunda Guerra Mundial, matou seis vezes mais.

Inacreditáveis 9 300 pessoas (possivelmente até mais, porque o navio havia sido invadido descontroladamente no porto) morreram quando o Gustloff foi a pique, em 30 janeiro de 1945, depois de ser torpedeado por um submarino russo, nas águas congelantes do mar Báltico, quando estava abarrotado de civis alemães evacuados da atual Polônia e de soldados nazistas feridos naqueles derradeiros dias da guerra. Apenas 1 200 dos mais de 10 500 ocupantes do navio (o número exato jamais será sabido) sobreviveram à tragédia, que, no entanto, até hoje poucos conhecem.

A razão desse esquecimento, quase tão cruel quanto o próprio ataque a um indefeso navio de passageiros, tem a ver com a época (tempos de guerra, em que uma barbárie sobrepujava outra) e com a nacionalidade das vítimas, todas da Alemanha, país que perpetrara atos bem mais infames na época. Ficou, portanto, sendo um "mal menor", embora tenha sido muito pior do que o naufrágio do Titanic, 33 anos antes.

Nos primeiros dias de 1945, o sonho de dominar o

ANTES DELE, OUTRA TRAGÉDIA-RECORDE

Até a tragédia do Wilhelm Gustloff, o triste recorde de perdas de vidas humanas num naufrágio era o do ex-transatlântico inglês Lancastria, que, tal qual o navio alemão, também estava abarrotado de refugiados da Segunda Guerra quando foi torpedeado por um submarino. Mas também jamais se soube quantas foram suas vítimas, porque, ao saber do ataque, Winston Churchill proibiu a divulgação, para não enfraquecer os Aliados. Só um mês depois, quando não havia mais como omitir o fato, o então líder do Almirantado inglês permitiu que o naufrágio fosse confirmado, mas com um número de vítimas devidamente manipulado. Foram estipuladas 2 500 mortes, quando as estimativas apontavam mais de 3 000, número que, depois, também seria contestado, porque muitos sobreviventes disseram que havia perto de 9 000 pessoas a bordo e que menos da metade se salvou. Seja como for, uma tragédia e tanto.

mundo de Adolf Hitler estava chegando ao fim, e os russos já estavam prestes a esmagar os soldados alemães na antiga Prússia. Os nazistas, então, montaram uma operação para retirar soldados feridos e cidadãos alemães daquela região, no que ficou registrado como a maior evacuação humana do século 20. Para isso, requisitaram o Wilhelm Gustloff, um grande navio construído pouco antes da guerra e que vinha sendo usado como navio-hospital e quartel flutuante no porto da atual cidade de Gdansk, na Polônia. De lá, ele partiria, dias depois, completamente superlotado.

Uma multidão de aflitos e desesperados não via a hora de escapar dos russos, que já estavam quase chegando à cidade. Quando a rampa do navio foi baixada, instalou-se o tumulto e foi impossível controlar a invasão do Wilhelm Gustloff. Estavam previstos embarcarem 6 000 passageiros. Entraram, seguramente, mais de 10 000 — quase metade deles mulheres e crianças.

Quando o Gustloff partiu, rumo a Kiel, na Alemanha, sabia-se que seria uma travessia de risco, por causa da presença frequente de submarinos russos nas águas do Báltico, à procura justamente de barcos alemães. Mas foi muito pior que isso.

Em tempos de guerra, os navios navegavam com as luzes apagadas, para não serem vistos pelos inimigos. O Gustloff, que na ocasião estava sendo escoltado por um torpedeiro alemão, também fez isso, ao escurecer daquele dia. Mas o aviso de que um comboio de navios se aproximava no sentido oposto, e o receio de que isso provocasse um acidente, fez a junta de quatro oficiais que o comandava o Wilhelm Gustloff optar por acender algumas luzes de navegação.

Foi o bastante para o navio ser avistado pelo periscópio do submarino russo S-13, que, imediatamente, disparou quatro torpedos. Um deles ficou entalado no disparador do próprio submarino, que quase explodiu

O CONTRABANDO ERA OUTRO

Na década de 1950, o contrabando de uísque no porto de Itajaí, em Santa Catarina, era tão intenso que havia fiscais especializados no assunto. Na mesma época, porém, um empresário resolveu contrabandear outro tipo de produto: uma lancha. Ela foi alocada no porão de um navio e, assim que ele atracou no porto, foi desembarcada, diretamente na água. Instantes depois, surgiu um fiscal, que deu uma inesperada ordem aos homens que estavam na lancha, preparando-se para sumir dali: eles deveriam se afastar imediatamente do navio, porque o fiscal julgara que a lancha estava ali para receber um carregamento ilegal da bebida. Jamais passou pela cabeça dele que o verdadeiro contrabando fosse o próprio barco. Perplexos, mas aliviados, os contrabandistas ligaram a lancha e foram embora. Reza a lenda que a festa de batismo da lancha foi regada com muito uísque, mas nunca ficou provado se ele também fora contrabandeado.

O GOLPE DOS BARCOS GÊMEOS

Para driblar a fiscalização, durante bom tempo dois idênticos barcos ingleses usaram o truque de inverter seus nomes para despistar a polícia. Originalmente batizados de Grey Ganet e Sacro Cuore, um usava o nome do outro, dependendo da situação, a fim de confundir as autoridades durante as operações de contrabando que realizavam. Com isso, a polícia sempre procurava o barco errado. Em geral, eles partiam com seus nomes originais de diferentes portos, mas, em seguida, os invertiam, para que, se fossem apanhados, a impossibilidade de terem navegado tanto em tão pouco tempo fragilizasse a investigação policial. Durante muito tempo o truque deu certo. E só foram descobertos porque, anos depois, o comandante de um dos barcos confessou o golpe. Ele, no entanto, jamais disse o que o Grey Ganet e o Sacro Cuore costumavam transportar: se simples contrabando ou drogas.

por causa disso. Mas os outros três atingiram em cheio o Gustloff. Eram nove da noite de uma congelante noite de inverno e de mar revolto. E início de uma tragédia de proporções inéditas.

O Wilhelm Gustloff levou apenas 50 minutos para tombar, inundar e afundar por completo. A bordo, quem não morreu nas explosões, foi tomado pelo pânico e, na ânsia de escapar, acabou pisoteando ou sendo pisoteado. Por causa da superlotação, não havia lugar para todos nos botes salva-vidas — cujos cabos, ainda por cima, congelaram e ficaram trancados nos suportes do navio.

Para aumentar ainda mais o drama, para tentar conter a inundação do navio após os disparos, os quatro comandantes do Gustloff (uma bizarra combinação que só gerou tumulto e confusão na operação) ordenaram o fechamento das portas dos conveses inferiores, trancando lá dentro os únicos marinheiros habilitados a lidar com os botes que ainda podiam ser colocados na água. Sem alternativa e com o navio afundando rapidamente, a maioria dos passageiros se atirou na água. E quase todos morreram afogados ou congelados, deixando um horripilante rastro de corpos boiando no mar revolto.

O navio torpedeiro que escoltava o Gustloff foi o primeiro a tentar resgatar as vítimas e, pelo rádio, pediu ajuda. Logo chegaram mais barcos alemães, mas, com aquele movimento todo de inimigos à vista, o submarino russo voltou a atacar. Todos os barcos, então, partiram, decretando de vez o triste fim dos já poucos sobreviventes do que ficou conhecido como o "Titanic de Hitler". Mas como todas as vítimas eram alemães e os tempos eram de guerra, acabaram condenadas a um triste esquecimento. Da maior tragédia náutica de todos os tempos, poucos ficaram sabendo.

O mantra que venceu o oceano

Ele atravessou o Atlântico remando e repetindo para si mesmo que conseguiria. E conseguiu mesmo

No início da década de 1950, o médico alemão Hannes Lindermann decidiu atravessar o Atlântico com um tipo de barco totalmente impróprio para um oceano: um simples caiaque. Para isso, improvisou uma pequena vela central e um flutuante lateral, tal qual as canoas polinésias. O mastro funcionou; o flutuante, não — e logo foi descartado.

Mas, adepto das técnicas de meditação hinduístas (entre elas, uma que o autoinduzia a um estado de semi-hipnose todas as vezes que estava em vias de perder o controle da situação), ele jamais pensou em desistir. Ao contrário, repetindo incessantemente o mantra "vou conseguir!", chegou a recusar oferta de comida feita por um navio durante a travessia, porque isso, para ele, era sinal de fraqueza – e também porque sua viagem tinha como objetivo secundário estudar os efeitos no organismo de um longo período no mar.

Para manter o preparo, Lindermann impunha-se dormir, mesmo diante das piores situações. Como quando uma onda virou seu caiaque e, sem conseguir reembarcar por causa do mar agitado, cochilou ali mesmo, dentro d´água, amarrado ao barco. A provação só terminou 72 dias depois, do outro lado do Atlântico. Ele, por fim, conseguiu.

Com a cara e a coragem

Vito Dumas foi o primeiro homem a dar a volta ao mundo velejando por uma rota duríssima. E fez isso da maneira mais precária possível

Acima de tudo, o velejador argentino Vito Dumas foi um sujeito ousado. Entre 1942 e 1943, ele fez, sozinho, a primeira circum-navegação do planeta pelo paralelo 40 graus sul, uma faixa oceânica abaixo de todos os continentes (exceto a Antártica) e dominada por temperaturas cruéis, mar sempre grosso e ventos tão violentos que ganharam o apelido (dado por ele próprio, por sinal) de "40 bramadores" — porque "rugem" dia e noite. Um roteiro, até então, considerado impossível. Mas não para Vito Dumas.

Ele gastou 272 dias para cumprir aquela duríssima travessia, sobretudo porque o seu barco, o Lehg, iniciais de "Lucha, Entereza, Hombría e Grandeza" (luta, integridade, masculinidade e grandeza, em português), valores que precisou mesmo ter para completar a viagem, era tão espartano que não tinha sequer motor nem tanque para armazenar água doce. Quando sentia sede, Dumas bebia água da chuva. Quando chovia. O argentino tampouco tinha trajes apropriados para o frio intenso e permanente. Para se aquecer, forrava as roupas com folhas de jornal. E, antes disso, só havia feito uma única travessia, já que sua entrada no mundo náutico aconteceu por puro acaso.

Dumas era um nadador de longos percursos, quando, em 1931, decidiu atravessar o Canal da Mancha a nado. Mas, vencido pelo cansaço, desistiu antes de chegar à outra margem. Envergonhado, decidiu que não voltaria para a Argentina de cabeça baixa. Comprou, então, um veleiro ali mesmo e, embora nada soubesse sobre barcos e navegação, resolveu retornar velejando, o que significava atravessar nada menos que o Atlântico — o que fez em seguida. Quando chegou a Buenos Aires, Dumas já tinha tomado gosto em definitivo pelo mar e não mais pararia de navegar — mas sempre de maneira bem precária e pouco planejada.

Dois anos depois de sua ousada e bem-sucedida volta ao mundo, Dumas partiu para uma nova jornada em solitário, a bordo do mesmo barco. Desta vez, resolveu ir de Buenos Aires a Nova York. Mas, como insistia em não ter motor no barco (porque dizia que, para um veleiro, bastavam os ventos), não conseguiu penetrar no Rio Hudson, que banha a cidade, por causa da forte correnteza contrária.

Ele, no entanto, não se abateu. Ali mesmo, deu meia volta e tomou outro rumo, cruzando nada menos que o Atlântico, até os Açores — onde também não conseguiu aportar, por conta da alternância de calmarias e ventos contrários. Do meio do oceano, aproou, então, de volta à América do Sul e foi dar na costa do Ceará, depois de mais de 100 dias no mar.

Dumas foi um navegador nato, que, na água, se sentia em casa. Morreu em 1965, aos 65 anos, quando já era um herói na Argentina e uma lenda náutica mundial. Dos quatro livros que escreveu, um deles em especial, *Los 40 bramadores*, sobre aquela épica travessia nos confins do mundo, inspirou vários navegadores a tentar repetir o seu feito. Mas poucos conseguiram, o que só fez aumentar sua fama, que perdura até hoje.

Melancólico ato heroico

Apesar do navio tombado, o comandante se recusou a abandoná-lo. E quase conseguiu salvá-lo

Na noite de Natal de 1951, uma violenta tempestade desabou sobre uma grande área do Atlântico Norte, atingindo vários navios que faziam a rota entre os Estados Unidos e a Europa. Um deles foi o cargueiro Flying Enterprise, comandado pelo capitão Henrik Carlsen, que partira de Hamburgo três dias antes com uma carga de 900 toneladas de sacas de café e 1 300 de barras de aço, além de dez passageiros pagantes, como era comum na época. A tormenta colheu o Flying Enterprise a cerca de 400 milhas da costa da Inglaterra e o sacudiu tanto que parte da carga se soltou, rolou pelos porões e acumulou num dos lados do casco. E o peso concentrado fez o navio adernar dramáticos 30 graus.

Sentindo a gravidade da situação, o coman-

O REBOCADOR QUE VIROU ÂNCORA

Um fato curioso aconteceu na foz do canal Admiralty, no estado americano de Washington, em 1951. O rebocador Ruby III rebocava uma balsa vazia quando ambos foram encobertos por um fortíssimo nevoeiro. Quando a visibilidade voltou, só restava a balsa e estranhamente parada na boca do canal, onde a correnteza sempre corre feroz. Como uma embarcação sem meios próprios de propulsão poderia se manter fixa ali? A resposta estava alguns metros abaixo da superfície, onde jazia, naufragado, o rebocador. Ao afundar (o que nunca ninguém soube explicar o motivo, já que toda a tripulação morreu), o Ruby III virou uma espécie de âncora para balsa, ao qual, mesmo submerso, continuou atado.

dante Carlsen disparou um pedido de socorro. Dois navios que estavam na região, o também cargueiro Steamer Southland e o barco de transporte de tropas da Marinha Americana General A. W. Greely, atenderam ao chamado. Mas levaram três dias para chegar ao local, por conta das condições terríveis do mar.

Quando chegaram, o Flying Enterprise já estava tão adernado que não havia sequer como baixar os botes salva-vidas para retirar tripulantes e passageiros do navio. A única saída foram todos se atirarem ao mar, apesar das grandes ondas que açoitavam o casco, e serem recolhidos, na água, pelos barcos de apoio. Apesar das condições pavorosas, todos foram resgatados. Todos menos um: o comandante do Flying Enterprise se recusou a abandonar o navio, porque sabia que isso resultaria em seu naufrágio.

Num ato de extrema coragem e senso de responsabilidade, o capitão Carlsen permaneceu sozinho a bordo, até que chegasse um rebocador vindo da Europa para tentar levar o navio adernado de volta a Inglaterra. E tal manobra só seria possível se houvesse alguém a bordo do Flying Enterprise, para monitorar os cabos durante a travessia.

O rebocador Turmoil levou quase uma semana para chegar ao local onde o Flying Enterprise estava, ainda vigiado pelos dois navios de apoio, mas já adernado a 60 graus, por conta do mar, que lentamente invadia o navio tombado na água. O drama do cargueiro e de seu audacioso comandante já havia virado notícia nos dois lados do Atlântico e as pessoas acompanhavam o andamento do resgate pelas rádios e jornais como se fossem capítulos de uma novela real.

Contudo, quando o rebocador chegou, surgiu o segundo problema: como passar o pesado cabo que seria usado no reboque até o navio, se a bordo dele só havia um homem para executar a quase impossível tarefa de içá-lo sozinho? Foi quando um dos tripulantes do rebocador, o inglês Ken Dancy, se ofereceu não só para levar o cabo, a nado, até o Flying Enterprise, usando para isso uma corda amarrada na cintura, mas também para ajudar o comandante a içá-lo depois.

Só que Dancy fez bem mais que isso. Ao chegar ao navio e escalar, com grande esforço, o casco adernado, ele decidiu permanecer a bordo e fazer companhia ao comandante Carlsen na longa e perigosa tarefa de monitorar o reboque do navio adernado de volta a Inglatera. Só alguém com a mesma valentia daquele comandante se ofereceria para uma missão tão arriscada.

Após fixarem o cabo na proa já quase rente à água do Flying Enterprise, Carlsen e Dancy procuraram o melhor abrigo possível no casco tombado, o que não foi nada fácil. Como toda a casaria já estava praticamente tomada pelas águas, a única alternativa foi passar a maior parte da viagem do lado de fora, na ponta do convés, única parte parcialmente protegida. E foi assim que eles iniciaram uma lenta e angustiante viagem de volta, sem nenhuma certeza sequer de que chegariam vivos.

Como o mar teimava em continuar agitado e o Flying Enterprise permanecia carregado com as sacas de café e as barras de aço, o Turmoil não conseguia rebocá-lo a mais de 3 nós de velocidade, ou pouco mais de 5 km/l. E havia mais de 700 quilômetros de mar pela frente, até a costa inglesa. Como previsto, a viagem foi lenta e dramática para aqueles dois homens a bordo de um navio semi-submerso — uma cena tão impressionante que até um avião foi filmá-los para exibir a imagem nos noticiários. E a situação ficou pior ainda quando, em 8 de janeiro, uma nova tempestade se formou bem na rota daquele melancólico comboio. Tudo indicava que o Flying Enterprise não resistiria a uma nova tormenta. E não resistiu mesmo.

No dia seguinte, fustigado pelas ondas e por ventos fortíssimos, o cabo de reboque rompeu e não restou alternativa aos dois solitários tripulantes a não ser abandonar de vez o navio. Eles rastejaram pela chaminé do Flying Enterprise, àquelas alturas já quase rente à superfície, e se atiraram ao mar, momentos antes de o navio afundar. Em seguida, foram resgatados pelo rebocador. Faltavam menos de 70 quilômetros para o comboio atingir a segurança do porto de Falmouth. Para o comandante Carlsen, foi como nadar dias a fio e, por fim, morrer na praia.

Pelo seu esforço, ele foi recebido como herói na Inglaterra, virou uma espécie de mito entre os comandantes de grandes navios e até ganhou uma medalha da seguradora. Mas, avesso à fama, e depois de explicar inúmeras vezes que havia feito apenas o dever de todo comandante, Carlsen não quis saber de comemorações e logo voltou ao mar, no comando de outro navio, que, em sua homenagem, foi batizado de Flying Enterprise II.

O comboio dos pequeninos

Quando o barco-mãe afundou no Atlântico, só restou aos pescadores buscar a salvação amarrando um barquinho ao outro

Como sempre fazia no início de cada primavera, o barco pesqueiro português João Costa, comandado pelo próprio João Costa, partiu de Lisboa com uma tripulação de 45 pescadores, em outubro de 1952, para uma temporada de pesca de bacalhau no Atlântico. Como de hábito, também levava 45 pequenos botes, um para cada pescador, com os quais eles baixavam ao mar do barco principal e tratavam de cercar os cardumes com redes — um tipo de pesca onde o barco-mãe só serve para levar os pescadores até o local e, depois, armazenar os peixes capturados.

Ao final de mais aquela empreitada, abarrotado de bacalhaus, o João Costa iniciou a viagem de volta a Lisboa, prevista para terminar dali a uma semana, como havia sido combinado com o pessoal de terra firme. Mas o pesqueiro jamais chegou à capital portuguesa. Na altura dos Açores, foi capturado por uma tempestade, e, por estar bastante pesado, acabou inundado, sem que as bombas dessem conta da água que entrava. O naufrágio foi inevitável. E um problema no rádio impediu que eles comunicassem o fato à base. Como o barco só era aguardado no porto dali a uma semana, nenhum alarme imediato foi dado.

Os tripulantes ficaram à mercê da própria sorte e dos 45 botes que havia a bordo do João Costa. Quando o pesqueiro começou a encher de água, os barquinhos foram baixados ao mar e cada pescador embarcou no seu, formando uma curiosa flotilha de botinhos, amarrados uns aos outros, para ninguém desgarrar na imensidão do oceano.

Durante uma semana, os 46 sobreviventes do João Costa ficaram à deriva no Atlântico, a bordo dos mesmos barquinhos que usavam para pescar. Só que, ironicamente, nenhum deles continha apetrechos de pesca, nem água potável. Para matar a sede, eles bebiam água de chuva e aproveitavam também as trombas d´água para empapar seus casacos de lã com o precioso líquido, a fim de ter algum estoque para depois. Comida, no entanto, não havia. E eles ficaram assim durante uma semana.

Só ao cabo de sete dias um navio apareceu no horizonte e detectou, pelo radar, aquela estranha fila de barquinhos no meio do Atlântico. O fato chamou a atenção do comandante do cargueiro americano Compass, que resolveu averiguar. Logo, ele avistou o primeiro bote. E, atrás dele, outro. E mais outro. E outro. Dez. Vinte. Trinta. Quarenta e cinco no total, cada um deles com um náufrago pedindo socorro.

Só no dia seguinte ao resgate é que a base portuguesa do João Costa, depois de estranhar o atraso na chegada do barco, acionou a polícia. Mas já não havia com o que se preocupar. Estavam todos salvos. Graças aos barquinhos.

Salvo pelo sexto sentido do amigo

Mesmo dormindo, o velejador sentiu algo errado no avanço do barco e foi o que salvou o seu companheiro de viagem

Depois de um algum tempo navegando no mesmo barco, os velejadores costumam desenvolver tamanha sensibilidade que, mesmo ao dormir, continuam atentos às mínimas oscilações na performance do casco. Foi o que salvou o neozelandês Ben Pester, durante uma travessia do Pacífico, entre os Estados Unidos e a sua terra natal, em 1953. O mérito, no entanto, não coube a ele e sim ao seu companheiro de viagem, o americano Peter Fox, que, este sim, podia dizer que navegava até enquanto dormia.

Pester e Fox estavam apenas na metade da longa travessia entre Galápagos e as Ilhas Marquesas e tudo corria bem a bordo do Tern II, um antigo veleiro de madeira de 39 pés sem nenhum equipamento de navegação. Não tinha rádio, nem sequer balsa ou coletes salva-vidas. A navegação era feita com sextante e a medição da velocidade por meio de um arcaico sistema que consistia num longo cabo preso na popa do barco, com uma espécie de girador de metal na ponta. Ao girar, impulsionado pelo movimento do casco, ele indicava a velocidade do barco. Nada mais primitivo. Mas eficiente.

Pester e Fox também ignoravam itens e equipamentos pessoais, como cintos de segurança, que impedem que os ocupantes de um barco caiam no mar. Pois foi exatamente o que aconteceu com Pester, enquanto Fox dormia na cabine, depois de ter feito o seu turno no leme e entregue o comando do barco ao parceiro. Ao atender a um chamado da natureza, na popa do barco, Pester se desequilibrou e caiu na água. Mas o Tern II seguiu avançando, levado pelo vento, indiferente ao fato de que não havia mais ninguém no seu comando.

Cair no mar de um barco em movimento é a pior coisa que pode acontecer a um navegador solitário, como, naquele momento, Pester estava. Sua primeira reação foi berrar pelo companheiro, mas o vento e as ondulações do oceano levaram sua voz para o outro lado. Em seguida, ele tentou nadar na direção do barco, mas os ventos seguiam empurrando o veleiro a consistentes seis nós de velocidade, como bem indicava o tal medidor na ponta daquele cabo na popa, que ele checara instantes antes de deixar o posto de comando para aquele desastrado tombo.

Foi quando ele se lembrou do tal cabo que levava aquela engenhoca a reboque. Sim, o cabo! Bastaria nadar até ele, não até o barco. Pester saiu dando vigorosas braçadas na direção da popa do Tern II até ver a peça de metal girando na água, esticou o braço e agarrou o cabo. O veleiro deu um pequeno tranco — o bastante para o inconsciente de Fox, que descansava em estado de eterna vigília na cabine, detectar algo irregular no avanço do barco. Ele pulou da cama e correu para o lado de fora, onde viu o leme vazio e o companheiro firmemente agarrado ao cabo, sendo arrastado.

Não houve nenhum comentário entre os dois. Mas, ao voltar a bordo, o neozelandês abriu uma garrafa de rum e a dividiu com o amigo. Ele tinha o que comemorar e agradecer ao sexto sentido do companheiro de viagem.

O mais absurdo dos acidentes marítimos

Nenhum dos dois transatlânticos tomou o devido cuidado e o improvável aconteceu: bateram de frente, na imensidão do oceano

Pouco mais de 50 anos atrás, a imprudência de um comandante e a displicência de outro geraram uma tragédia até então inédita: dois transatlânticos colidiram em pleno oceano. E um deles afundou em seguida. A colisão do navio italiano de cruzeiros Andrea Doria com o também transatlântico sueco Stockholm, na vastidão do Atlântico Norte, foi um dos mais estúpidos acidentes náuticos da História e consequência de uma sucessão de erros absurdos dos dois lados.

Havia um forte nevoeiro sobre o mar na noite de 25 de julho de 1956, quando o Andrea Doria, um navio ainda novo e, na época, o maior transatlântico da Itália, com três piscinas, três cinemas e capacidade para 1 240 passageiros e 570 tripulantes, se aproximava de Nova York, ao final de mais uma travessia do Atlântico, desde o porto de Gênova. Mas, como estava atrasado, navegava à toda velocidade.

No sentido oposto vinha o transatlântico Stockholm, com 534 passageiros e 300 tripulantes, que havia partido naquela manhã de Nova Iorque e seguia para Copenhague. Logo atrás dele, outro navio, o Ilê de France, também seguia para a Europa, seguindo a mesma rota do navio sueco.

Às 11 horas da noite, o radar do Andrea Doria acusou o Stockholm vindo na direção contrária, mas, mesmo assim, seu comandante não diminuiu a velocidade. Ele julgou que daria para passar tranquilamente a boreste do outro navio, sem precisar desviar da rota, o que alongaria um pouco a viagem e os atrasaria ainda mais. Foi o segundo erro do comandante italiano, depois da velocidade excessiva.

Já o comandante do Stockholm se preparou para passar a bombordo do André Doria, como mandam as regras marítimas, mas tampouco baixou a velocidade — como manda outra norma. Mas ambos interpretaram mal a distância, já que os radares da época não eram tão precisos. E o improvável aconteceu: os dois navios se chocaram no meio do mar, onde o que não falta é água para desviar.

A proa saliente e robusta do Stockholm, feita para quebrar gelos nos mares nórdicos, atingiu em cheio o Andrea Doria, abrindo um enorme rasgo de cima a baixo no costado e atingindo muitos passageiros nas suas próprias cabines. Como o Andrea Doria tinha problemas crônicos de estabilidade e estava com pouco lastro, já que seus tanques de água e de combustível estavam quase vazios ao final da viagem, seu casco começou a adernar rapidamente. O comandante do navio italiano disparou um sinal de socorro e ordenou o abandono imediato do navio.

Logo, o Andrea Doria estava totalmente deitado no oceano, o que impediu o acesso a todos os botes salva-vidas, por causa da posição do casco. Já o Stockholm, mesmo destruído na proa, ainda flutuava normalmente. E ele mesmo começou a fazer o resgate das vítimas do outro navio. Por sorte, minutos depois, também alertado pelo pedido de socorro emitido pelo navio italiano, chegou o Ilê de France, que ajudou a completar a operação de retirada dos sobreviventes do mar.

Apesar das dimensões da tragédia (dois enormes navios batendo praticamente de frente, à toda velocidade) morreram apenas 52 das 2 540 pessoas envolvidas na colisão — seriam bem mais se o resgate não tivesse sido tão rápido. Ao amanhecer do dia seguinte, não havia mais ninguém a bordo do Andrea Doria, que já estava praticamente submerso. Nem mesmo o seu comandante, que, seguindo o protocolo, foi o último a desembarcar. No meio da manhã, o navio afundou de vez e uma boia foi deixada no local, em homenagem aos mortos. Era o fim do grande transatlântico, um dos orgulhos da marinha mercante italiana.

Em seguida, o caso foi parar nos tribunais, com as duas empresas acusando-se mutuamente de negligência, já que nenhum dos dois comandantes deu a devida atenção aos riscos que envolvia navegar naquelas condições àquela velocidade, além de terem ignorados a cautela exigida ao cruzar com uma embarcação no sentido contrário. Mas, no final, ninguém foi declarado culpado, já que os dois comandantes erraram. Meses depois, recuperado, o Stockholm voltou a navegar. Já os destroços do Andrea Doria passaram a despertar a cobiça de caçadores de naufrágios e geraram novas tragédias.

Nos anos seguintes, mais de 40 mergulhadores perderam a vida tentando alcançar os valiosos restos do navio italiano, que repousam a 70 metros de profundidade, a poucas milhas da ilha de Nantucket, na costa leste americana. Seu naufrágio, no entanto, nunca foi devidamente explorado.

O único saldo positivo daquele quase inacreditável episódio foi que, por causa dele, novas leis obrigaram os radares dos navios a serem bem mais precisos, e, um ano depois, foi lançado o primeiro satélite dedicado exclusivamente ao controle de embarcações no Atlântico Norte, revolucionando a navegação nas águas mais movimentadas do mundo. Mas, ainda assim, não tão repletas de navios a ponto de fazer dois deles baterem pateticamente de frente, como aconteceu naquela noite.

O inexplicável cão do mar

De repente, no meio do oceano, surgiu um cachorro nadando. E, depois, ele faria algo ainda mais extraordinário

Certo dia, em 1957, um pesqueiro americano de Massachusetts estava recolhendo a rede em alto mar, a cerca de 300 milhas da costa, quando um dos marinheiros viu algo se aproximando rapidamente na superfície. Não parecia ser um peixe, porque estava mais fora que dentro d´água. Tampouco uma ave, porque elas preferem voar e não nadam daquele jeito.

O marinheiro fixou o olhar e concluiu que, por mais absurdo que pudesse ser, aquele ser que nadava determinado rumo ao seu barco, era um cachorro — um cão, no meio do oceano, a mais de 500 quilômetros da terra firme mais próxima. Como ele fora parar ali? E como poderia estar vivo, se só havia água ao seu redor?

O animal foi resgatado, mas, como cães não falam, o mistério continuou mesmo após o pesqueiro voltar ao porto e os seus tripulantes saírem perguntando se alguém da comunidade conhecia aquele cachorro. Não, ninguém jamais havia visto aquele cão por ali, nem tinham a menor pista de como um cachorro poderia ter ido parar, sozinho, no meio do oceano.

O animal acabou sendo adotado pela tripulação do barco, que passou a levá-lo junto nas pescarias. E ele ia, feliz da vida. Parecia estar acostumado à vida no mar. Até que, um dia, o cachorro se recusou a embarcar. E quando o barco partiu sem ele, ficou latindo alto no cais, o que nunca fizera antes. Dias depois, veio a notícia: o pesqueiro havia desaparecido no mar.

O SUICÍDIO DO SUBMARINO

O USS Tarpon foi um dos mais condecorados submarinos americanos na Segunda Guerra Mundial. Participou de muitas missões e afundou diversos navios japoneses. Mesmo quando a guerra terminou, continuou em atividade, servindo para treinamento na Marinha Americana. Para os jovens submarinistas, era uma honra poder navegar em um submarino tão lendário, situação que persistiu até 1957, quando, já tecnicamente ultrapassado, foi decretado o seu desmanche — que, no entanto, não chegou a acontecer. No dia 26 de agosto daquele ano, quando era rebocado até o local onde seria desmantelado, o USS Tarpon sucumbiu misteriosamente nas águas do Cabo Hatteras, na costa da Carolina do Norte, sem que ninguém jamais tenha sabido por quê? Para os seus orgulhosos ex-tripulantes, o USS Tarpon se recusou a virar sucata e preferiu um final bem mais digno para um submarino com tamanho currículo: o fundo do mar, seu habitat natural.

Tempos depois, a curiosa e intrigante história do animal premonitório que ninguém sabia de onde tinha vindo foi publicada numa revista e permitiu desvendar, ao menos em parte, o enigma do "cão do mar", como aquele cachorro passou a ser chamado, desde que fora encontrado. Numa carta enviada à revista, um leitor contou que se tratava do cão de um tio seu que gostava de pescar e que sempre levava o animal junto no barco. Mas, num dia de mar agitado, o cachorro tinha caído na água e não fora encontrado.

A carta só não explicou por quanto tempo o animal nadou a esmo, em busca de socorro. Muito menos como supostamente pressentira o fim do barco que o resgatara. Para alguns habitantes daquela pequena vila de pescadores de Massachusetts, ao tentar impedir que o pesqueiro partisse, aquele extraordinário cachorro estava apenas tentando retribuir com gratidão quem o salvara.

A lagosta da discórdia

Quando barcos franceses começaram a capturar lagostas no litoral do Nordeste brasileiro, os dois países quase entraram em guerra

Na década de 1960, a pesca da lagosta no litoral do Nordeste brasileiro gerou uma séria crise diplomática entre Brasil e França e quase culminou em ações bélicas entre os dois países, no que ficou conhecido como a Guerra da Lagosta – que, de guerra mesmo, felizmente, não teve nada, a não ser ameaças dos dois lados.

Tudo começou quando barcos lagosteiros franceses passaram a frequentar o litoral de Pernambuco em busca do cobiçado crustáceo, amparados por autorizações concedidas pelo governo brasileiro para realizar "pesquisas pesqueiras" no nosso litoral. Mas, ao constatar que os barcos estavam apenas capturando lagostas, a licença foi cancelada.

Os barcos franceses, no entanto, não desistiram da empreitada e um deles foi apreendido pela corveta brasileira Ipiranga, deflagrando um conflito que chegou a ter momentos cômicos. Um deles foi quando o governo francês tentou alegar que as lagostas não poderiam pertencer ao território brasileiro, como o Brasil alegava, pois se tratavam de "uma espécie de peixe" e, como peixes, podiam nadar livremente por todos os oceanos. Ao que o governo brasileiro respondeu que, pela Convenção de Genebra, todos os recursos submarinos pertencem ao país mais próximo deles e que, de mais a mais, lagostas eram "crustáceos e não "peixes", portanto não nadavam.

O fato gerou um famoso e bem-humorado comentário do oceanógrafo Paulo de Castro Moreira da Silva, que ironizou os franceses, dizendo: "Se a lagosta for um peixe, porque se desloca dando saltos na água, então os cangurus são aves, já que pulam no ar".

Além do abuso de vir pescar em águas brasileiras tão próximas da costa, os franceses ainda usavam nas operações de captura redes de arrasto, que já eram proibidas no Brasil. No auge da crise, a França chegou a enviar um navio de guerra para as proximidades da costa do Nordeste, com a tarefa de proteger os pesqueiros franceses. Já o Brasil respondeu mandando vários barcos e aviões para a região.

As discussões diplomáticas duraram meses, até que, em 10 de março de 1963, a França concordou em retirar o seu navio das águas brasileiras, bem como os pesqueiros que vinham sendo protegidos por ele. E o Brasil pode, finalmente, dizer que vencera a "Guerra da Lagosta". Como consequência deste episódio, um ano depois, o Brasil estendeu os limites de seu mar territorial de 12 para 200 milhas da costa, acabando assim com eventuais pendengas futuras sobre a fatia do mar que lhe pertencia.

A façanha que ninguém viu

Para intimidar os russos na época da Guerra Fria, um submarino americano fez o que jamais havia sido tentado: deu a volta ao mundo totalmente submerso

Em 1960, a Guerra Fria entre Estados Unidos e a extinta União Soviética pelo poderio nuclear mundial estava no auge e gerava frequentes intimidações dos dois lados. Naquele mesmo ano, haveria um encontro de superpotências em Paris e o governo americano decidiu apresentar algo que realmente impressionasse seus maiores oponentes, os russos.

A ideia era realizar um feito inédito, algo que nunca havia sido sequer tentado. Foi quando surgiu a ideia de dar uma volta ao mundo completa por debaixo d'água, com um submarino nuclear — um tipo de embarcação que, pelo tipo de combustível que usava (urânio enriquecido, um material poderosíssimo, mas radioativo, então o grande assunto da época), dispensava reabastecimentos e poderia navegar infinitamente. Aquilo sim mostraria a força dos Estados Unidos.

Os Estados Unidos também aproveitariam a viagem para mapear partes ainda desconhecidas do fundo dos oceanos, o que daria um cunho científico a uma missão que era basicamente militar. Tanto que ela foi mantida em segredo até quase o seu início.

Só nos primeiros dias de fevereiro de 1960, o capitão Edward Beach, então comandante do mais moderno submarino nuclear americano, o Triton, equipado com dois reatores nucleares, foi chamado para uma conversa sigilosa no Pentágono, sede militar do governo dos Estados Unidos.

Lá, ele recebeu sua missão: contornar o planeta submerso, sem paradas, nem subidas à superfície, o que significava ficar cerca de três meses debaixo d'água. Beach teve apenas 12 dias para preparar a expedição, inclusive a escolha dos 150 tripulantes que o acompanhariam e que não tinham a menor ideia para onde estavam indo, mesmo quando o Triton partiu dos Estados Unidos, em 16 de fevereiro de 1960. Só depois, quando já estavam submersos, o comandante contou-lhes o que iriam fazer. E começou dizendo que aquela era "a viagem que todo submarinista sonharia em realizar", até pelo ineditismo do roteiro: o mundo inteiro.

Simbolicamente, a rota escolhida foi a mesma usada pelo navegador português Fernão de Magalhães, comandante da primeira volta ao mundo da História, no início do século 16, mas com uma diferença particularmente curiosa para nós, brasileiros: o ponto de partida e chegada não seria a Espanha, como na viagem de Magalhães, e sim os quase desconhecidos penedos de São Pedro e São Paulo, um amontoado de montanhas submersas que mal afloram à superfície, a 1 000 quilômetros da costa do Brasil e dentro das águas territoriais do nosso país.

Ali começaria e terminaria a viagem, que levaria aqueles 150 homens a passar cerca de 90 dias sem ver a luz do sol. Mas o que para muitos seria um castigo, para os tripulantes do Triton virou motivo de orgulho. Nunca nenhum submarino havia se proposto a navegar tanto, dia e noite, sem parar e sem subir à superfície para renovar o ar, o que seria feito por meio de filtros especiais.

Da costa brasileira, o Triton avançou, incógnito, na direção do Cabo Horn, onde, ao contrário de Magalhães, que optou pelos canais que hoje levam o seu nome, seria feito o contorno da América do Sul. Uma semana depois, quando navegava próximo às Ilhas Malvinas, aconteceu o único contratempo de toda a viagem: um dos tripulantes teve uma crise renal e precisou ser removido para um navio da frota americana que acompanhava discretamente o percurso do submarino na superfície. A operação foi muito rápida e o submarino sequer emergiu totalmente: subiu apenas o suficiente para permitir abrir a escotilha e desembarcar o marinheiro doente.

Dali, navegando a uma velocidade média de 18 nós, o Triton deixou para trás o Atlântico, avançou pelo Pacífico, rasgou o Índico, contornou a ponta da África e retornou ao mesmo ponto de partida, exatos 60 dias e 21 horas depois. Ou seja, praticamente um mês antes do previsto — outro feito espantoso.

Ao longo da inédita travessia, o Triton mapeou o solo submarino de diversas áreas do oceano, soltou garrafas para medir a velocidade das correntes marítimas e conduziu experiências de sobrevivência, como reciclar o próprio ar da cabine, permitindo até que seus tripulantes fumassem a bordo — algo tão impensável nos dias de hoje quanto os próprios submarinos nucleares, todos banidos por conta do risco de vazamentos radioativos.

O comandante Beach e seus tripulantes também identificaram uma enorme montanha submersa não cartografada nas proximidades da Ilha de Páscoa, comemoraram a passagem pelo Havaí com um luau a bordo do próprio submarino e, ao atingirem a Ilha de Mactan, nas Filipinas, palco da morte de Fernão de Magalhães naquela pioneira circum-navegação do planeta, homenagearam o grande navegador com outra festa, até porque a ilha também marcava a metade da longa travessia.

Naquele mesmo dia, o submarino americano foi visto, acidentalmente, pela única vez durante toda a viagem. Ao ver o periscópio do Triton passando bem perto de sua canoa, um humilde pescador de Mactan pensou tratar-se de um monstro marinho e fugiu em disparada.

Semanas depois, o Triton se aproximou novamente da costa brasileira, completando a sua longa jornada, ao rodear todo o planeta por debaixo d´água e sem ver a luz do dia durante dois meses inteiros, o que só foi possível porque ele usava um tipo de combustível que não exigia reabastecimento.

Como esperado, o feito repercutiu bastante na reunião de Paris. Mas logo caiu no esquecimento, até porque nenhum outro submarino tentou repetir o seu feito. Com isso, o Triton entrou para a História como autor de uma incrível façanha que ninguém viu.

Do ar para o mar

O plano era atravessar o Atlântico com um balão, mas acabou virando uma longa navegação

Até o final dos anos de 1960, muitos já haviam tentado atravessar o Atlântico voando com um balão, mas ninguém conseguiu. Foi quando o inglês Colin Mudie resolveu tentar. Só que, sabendo dos riscos da empreitada e da possibilidade de ter que fazer um pouso forçado na água, ele equipou seu balão com uma gôndola flutuante que era uma espécie de mini-barco — se algo desse errado no ar, ele seguiria avançando pelo mar. E foi o que o salvou.

Quando havia completado apenas um terço da travessia, seu balão caiu no mar, durante uma tempestade, mas ele não se desesperou. Transformou parte do tecido do balão numa vela improvisada e navegou ao sabor dos ventos — os mesmos que deveriam tê-lo feito voar sobre o oceano. Vários dias depois, foi dar em terra firme, em Barbados, no Caribe.

No caminho, Mudie chegou a ser avistado por um submarino russo, que emergiu rente à sua curiosa cesta flutuante. Mas, como era época da Guerra Fria, os russos não o ajudaram, temendo que ele, se sobrevivesse, denunciasse a presença do submarino em águas próximas aos Estados Unidos. Por outro lado, tampouco se preocuparam em afundar a precária embarcação, imaginando que ela não duraria muito mesmo. Erraram.

Ao cabo de semanas no mar, Mudie chegou do outro lado do Atlântico, ainda que navegando, em vez de voando, como ele pretendia.

O navio que afundou duas vezes

Antes mesmo de ser oficialmente lançado à água, aquele transatlântico já havia naufragado

Quem visita a Ilha de Granada, no Caribe, encontra, nas proximidades do porto, uma estátua batizada de Cristo das Profundezas. Ela foi doada pela empresa marítima italiana Línea C ao povo da ilha, em gratidão pela ajuda que eles deram aos 700 passageiros do transatlântico Bianca C, quando ele explodiu naquele porto (e, em seguida, afundou), em 22 de outubro de 1961. Mas aquela não foi a primeira vez que isso aconteceu.

Em 1944, quando ainda estava sendo construído, então sob o nome Marechal Petain, o Bianca C foi bombardeado pelos alemães e naufragou, quando era rebocado para finalizações no porto de Marseille — um raro caso de navio que afundou antes mesmo de ir oficialmente para a água. Ao final da guerra, foi resgatado, concluído, rebatizado e vendido para a empresa italiana.

Mas, 17 anos depois, vítima de uma explosão na sua casa de máquina, O Bianca C afundou novamente, desta vez, de vez, em Granada, deixando um tripulante morto, oito feridos, mas nenhum passageiro atingido — graças, em parte, ao pronto atendimento do povo da ilha, o que lhes valeu a estátua de agradecimento do navio que afundou duas vezes.

E ESTE, TRÊS VEZES

Um barco naufragar é algo sempre possível. Um barco afundar, ser resgatado e afundar de novo, é um pouco mais difícil. E o que dizer de um navio que afundou três vezes? Pois foi o que aconteceu com o Willaurie, um pequeno cargueiro que, durante muito tempo, operou entre as ilhas das Bahamas. Nos anos de 1970, ele naufragou perto de Nassau, mas foi içado e colocado no porto, para reparos. Um dia, durante o próprio serviço de recuperação do navio, fortes ventos arrebentaram suas amarras e ele foi lançado de encontro às pedras do cais, afundando novamente. Uma vez mais, o Willaurie foi resgatado. Mas, como já estava bastante danificado, foi decretado que ele seria novamente afundado, dessa vez de propósito, para virar atração submarina para mergulhadores — papel que desempenha até hoje.

A arca de Noé dos tempos modernos

Um circo teve a ideia de encher um velho navio com muitos bichos e sair apresentando espetáculos. Mas tudo acabou numa grande trapalhada

Em 1963, um circo americano resolveu expandir seus negócios e comprou um velho navio cargueiro, o Fleurus, já com quase 40 anos de uso, que foi transformado numa espécie de caravana itinerante flutuante. O objetivo era levar o circo inteiro a bordo (inclusive os animais que faziam parte dos espetáculos), acabando assim com os complicados transportes terrestres, e fazendo apresentações de porto em porto. Foi o primeiro navio circence que se tem notícia. E teria sido uma boa ideia, não fosse o que aconteceu logo na viagem de estreia.

Naquele mesmo ano, apesar de seu péssimo estado, o Fleurus partiu para Yarmouth, na costa leste do Canadá, abarrotado de bichos. Mais parecia uma Arca de Noé, tal a quantidade de elefantes, zebras, girafas, ursos, macacos, leões e outros animais, alguns enjaulados, outros soltos no próprio convés.

A viagem foi uma sucessão de problemas, por causa do mau estado do navio, que quebrou diversas vezes no caminho. Quando o Fleurus finalmente chegou à pequena Yarmouth, foi recebido com festa pelos moradores e alívio pelos bichos e tripulantes. Mas toda aquela alegria durou pouco. No dia seguinte, antes mesmo de desembarcarem, o navio começou a pegar fogo, por causa de um curto-circuito na casa de máquinas, quando já estava parado no porto.

Os bombeiros chegaram rapidamente e a tripulação escapou sem maiores riscos. Mas o verdadeiro problema era outro: como salvar das chamas todos aqueles animais ferozes e, ainda por cima, assustados com o fogo?

Graças à coragem dos bombeiros, as jaulas foram retiradas do navio com um guindaste, mas sob muita tensão, porque os bichos estavam realmente assustados com tudo aquilo. Até que uma das jaulas despencou, abriu ao bater no chão e um leão saiu correndo pelo porto, para pânico dos moradores da cidade que assistiam, chocados, àquele insólito espetáculo — um leão solto nas ruas da cidade!

O animal foi logo recuperado pelo seu treinador, mas a população trancou-se em casa e armou-se com rifles, para o caso de outros bichos escaparem, já que o plano dos bombeiros era transferir aos poucos os animais menos ferozes para as fazendas nos arredores. Com isso, as ruas de Yarmouth viraram uma espécie de circo a céu aberto, com tigres na praça, orangotangos na porta da igreja e girafas diante das casas.

Três elefantes seriam levados, de caminhão, para um circo numa cidade próxima, e foi aí que começou a outra parte tragicômica daquela história. No caminho, por causa da pressa do amedrontado motorista, que queria chegar logo ao destino e se livrar daquela incômoda carga, aconteceu um acidente, que matou dois elefantes, mas permitiu que o terceiro, uma fêmea chamada Shirley, escapasse e invadisse as fazendas da região — agora, também havia um elefante africano solto em pleno Canadá. E, ainda por cima, vindo do mar.

Só após dias de pânico para os fazendeiros, que viram a elefanta glutona destruir parte das plantações, é que Shirley foi capturada e enviada para um abrigo de animais no Tennessee, nos Estados Unidos. Ali, ela viveu muitos anos mais, sob o jocoso apelido de "Mascote de Yarmouth", cidade que nunca mais esqueceu o dia em que o Fleurus atracou, anunciando "o circo chegou!" e, trazendo com ele uma grande trapalhada.

O IMPROVÁVEL ACONTECEU

Em 1836, o cargueiro Royal Tar navegava entre a província de New Brunswick, no Canadá, e Maine, na costa leste americana, com uma carga que também incluía diversos animais de circo, quando começou a pegar fogo. Seu abandono foi decretado, os tripulantes puseram o bote salva-vidas na água e embarcaram. Mas não foram além de alguns míseros metros. Apavorado com as chamas, um elefante da tropa circense arrebentou a jaula e saltou pela amurada do navio, caindo bem em cima do bote. Parte dos ocupantes do barco morreu na hora, vítima da improvável queda de um elefante sobre suas cabeças, em pleno mar.

O barco dele era um carro

Com um jipe anfíbio, o australiano Ben Carlin fez o que parecia impossível: cruzou oceanos dirigindo um automóvel

O ano era 1946, logo após o fim da Segunda Guerra Mundial. O australiano Ben Carlin, um engenheiro que trabalhava em bases militares na Índia, vistoriava um campo do exército americano quando viu, jogado num canto, um estranho barco, que lembrava uma pequena balsa, mas com rodas. E também volante, faróis e para-brisa. Parecia um jipe. E era um jipe: um jipe anfíbio — a resposta americana ao carro que podia navegar, construído pela Volkswagen alemã, durante a guerra.

Foi paixão — na verdade, obsessão — à primeira vista. Carlin não mais sossegaria enquanto não tivesse um daqueles na garagem. Melhor dizendo, na água, já que seu objetivo passou a ser navegar com um daqueles estranhos carros-barcos. E ele queria ir longe, atravessando mares e oceanos e não apenas rios e lagoas, como aconselhava o fabricante daquela máquina híbrida.

Teria sido muito mais fácil comprar um barco. Mas Carlin era teimoso demais para admitir que aquele curioso veículo não poderia ser usado no mar. Fiel ao slogan da época de que um Jeep podia vencer qualquer obstáculo, por que não um oceano? Ele, então, saiu em busca de um daqueles jipes capazes de andar, também, na água. E o primeiro problema foi onde encontrar um jipe anfíbio, já que todos haviam sido feitos exclusiva-

COM QUANTAS CANOAS SE FAZ UM BARCO?

O inglês Francis Brenton foi um aventureiro nato, daquele tipo que trabalhava apenas o bastante para poder ir adiante nas suas andanças pelo mundo. Certa vez, na Colômbia, ele arrematou duas pequenas canoas de madeira esculpida pelos índios e logo descobriu que um museu de Chigaco pagaria um bom dinheiro por uma delas. Mas como despachá-la se ele não tinha dinheiro para o frete? A solução foi ir navegando com a própria canoa e entregá-la pessoalmente. Ele amarrou uma canoa na outra, ergueu um tronco entre elas a título de mastro e assim criou uma espécie de catamarã mambembe. Ninguém apostaria um níquel no sucesso daquela viagem, mas, contrariando a lógica, deu certo. Brenton velejou do Caribe a Chicago, onde chegou um mês depois, para entregar a encomenda. E o que ele fez com a outra canoa? Usou-a para voltar à Colômbia, agora, a remo.

mente para o Exército americano.

Em busca de apoio para o seu projeto maluco de cruzar o Atlântico com um automóvel, Ben procurou a Willys Overland, que produzia os tais veículos. Mas levou um sonoro "não". O fabricante sabia que o seu jipe anfíbio tinha sérios problemas estruturais, já que fora projetado às pressas, para atender às necessidades da guerra. Além disso, a ideia de cruzar um oceano com um carro soava absurda demais para ser levada a sério — como ele faria, por exemplo, com a questão do combustível? Como e onde reabasteceria?

Além disso, o Jeep anfíbio americano era pesado demais, instável na água e demasiadamente lento, porque seu motor (o mesmo usado no automóvel convencional) tinha apenas 60 hp de potência. Ou seja, cruzar o Atlântico com aquela máquina, como Ben pretendia, era uma completa loucura. E ninguém acreditava que isso pudesse ser feito. Exceto ele.

Carlin seguiu procurando um jipe anfíbio para comprar e logo ficou sabendo de um leilão de sucatas de guerra do exército. Foi lá e arrematou um Jeep igual ao que vira anos antes. Quer dizer, quase igual, porque aquele tinha complicadíssimos problemas mecânicos. A transmissão estava travada, o tanque de combustível podre, o motor corroído e a ferrugem impregnada por todos os lados.

Depois da reforma, o jipe náutico do australiano estava tão pesado que mal flutuava. Ficava semiafundado na água e qualquer marola o enchia d'água. Assim sendo, a primeira providência foi instalar uma cabine fechada no jipe, que originalmente era conversível. Ficou parecendo uma caixa de sapatos. Mas deu certo. Já o segundo problema foi bem mais difícil de resolver: a limitada capacidade de combustível do seu tanque de gasolina. Como resolver isso?

A primeira alternativa foi instalar um enorme tanque de combustível debaixo do carro, como uma quilha de barco. Foi um completo desastre. Quando cheio, o tanque quase fazia o jipe afundar feito uma pedra e, uma vez vazio, o empurrava para cima, como uma boia. Veio, então, a segunda opção: um tanque suplementar puxado a reboque, como uma espécie de trem náutico.

Apesar de esquisita, a ideia foi posta em prática na primeira tentativa (frustrada, por sinal) de cruzar o Atlântico com aquele automóvel, em

1948. Mas Carlin já não estava mais sozinho em seu audacioso objetivo: tinha, agora, a companhia da própria esposa, Elinore, que resolveu embarcar junto com ele naquela maluquice.

Em 16 de junho de 1948, o casal partiu de Nova York com destino aos Açores, do outro lado do Atlântico, mas a aventura não foi nada longe. Com poucas horas de mar, Carlin sentiu que as coisas não iam bem com o seu carro-barco. Ele sacudia demais, não mantinha o rumo e era desesperadamente lento. Para completar o drama, a fumaça do motor entrava na cabine e quase sufocava os dois. Cinco dias após a partida, eles retornaram. Mas não se consideravam derrotados.

A estripulia chamou a atenção de uma revista, que pagou um bom dinheiro pela história. Com ele, Carlin melhorou o veículo, que ganhou até um nome, como um barco de verdade: Half-Safe (algo como "meio seguro"), título brincalhão e com duplo sentido, já que era, também, o nome de um famoso desodorante da época — que ele tentou, e não conseguiu, ter como patrocinador.

Dois meses depois, a dupla fez uma nova tentativa de travessia do Atlântico. Mas, de novo, não foi longe. Após apenas 300 milhas de navegação, o hélice quebrou. E, como não havia peças sobressalentes a bordo, eles acabaram à deriva e precisaram ser resgatados por um navio. Foi melhor assim, porque Carlin já havia percebido que, mesmo com o combustível extra do tal tanque-reboque, a gasolina que ele tinha não permitiria chegar aos Açores.

Uma vez mais, ele desistiu dos seus planos. Aumentou a capacidade do tanque, criou um sistema equilibrador que compensava o peso do combustível gasto com água do mar, a fim de manter o reboque sempre na mesma profundidade, e, um ano e meio depois, fez nova tentativa. E, desta vez, contrariando toda a lógica, conseguiu cruzar o oceano.

Mas não foi nada fácil. Na viagem, o rádio comunicador logo pifou, porque a maresia corroeu os contatos, a comida escassa por falta de espaço a bordo obrigou a dois a pescar para não passar fome, e o motor passou o tempo todo ameaçando parar de vez, porque não fora feito para passar tantas horas sob o mesmo regime de rotação.

De tempos em tempos, era preciso abrir o motor e descarbonizá-lo em pleno oceano, com Carlin se equilibrando sobre o capô para não cair na água. Mas ele não reclamava, muito menos desistia: haveria de cruzar o Atlântico com o seu veículo anfíbio, nem que fosse a nado, rebocando o próprio jipe.

Até que, no 32º dia de travessia, apesar de um problema mecânico tê-lo obrigado a percorrer os quilômetros finais apenas em segunda marcha (sim, aquele "barco" tinha até câmbio!), a Ilha de Flores, nos Açores, surgiu diante do casal. E lá eles ficaram um bom tempo, reparando o veículo. De lá, avançaram até as Ilhas Canárias e, depois, para a costa do Marrocos, onde seguiram por terra até a Europa — mas não sem antes recolocar o carro no mar, para cruzar o Estreito de Gibraltar. Para Carlin, essa era a grande vantagem dos carros anfíbios: quando acabava a terra, eles seguiam em frente, pela água.

Objetivo alcançado? Não. Entusiasmado com a própria façanha, Carlin agora queria mais: queria dar a volta ao mundo com o seu versátil mas problemático carro-barco, cuja aparência estapafúrdia incluía até um mastro para ajudar a avançar na água com a ajuda de uma vela.

Em abril de 1955, o casal colocou a segunda parte do novo plano de Carlin em prática. Partiram de Londres e, depois de cruzarem o Canal da Mancha navegando, seguiram por terra até a Índia, intercalando outros trechos de água no caminho. Lá, porém, a mulher de Ben desistiu de vez — da viagem, do marido e de toda aquela doidice. "Aventura é uma coisa, masoquismo é outra", disse, antes voltar aos Estados Unidos e nunca mais tocar no assunto.

Carlin, no entanto, não desistiu e foi em frente, depois de recrutar um novo companheiro de viagem, para ajudar no sufoco que era navegar com o Half-Safe. Encontrou um compatriota australiano, Barry Hanley, que embarcou na Índia, mas só aguentou até o Japão, onde também abandonou o barco — que não passava de um carro transfigurado.

No lugar dele entrou um jovem repórter americano, chamado Lafayette De Mente, cujo sobrenome ajudava a entender por que aceitara aquele convite para cruzar o maior dos oceanos, o Pacífico, com um jipe. O objetivo da nova dupla era navegar do Japão aos Estados Unidos, completando, assim, a volta ao mundo. A odisseia durou dois meses e teve de tudo: de terríveis tempestades no mar à espionagem dos russos, que não acreditavam que aqueles dois malucos estavam fazendo aquilo por pura diversão.

Mas, para Carlin, completar aquela viagem era mais que um desafio: tornara-se um objetivo de vida. E ele conseguiu, depois de ir pulando de ilha em ilha, até que, em agosto de 1957, chegou ao Alasca, do outro lado do Pacífico. A contabilidade final da ousada viagem somou 62 000 quilômetros rodados por terra e perto de 18 000 quilômetros navegados no mar — exatamente como ele previra que faria.

Carlin morreu satisfeito, 23 anos depois, na Austrália, para onde o Half-Safe também foi levado, a fim de ser exposto na escola onde ele estudou, como uma prova de que o que parece impossível é, às vezes, apenas improvável.

O bote misterioso

Quando eles chegaram àquela longínqua ilha, encontraram um estranho bote na praia. E ninguém à vista

A Ilha Bouvet, no extremo sul do Atlântico, é uma das mais inóspitas e isoladas porções de terra do planeta. A localidade mais próxima fica a mais de 1 600 quilômetros de distância e é uma igualmente erma península da Antártica, onde também não vive ninguém. Nem terra propriamente dita a Ilha Bouvet tem. Só pedras permanentemente cobertas de gelo e neve. Também fica fora de qualquer rota de navegação, razão pela qual não costuma ser visitada por nenhum barco.

Daí a surpresa dos técnicos de uma empresa de pesquisa para instalação de estações meteorológicas quando ali chegaram, em 1964, para uma visita de apenas uma hora, e deram de cara, na praia, com um bote de madeira em relativo bom estado, com dois remos e um galão vazio a bordo, mas nenhum vestígio de quem o teria usado ou o levado até lá. Dois anos depois, quando outra expedição voltou à ilha para implantar a tal estação, o bote não estava mais no local.

Jamais se soube a origem (nem o fim) daquele misterioso bote, exceto que, certamente, ele fora usado por algum náufrago, pois não havia outro motivo para alguém ir até aquele fim de mundo, ainda mais a remo. Mas como nenhuma ossada foi encontrada na ilha, só restaram duas hipóteses: ou o mar destruiu o bote após aquele encontro e a neve soterrou o corpo de seu usuário, ou ele teria partido, depois de ter perdido a oportunidade da visita relâmpago daqueles técnicos, tentando chegar a algum lugar. Mas não chegou. Porque não existe nada perto da esquecida Ilha Bouvet.

A grande trapaça na maior das regatas

Para vencer a primeira competição de volta ao mundo em solitário, o inglês Donald Crowhurst apenas fingiu que estava velejando

Em maio de 1967, o velejador inglês Francis Chichester virou ídolo na Inglaterra ao completar a primeira circum-navegação do planeta velejando em solitário, com apenas uma escala. O feito, até então inédito, animou os velejadores a tentar superá-lo, fazendo a mesma travessia sem parada alguma — algo ainda mais ousado. Aproveitando todo aquele entusiasmo, em março do ano seguinte, o jornal inglês Sunday Times decidiu promover a primeira regata de volta ao mundo sem escalas, a Golden Globe, que inaugurou a era das ainda mais desafiadoras competições oceânicas ao redor do globo. Nove competidores se inscreveram. Um deles, apenas de olho no gordo prêmio de 5 000 libras esterlinas para o vencedor da regata. Seu nome, Donald Crowhurst. E ele acabaria entrando para a história das regatas pela porta errada.

Até o final dos anos de 1960, Donald Crowhurst era um simples velejador de fim semana, dono de uma pequena empresa de equipamentos de navegação no interior da Inglaterra. Mas, endividado até as orelhas (e vendo naquela regata uma oportunidade de divulgar seus produtos), resolveu se inscrever na Golden Globe. Perto, porém, do nível dos demais participantes, entre eles o francês Bernard Moitesseier e o também inglês Robin Knox-Johnston, ambos lendários no mundo da vela, Crowhurst não passava de um pretencioso azarão, sem chance alguma de vitória.

Ele não tinha sequer um barco a altura do desafio de atravessar o planeta inteiro velejando. Muito menos dinheiro para construí-lo. Mas, persuasivo, conseguiu convencer um rico empresário, Stanley Best, a financiar a construção de um trimarã de 40 pés, que ele mesmo projetara. Em troca, assinou um contrato no qual se comprometia a pagar ao seu patrocinador as 12 000 libras esterlinas investidas na construção do barco caso algo desse errado com o trimarã na regata. Mas Crowhurst não tinha esse dinheiro para pagá-lo. Ele precisava, no mínimo, completar a prova.

A falta de experiência de Crowhurst na construção de um barco de tamanha envergadura também gerou seguidos atrasos na construção do Teignmouth (nome de sua cidade) Electron (marca dos equipamentos que ele produzia), como o barco foi batizado. O trimarã só ficou pronto uma semana antes do prazo final para a largada da competição. E, ainda assim, com sérios problemas de navegabilidade, que só foram descobertos quando foi finalmente para a água. A partida de Crowhurst da pequena cidade de Teignmouth foi, ao mesmo tempo, pomposa e patética. Praticamente toda a cidade foi saudá-lo no porto. Mas, tão logo ele partiu, retornou. Alguns estais, cabos que sustentavam o mastro, haviam sido fixados errados — um erro primário. Uma hora e meia depois, com os cabos improvisadamente presos, ele partiu de novo. Mais apressado e atrasado do que nunca.

Na Golden Globe, os competidores não precisa-

PRESENTES SUSPEITOS

Os visitantes da Ilha Boa Vista, no arquipélago de Cabo Verde, sempre se surpreendem com os restos do cargueiro espanhol Cabo Santa Maria encalhado, desde 1º setembro de 1968, numa das principais praias da ilha – que acabou rebatizada com o nome do próprio navio. Mas bem mais impactante do que a carcaça já corroída do grande cargueiro a míseros metros da areia é o que havia dentro dele: uma série de suspeitos presentes (iguarias, roupas, bebidas, até automóveis), dados pelo ex-ditador espanhol Francisco Franco aos governos do Brasil e da Argentina, que apoiavam o seu regime e para onde o navio seguia. Como o resgate das mercadorias ficaria caro demais, os espanhóis abandonaram tudo. Foi quando os moradores da ilha entraram em ação e retiraram toda a carga do navio. Inclusive os carros de luxo, que passaram a circular nas empoeiradas ruas da capital, Sal Rei, como um presente indireto do generalíssimo ditador da Espanha.

vam largar juntos, porque o que valeria seria o total de dias gasto por cada barco no longo percurso. Mas havia um prazo máximo para a partida: 31 de outubro. Crowhurst chegou a Falmouth, ponto de partida da prova, apenas na véspera. Foi o último a partir. E o primeiro a acusar problemas no barco. Duas semanas depois, quando descia o Atlântico rumo a costa brasileira, de onde os participantes tomavam o rumo da ponta da África, oceano Índico e por aí afora, Crowhurst teve a confirmação do que tanto temia: seu barco não tinha condições de enfrentar aquele desafio, muito menos os mares bem mais violentos do que as calmarias da Linha do Equador, onde ele se encontrava.

Mesmo navegando em condições extremamente favoráveis, o Teignmouth Electron já acumulava uma desesperadora lista de defeitos, a começar por sinistras rachaduras no casco, que permitiram a entrada de água nos porões e danificaram o gerador. Num só dia, conforme registrou, resignado, no diário de bordo, Crowhurst retirou, com baldes, porque as bombas também não estavam funcionando direito, mais de 500 litros de água do interior dos cascos. A epopeia foi narrada, pelo rádio, à sua mulher, Clare, que, um tanto angustiada, acompanhava a evolução inicial de Crowhurst na regata.

As rachaduras no casco trouxeram à mente de Clare as dramáticas últimas horas do marido em casa, quando, na noite da véspera da partida, ele confessara, chorando, que estava muito desapontado com o barco e pedia a opinião da esposa sobre sua participação na regata. Sabendo que o marido precisa de uma injeção de ânimo, Clare, mesmo um tanto a contragosto, o incentivou.

— Se você desistir agora, será infeliz pelo resto da vida —, disse.

No dia seguinte, Clare e os filhos se despediram de Crowhurst, que partiu com seu barco problemático. Seria a última vez que o veriam.

Tempos depois, ao ser entrevistada pelo mesmo jornal que promovera a regata, Clare Crowhurst disse o quanto se arrependera daquele comentário.

— O que Donald, secretamente, estava me pedido naquela noite é que o detivesse. E eu fiz exatamente o contrário — lamentou.

Para Crowhurst, no entanto, era tarde demais. Embora atormentado pelo mau funcionamento do Teignmouth Electron, ele se sentia acuado por aquela cláusula no contrato. Desistir da regata seria decretar a sua ruína financeira de vez. Por outro lado, ele sabia que o seu barco não só não tinha nenhuma chance de vitória, como sequer seria capaz de completar a prova, o que também o levaria a ter que pagar por ele. Foi quando Crowhurst teve a ideia que, esta sim, acabou selando o seu fim: ele "venceria" a regata — mas sem sair de onde estava.

Numa época em que não havia navegação por satélites e todas as comunicações no mar eram feitas apenas por rádio ou telégrafo, mentir sobre a localização de um barco era coisa fácil. Na Golden Globe, cabia aos próprios participantes informar onde estavam. Bastava, portanto, ir passando coordenadas fictícias aos organizadores da regata, para "assumir" a liderança da competição na reta final, que, providencialmente, era ali mesmo, no Atlântico, onde Crowhurst já estava. Tudo o que ele tinha que fazer era ficar perambulando pelo Atlântico e aguardar alguns meses para "vencer" a competição, livrando-se assim da multa com o patrocinador e ainda colocando um bom dinheiro no bolso pela vitória. Um plano que, para ele, parecia perfeito. Até porque a integridade dos velejadores, especialmente os ingleses, como também eram os organizadores da Golden Globe, jamais levaria alguém a pensar em algum tipo de falcatrua. Ninguém. Menos Donald Crowhurst.

A primeira providência foi criar um segundo livro de bordo. Nele, Crowhurst passou a registrar os avanços fictícios do Teignmouth Electron informados aos organizadores da regata, enquanto o diário original seguiu marcando a posição real do barco — algo que tinha tudo a ver com o seu jeito metódico. Em seguida, ele traçou sua verdadeira rota, que jamais extrapolaria o Atlântico. E deu início a grande farsa.

Logo após cruzar a Linha do Equador, Crowhurst enviou uma mensagem dizendo ter avançado 170 milhas náuticas em apenas um dia, quando, na verdade, não passara de míseras 13. Semanas depois, foi ainda mais longe na mentira: garantiu ter batido o recorde mundial de singradura, com incríveis 243 milhas navegadas em apenas 24 horas, o que deixou um tanto

E O MAR VENCEU

O americano William Willis foi um sujeito determinado. Quando botou na cabeça que atravessaria o Atlântico Norte sozinho e a bordo de barco de apenas 11 pés de comprimento (não por acaso batizado "Little One" — pequeno, em português), todo mundo tentou demovê-lo da ideia. Até porque ele já somava 74 anos de idade. Mas foi em vão. Willis, que já havia feito duas expedições do mesmo tipo a partir da América do Sul, uma até Samoa, outra até a Austrália, sempre com pequenos barcos, não abriu mão de seus planos. Em maio de 1968, ele zarpou para aquela que seria sua odisseia definitiva. E foi mesmo. Quatro meses depois, seu barquinho foi encontrado vazio e à deriva, perto da costa da Irlanda, sem nenhum sinal de Willis. O mar, por fim, venceu o velho e teimoso velejador.

intrigado o próprio Francis Chichester, um dos fiscais da regata. Crowhurst percebeu isso e tomou outra providência: desligou o rádio, a fim de não ser interpelado. E seguiu perambulando lentamente em zigue-zague pelo Atlântico.

No Natal, Crowhurst religou temporariamente o rádio, chamou a mulher e disse estar prestes a dobrar a ponta da África, quando apenas zanzava pela costa brasileira. Para quem recebia seus relatos, sua performance era realmente espantosa. Ainda mais depois de tantos problemas antes da largada.

As informações sobre o desempenho extraordinário do Teignmouth Electron animaram, o patrocinador do barco, Stanley Best. No início de janeiro, ele pediu à rádio de Cidade do Cabo que tentasse um contato com Crowhurst para felicitá-lo e informá-lo que, como prêmio pelo que ele já havia feito, estava cancelando a cláusula contratual sobre o pagamento do barco. Mas, como o rádio do Teignmouth Electron voltara a ser desligado, Crowhurst não ficou sabendo da novidade, que poderia ter lhe poupado a vida. Ele já poderia retornar a Inglaterra sem falir. Mas, ironicamente, não o ouviu a mensagem.

Nos dois meses seguintes, Crowhurst ficou vagando entre a costa sul do Brasil e o Uruguai. Mas, a bordo do precário Teignmouth Electron, as coisas não iam nada bem. O gerador funcionava tão mal que ele passava as noites às escuras, sem sequer luzes de navegação. Com isso, mal dormia, porque precisava ficar atento a aproximação de outros barcos. O piloto automático também não funcionava. E as rachaduras no casco seguiam vertendo água, o que começou a mofar parte da comida.

Em 6 de março, a situação se tornou insuportável. Crowhurst, então, resolveu fazer uma parada no esquecido povoado de Rio Salado, na costa da Argentina, para reparos no casco do Teignmouth Electron, apesar do risco que isso representava. Se fosse identificado, ele não só seria desclassificado da regata, que proibia paradas, como acabaria desmascarado, porque, aquelas alturas, dizia estar cruzando o Índico, no encalço dos líderes. Mas não havia sequer telefones em Rio Salado e o único agente do povoado nem de longe desconfiou que aquele gringo estivesse fazendo algo errado — embora tivesse remendado o barco com toscas pranchas de madeira às pressas. Dois dias depois, Crowhurst voltou ao mar. E manteve a trapaça.

Lá na frente, contudo, as dificuldades para os competidores também não eram poucas. Entre os outros oito barcos, só três restavam na prova: os ingleses Robin Knox-Johnston e Nigel Tetley e o francês Bernard Moitessier. Logo, seriam só dois, depois que o líder Moitessier, já na reta final do Atlântico, resolveu abandonar a regata, dar meia-volta e rumar para a Polinésia Francesa, onde passou a viver longe de todos e feliz da vida. Com isso, Knox-Johnston disparou para a linha de chegada e foi o primeiro a retornar a Inglaterra. Mas, no total de dias gastos na travessia, era certo que ele perderia para Tetley, que vinha em segundo — e até para o mentiroso Crowhurst, que, depois de religar o rádio, agora dizia estar no encalço do rival e se aproximando rapidamente. Era o ato final da farsa. O momento de "assumir" a liderança. Mas acabou sendo o fim dele próprio.

Cada vez mais intrigado com os avanços extraordinários do barco de Crowhurst na perseguição a Tetley, Francis Chichester passou a desconfiar seriamente dele. Crowhurst percebeu isso e, temendo ser desmascarado, mudou de estratégia: ele não mais "venceria" a regata (porque sabia que isso geraria uma checagem apurada em seu diário de bordo), mas chegaria em segundo, ganhando assim algum dinheiro e se livrando tanto da multa do patrocinador, que ele não sabia ter sido abolida, quanto de uma conferência mais severa nos seus registros. Tudo o que ele tinha que fazer era chegar atrás de Tetley. Quem, afinal, se preocuparia em investigar um perdedor? Mas quis o destino que não fosse bem assim.

Pressionado pelos comunicados de Crowhurst que relatavam avanços acelerados no Atlântico, Tetley passou a forçar seu barco ao máximo. Chegou a fazer furos no casco para contornar alguns vazamentos que vinha enfrentando. Até que, durante uma tempestade nas imediações dos Açores, a pouco mais de 1 000 milhas da linha de chegada, quando navegava com mais velas do que deveria, capotou e naufragou. Ao saber do desastre de Tetley, que sobreviveu ao naufrágio sem maiores problemas e foi resgatado, Crowhurst desesperou-se. Ele, agora, estava condenado a vencer a regata e encarar a verdade sobre a sua farsa. Foi demais para o seu já fraco equilíbrio emocional.

Nos dias subsequentes, Crowhurst começou a dar claros sinais de extrema confusão mental. Enredado em sua própria teia de mentiras, encurralado e sentindo remorso pela atitude tomada, ele passou a fazer anotações desconexas sobre o cosmo, teorias de Einstein e outros absurdos em seus diários de bordo, que de livros marítimos se tornaram quase metafísicos. Perdeu, também, a noção do tempo. Na solidão de seu cada vez mais precário barco (a cabine era uma permanente bagunça, com peças quebradas e comidas estragadas por todos os lados, como registrava no diário verdadeiro), foi perdendo a própria sanidade. Por fim, perdeu o rádio, seu único meio de contato com o restante da humanidade. Por dias a fio, tentou consertá-lo. Em vão. Para Crowhurst, restaram apenas os diários. E foi neles que ele registrou o improvável.

Em 1º de julho de 1969, num dos já raros momentos de lucidez, Crowhurst fez o último registro no diário de bordo que continha as coordenadas de sua travessia imaginária. E contou a verdade. "Não há porque prolongar o jogo", escreveu. "Vem sendo um bom jogo, mas é preciso terminá-lo. Acabou, acabou", escreveu. E terminou o seu testamento com um pedido de misericórdia. Em seguida, colocou o falso livro de bordo sobre a mesa de navegação, onde poderia ser facilmente encontrado, saiu da cabine, recolheu o cabo que levava a reboque, para o caso de uma queda acidental na água, e, ao que tudo indica, atirou-se ao mar.

Crowhurst deve ter acompanhado, com os olhos, o barco sumir aos poucos de seu alcance mas, se sentiu algum arrependimento pelo ato suicida, já era tarde. Dez dias depois, o Teignmouth Electron foi encontrado à deriva, com as velas parcialmente erguidas e a confissão de seu comandante claramente à vista. O honesto mundo das regatas entrou em choque. Jamais havia acontecido nada parecido. E, ainda por cima, culminando com uma tragédia.

Donald Crowhurst poderia ter destruído o falso diário e morrido como um herói, em vez de um farsante, poupando sua família do constrangimento que seus filhos carregam até hoje. Mas preferiu contar a verdade e pedir clemência, tentando, talvez, recuperar um pouco da lisura dos velejadores. Coube, contudo, a outro competidor um gesto bem mais nobre. Robin Knox-Johnston, o único participante da Golden Globe a completar a prova, doou o prêmio da vitória à endividada família do adversário desonesto. Crowhurst, por fim, conseguiu o dinheiro que buscava. Mas pagou com a vida — e a honra — por isso.

O PILOTO ERA O COZINHEIRO

Em 18 março de 1967, o comandante do superpetroleiro liberiano Torrey Canyon cometeu, de uma só vez, quase todos os erros que um comandante poderia cometer: traçou uma rota errada, navegou com velocidade excessivamente alta, ignorou os alertas que constavam nas cartas náuticas e, por fim, delegou o timão ao cozinheiro e foi descansar na sua cabine, pouco antes de o navio atropelar algumas conhecidíssimas pedras submersas do litoral da Cornualha, no sul da Inglaterra. Naquele dia, 120 mil toneladas de óleo cru foram parar no mar, num dos maiores desastres ambientais da história da Europa. E o imprudente comandante ainda alegou inocência.

O velejador que virou mito

Quando estava prestes a vencer a primeira regata de volta ao mundo em solitário, Bernard Moitessier deu meia-volta e foi viver outra vida

A princípio, ninguém compreendeu o motivo. Em março de 1969, o velejador francês Bernard Moitessier já havia dobrado o Cabo Horn e seguia folgado na liderança da Golden Globe Race, a primeira regata de volta ao mundo em solitário, quando decidiu dar meia-volta e navegar meio mundo no sentido contrário, de volta ao Taiti, de onde ele havia partido semanas antes, na última escala da competição que fizera. Desistia, assim, da vitória, da fama e do dinheiro que o êxito na regata lhe traria. "Salvei minha vida", diria ele depois, feliz com a decisão que tomou no trecho final daquela longa e histórica regata, que ele não venceu por não quis.

O que fez Moitessier mudar de ideia, de rumo e de vida foi o fascínio que as ilhas da Polinésia Francesa costumam exercer em todos os que as conhecem. Nele, este sentimento foi ainda mais forte.

Moitessier foi uma espécie de hippie dos mares, totalmente avesso à sociedade competitiva, como deixaria claro nos quatro livros que escreveu — um deles, de nome emblemático, viraria referência para toda uma geração de navegadores amadores. Chamava-se *Um vagabundo nos mares do sul*. E foi exatamente isso o que ele se tornou.

O francês mandou tudo às favas (a vitória, a fama e o dinheiro) e foi viver no Taiti. Lá, casou-se com uma nativa e foi morar em uma ilha primitiva onde passou a praticar um estilo de vida totalmente integrado à natureza. Moitissier foi, também, um ecologista, bem antes de o termo ser criado. Com isso, seus livros se tornaram sucessos também fora do meio náutico, e ele passou a ser convidado para dar palestras, mundo afora.

De tanto viajar, acabou voltando a velejar. Mas nunca mais com o intuito de competir contra o tempo. E seguiu velejando até sua morte, de câncer, em 1994. "No mar, me sinto tão em casa quanto na minha ilha", costumava dizer o homem que teve a coragem de trocar a fama por uma vida simples e banal em seu paraíso particular. Virou mito.

O casal que o mar não conseguiu levar

Vítima de uma baleia, o barco deles afundou no meio do Pacífico. Mas eles suportaram dia, após dia

Maralyn e Maurice Bailey eram um típico casal do interior da Inglaterra, mas com um sonho não tão comum assim: construir um veleiro e sair navegando pelo mundo. Queriam, sobretudo, ir velejando até a distante Nova Zelândia.

Em 1967, depois de vender a casa onde viviam, Maralyn, de 32 anos, e Maurice, de 41, deram início a construção de um barco, um veleiro de 31 pés que batizaram Auralyn, enquanto aprendiam a navegar por meio da leitura disciplinada de livros náuticos.

Cautelosa, Maralyn fez diversas considerações durante a construção do barco. Inclusive que ele deveria ter, além da balsa salva-vidas obrigatória em embarcações habilitadas para travessias oceânicas, espaço para transportar um bote inflável. E este detalhe, mais tarde, seria de extrema utilidade.

No final de 1971, o barco ficou pronto e, em junho do ano seguinte, eles partiram para a tão sonhada viagem. Como eram alunos aplicados, já navegavam com bastante habilidade. Passaram meses perambulando pelo Atlântico, até que cruzaram o oceano, rumo ao Canal do Panamá, de onde alcançariam o Pacífico e, dele, a Nova Zelândia. No Panamá, antes da longa travessia do maior dos oceanos, encheram o barco com provisões que dariam para ficar meses no mar. Mas a viagem do Auralyn seria bem mais curta do que isso.

Na madrugada do oitavo dia da travessia, 4 de março de 1973, quando navegavam no rumo das Ilhas Galápagos, Maurice, que fazia o seu turno no comando do veleiro, avistou uma luz no horizonte e comunicou o fato a mulher, quando ela veio rendê-lo, às quatro da manhã. Era um barco pesqueiro. Um baleeiro, para ser mais exato, como Maralyn percebeu ao passar a certa distância do solitário barco, um par de horas depois, enquanto o marido dormia.

Quando Maurice acordou, o dia estava nascendo e Maralyn preparava um tranquilo café na cabine. Foi quando uma explosão, que mais parecia um choque de caminhões, arremessou longe o veleiro, derrubando os dois ao chão. O casal levantou rápido e correu para o lado de fora do barco, a tempo de ver uma enorme baleia, um cachalote, também para ser mais exato, passando por baixo do casco. Atrás dele, um rastro vermelho de sangue no mar.

— Ela está machucada! — disse Maralyn, ao assustado marido, que ficou ainda mais apavorado quando voltou à cabine e viu água jorrando para dentro do barco, através de um buraco de quase 50 centímetros de diâmetro no costado.

Embora jamais tivessem passado por nada parecido, Maurice e Maralyn agiram como calma, como se fossem navegadores experientes. Com base no que haviam aprendido nos livros, ligaram as bombas d'água e pegaram uma vela sobressalente e a enfiaram parcialmente no buraco, para tentar conter a enxurrada. Como velas de veleiros são feitas de tecido impermeável, a medida surtiu algum efeito. Mas não totalmente. A água continuou entrando. Eles, então, usaram travesseiros para preencher o buraco e estufar parte da vela dentro dele. Também não adiantou.

Minutos depois, os dois concluíram que a única coisa a ser feita era abandonar o barco, já parcialmente inundado. Enquanto Maurice coletava o máximo possível de galões de água potável e colocava no mar a balsa salva-vidas e o bote inflável, aquele que a mulher fizera questão que houvesse a bordo, Maralyn foi juntando tudo o que imaginou que os dois precisariam dali em diante, além de mantimentos e latas de comida.

Pegou os passaportes, o kit de primeiros socorros, o sextante, algumas cartas náuticas, uma lanterna, um relógio de pulso, um caderno e todos os seis foguetes sinalizadores que havia no Auralyn, além de uma câmera fotográfica e dois livros para distraí-los ao longo do imprevisível tempo em que ficariam boiando no mar, à espera de um resgate — se é que seriam resgatados.

Mas Maralyn não pensava assim. Embora apreensiva, mantinha o pensamento de que tudo terminaria bem. Só não sabia dizer como nem quando. Cinquenta minutos depois daquela trombada com a baleia, o casal passou tudo para a balsa e o bote inflável, um amarrado ao outro, e se afastou do barco, já praticamente submerso. Eles ainda fotografaram os últimos segundos na superfície de seu querido veleiro. Em seguida, olharam ao redor e só viram a imensidão vazia do oceano Pacífico. Foi quando se sentiram verdadeiramente sozinhos.

A prostração, no entanto, durou pouco. Logo, Maralyn passou a fazer um inventário do que os dois agora possuíam. Metódica, fez uma lista dos mantimentos e da reserva de água que tinham no caderno de anotações e traçou um plano de provisões. Estimou que havia víveres para cerca de 20 dias, desde que eles seguissem uma rígida disciplina.

Maralyn e Maurice teriam direito a quatro biscoitos com marmelada no café da manhã, uma porção de amendoim no almoço e fariam uma única refeição por dia, que consistiria na divisão de uma única lata de conservas. Para beber, uma garrafinha de água também para os dois, dividida em pequenos goles ao longo do dia. Tempos depois, ela se arrependeria deste procedimento, porque a ciência provaria que o ser humano sente menos sede se comer apenas uma vez por dia.

Em seguida, o casal tratou de organizar aquele insólito comboio, de dois infláveis presos um ao outro. Decidiram que ficariam a maior parte do tempo na balsa, que era fechada, portanto mais abrigada, embora quente e abafada, e usariam o bote para estocar o que haviam conseguido salvar do barco, como uma despensa. E, pela primeira vez desde o acidente, tentaram entender o que havia acontecido. A primeira conclusão: aquele abalroamento não fora acidental.

Com base no volumoso rastro de sangue deixado pela baleia na água (sangue demais para uma simples pancada no casco) e na sugestiva presença daquele barco baleeiro nas proximidades, na noite anterior, concluíram que o animal fora arpoado, mas conseguiu escapar e atacara o veleiro deles por engano, para se defender ou se vingar — neste caso, como uma espécie de Moby Dick real, já que também se tratava de um cachalote, animal sabidamente bem mais inteligente que os demais cetáceos.

Os dois não tinham dúvidas: haviam sido vítimas indiretas da ação daquele baleeiro e, possivelmente, da extraordinária capacidade de um animal de tramar e executar uma ação típica dos humanos: a vingança. Só que contra o barco errado. Por isso, eles agora estavam boiando em dois infláveis pouca coisa maior do que duas banheiras de borracha, rezando para quem eles não esvaziassem. E a muitas milhas da terra firme mais próxima.

Uma das primeiras ações de Maurice foi determinar a localização do naufrágio. Com base nisso, concluiu que estavam a cerca de 300 milhas náuticas, ou mais de 500 quilômetros, a noroeste das Ilhas Galápagos, próximos, porém, da rota usual de navios no Pacífico, o que trouxe certo alívio. Com um pouco de sorte, dentro de alguns dias poderiam ser resgatados ou chegar à Galápagos, caso remassem durante algumas semanas. Mas não foi o que aconteceu. Embora a distância tanto de uma coisa quanto da outra, não fosse absurda, uma particularidade da região conspirava contra os dois náufragos: naquele ponto do oceano, uma forte corrente corria no sentido contrário aos dois objetivos.

Maurice bem tentou remar o pequeno bote, levando a balsa a reboque, na direção de Galápagos. Mas, ao cabo um dia inteiro, só conseguiu avançar míseras quatro milhas — a correnteza era muito mais forte do que a sua capacidade de vencê-la a remo. Restou apenas torcer para que a força da natureza os levasse ao encontro de algum barco. E foi justamente o que aconteceu, oito dias depois.

Um navio surgiu no horizonte e foi se aproximando. Marylin e Maurice contiveram a ansiedade e só quando a distância entre eles e o que parecia ser a salvação dos dois diminui para cerca de um par de milhas é que acionaram um dos foguetes sinalizadores. Que não funcionou. Pegaram outro. E nada. Só o terceiro foguete subiu, tingindo com uma faixa vermelha o céu azul daquele dia ensolarado. Mas era de uma manhã tão clara que ninguém no navio notou o brilho diferente no horizonte. Aflito, Maurice pegou mais um foguete — o quarto dos seis que tinham — e disparou também. De novo, em vão. O navio seguiu o seu imperturbável curso e eles tiveram a certeza de que não passavam de dois pontinhos invisíveis no oceano.

Marylin, contudo, não desanimou. Nem mesmo quando, dias depois, a comida, que já era escassa, começou a acabar de vez. A solução seria pescar. Mas eles haviam esquecido de repor, no Panamá, os apetrechos de pesca que tinham usado na travessia do Atlântico. Não tinham anzóis, muito menos o que por de isca neles.

O primeiro problema, Marylin resolveu esculpindo um gancho a partir de um dos pinos de metal da balsa — prática na qual logo se tornaria uma hábil artesã. Já a solução para a falta de isca veio quando uma dócil tartaruga emergiu bem ao lado do bote e foi imediatamente puxada para o barco por Maurice. Mas, para transformá-la em comida — e isca — era preciso, primeiro, matá-la, o que consumiu quase uma hora de estratégias e dores na consciência dos dois ingleses. Só após deixar o animal inconsciente com uma pancada certeira do remo na cabeça é que eles tiveram coragem suficiente para enfiar a única arma que tinham, uma velha tesoura, no pescoço da vítima.

A ação valeu a pena. O casal não só matou a fome imediata e gerou iscas para as pescarias, como ganhou habilidade em capturar tartarugas, o que, nos dias subsequentes, se tornaria uma prática constante. As tartarugas eram abundantes na região e se aproximavam facilmente dos dois infláveis. Eles capturaram tantas que Maurice teve uma ideia bizarra — prender um cabo em duas ou três delas e deixá-las puxar os botes, feito uma carruagem.

A esperança era que, dada a relativa proximidade com as Ilhas Galápagos, as tartarugas estivessem migrando para lá e os levassem juntos. Mas não deu certo. Era impossível convencer um par de tartarugas a nadar na mesma direção. E uma só não tinha força suficiente para mover os dois botes.

Mesmo assim, eles seguiram capturando tartarugas, sobretudo as menores, que eram mais fáceis de serem tiradas da água. Mas passaram a mantê-las vivas dentro do bote, cujo fundo sempre tinha muita água empoçada, como garantia de carne fresca para quando precisassem.

Também transformaram um galão vazio de água numa armadilha para pequenos peixes, colocando um pedaço de carne de tartaruga dentro dele. Quando algum peixinho entrava pelo gargalo em busca da isca, ele é que virava comida.

Cada captura desse tipo consumia horas de paciência e persistência, mas resiliência era o que Marylin mais tinha. Quando Maurice ameaçava desanimar, como quando três outros navios surgiram e também não os viram, apesar dos derradeiros foguetes disparados e dos reflexos do sol gerados por eles em latas vazias de mantimentos, ela intervinha, com sua inabalável tenacidade e otimismo.

Para passar o tempo, o casal gastava horas recordando os bons momentos da travessia do Auralyn até ali, relia os dois livros que tinham e jogava dominó, com engenhosos pedacinhos de papel que Marilyn criara, com as folhas do caderno. Mais tarde, ela criaria, também, um baralho.

Marilyn também lembrou de um livro que havia lido anos antes, sobre um prisioneiro coreano que, para não enlouquecer na solitária, passou anos planejando como seria sua casa quando saísse de lá, e resolveu copiar a ideia. Durante dias, os dois planejaram, nos mínimos detalhes, como seria o seu novo barco, o Auralyn II, e Marilyn anotou tudo em seu caderno.

Por mais absurda que parecesse a ideia de conceber um novo barco na situação que eles se encontravam, a atividade ocupou a mente dos dois por um bom tempo e ajudou a distraí-los de um problema bem mais sério: a escassez de água potável.

Desde o naufrágio não chovera um único dia e o galões já estavam quase no fim. Para piorar, a água de um dos galões apodreceu, o que provocou uma forte diarreia nos dois — desidratando-os ainda mais. Só no 17º dia, e após mais um navio passar sem vê-los, é que pingaram gotas do céu, permitindo repor parcialmente os estoques dos galões.

Logo depois, porém, veio outro problema: ao tentar fisgar um peixe com a tesoura, Maurice, acidentalmente, furou um dos tubos de ar do bote inflável, que passou a esvaziar. Dali em diante, para mantê-lo flutuando, foi preciso bombear constantemente o inflável, o que consumiu ainda mais energia dos dois. Naquele dia, para reverter o desânimo do marido, Marilyn resolveu abrir a última lata de comida que tinham e comemorar seu aniversário. Nada a derrubava.

Depois de seis semanas de privações, Maurice adoeceu e, enfraquecido, passou a concentrar seus esforços apenas em capturar comida. Quando as tartarugas escassearam, ele e mulher desenvolveram uma técnica quase insana para capturar tubarões que estavam sempre rodeando os infláveis — com as mãos. Quando um pequeno exemplar passava rente ao bote, Maralyn agarrava sua barbatana exposta fora d´água e puxava o animal para bordo, onde Maurice rapidamente tentava cobri-lo com um pano, para que ele não pulasse de volta ao mar, nem os abocanhasse.

A manobra rendeu momentos de terror no pequeno bote, com os dois tendo que dividir o pouco espaço com um tubarão enfurecido, mas trouxe alguns resultados. Em seguida, eles passaram a fazer quase o mesmo com pequenas aves que, de vez em quando, pousavam nos infláveis para descansar. Mas, extraídas as penas e os ossos, quase nada de comestível sobrava.

O pior de tudo, contudo, ainda estava por vir. No 93º dia, uma tempestade virou o bote inflável e eles perderam tudo o que havia nele. Inclusive o remo. Dias depois, outra tormenta, bem pior que a primeira e que durou quatro dias inteiros, fez o bote capotar novamente, dessa vez levando o único anzol caseiro que restava. Dali em diante, as tentativas de captura de peixes passaram a ser feitas com uma tosca haste de metal do sextante. E com as mãos, no caso dos tubarões.

Cada vez mais fraco e com o corpo coberto de feridas causadas pelo permanente contato com a água salgada, Maurice já não conseguia ficar de pé, tampouco ajudar a mulher. Ela, no entanto, não desistia. Nem ficava deprimida. Outros dois navios passaram e a convicção de Maralyn de que seriam salvos não diminuia. Até que, um dia, sua previsão se confirmou.

Em 30 de junho de 1973, quase quatro meses após o naufrágio, Maralyn avistou outro barco no horizonte. Como nas vezes anteriores, pegou o único casaco que tinha e passou a agitá-lo freneticamente no ar. O barco, o pesqueiro coreano Weolmi 306, que voltava para casa após 30 meses no mar, veio bem na direção do casal, mas, tal qual os demais, os ignorou.

Apesar dos protestos do marido para que poupasse energia, Maralyn seguiu acenando e gritando, mesmo quando o pesqueiro passou reto e seguiu avançando oceano adentro. Resignado, Maurice apenas fechou os olhos, num quase torpor causado pela fraqueza. Só voltou a si quando ouviu a mulher gritando ainda mais alto. Só que, desta vez, de felicidade: o barco, que já ia lá longe, estava voltando. Alguém no pesqueiro avistara aquele casaco sendo balançado no ar. Eles estavam salvos — 118 dias depois do naufrágio.

Quando até os familiares já davam o casal como perdido, Maralyn e Maurice desembarcaram no Havaí, treze dias depois de serem recolhidos. Estavam fracos, mas vivos. E com os mesmos planos de construir um novo barco, o que fizeram em seguida.

Com o Auralyn II, os Bailey passaram temporadas nas águas da Patagônia, no extremo sul da América do Sul, se dedicando a estudar justamente as baleias, atividade que mantiveram até a morte de Maralyn, em 2002. Quinze anos depois, Maurice se juntou a sua admirável e inquebrantável esposa.

O barco que assombra a Amazônia até hoje

Depois de afundar e protagonizar uma das maiores tragédias do Rio Amazonas, o Sobral Santos II seguiu navegando. Com outro nome

O tempo estava bom e fazia uma noite gostosa no porto da cidade de Óbidos, às margens do Rio Amazonas, quando, na madrugada de 19 de setembro de 1981, o barco de passageiros Sobral Santos II, uma típica gaiola amazônica, lá chamada de "navio" porque tinha 40 metros de comprimento e casco de ferro, chegou de Santarém, uma das escalas daquela viagem, que começara em Belém. Dali, ele seguiria para Parintins, Itaituba e, finalmente, Manaus, seu destino final, onde deveria chegar dias depois. Mas não chegou.

No caminho, como sempre acontecia naquela rota semanal entre as capitais do Pará e do Amazonas, subiram e desceram diversos passageiros e entraram e saíram muitas mercadorias. Com tanto entra e sai, ninguém mais sabia quantas pessoas havia a bordo, nem o volume de carga que o barco transportava. Sabia-se, apenas, que eram muitas, dos dois tipos, como atestava a falta geral de espaço a bordo. Culpa, reclamavam os passageiros, da ganância do dono do barco, que também era dono do Miranda Dias, outro "navio" que pifara no porto de Santarém naquele dia, e por isso transferira quase tudo o que transportava para o Sobral Santos II — que, com isso, ficou ainda mais cheio.

Na pressa da transposição da carga e dos passageiros de um barco para outro, formalidades como manifestos e lista de ocupantes foram solenemente ignoradas. Caixas de cerveja e sacos de batatas e legumes foram amarrados com cordas nos conveses destinados aos passageiros, que passaram a disputar quase a tapa um lugar para armar suas redes. A desorganização na transferência da carga foi tamanha que o porão do Sobral Santos II nem chegou a ficar totalmente cheio. Já o convés superior estava abarrotado de caixas e sacos.

O Sobral Santos II era um velho barco, construído no início do século passado na Alemanha, e enviado para a Amazônia para trabalhar na exploração da borracha. Sua capacidade era de 500 passageiros, mas apesar do aperto geral a bordo, naquela noite, aparentemente, não havia nem a metade disso a bordo — embora não tivesse sido feita nenhuma contagem oficial.

Às 18h15, o Sobral soltou as amarras e partiu de Santarém, rumo a Óbidos, um trecho de apenas 60 quilômetros, que ele venceu sem nenhum contratempo — salvo o desconforto geral dos passageiros, em meio a tantas mercadorias empilhadas no convés. O aperto era tanto que um dos passageiros pegou uma faca e cortou um pedaço da corda que prendia algumas cargas no convés, a fim de fixar sua rede em outro canto do barco. Outros, resignados, apenas deitaram sobre os sacos de batatas que jaziam soltos no convés.

Às 3h15 da manhã, o barco atracou no pequeno porto de Óbidos, também sem nenhum problema. Nem mesmo a famosa contracorrente do rio diante do flutuante da cidade, responsável por formar perigosos remansos que sempre tornaram um tanto delicadas as manobras de atracação, incomodou. O Sobral Santos II encostou de bombordo e lançou cabos para o cais, onde havia cerca de 30 pessoas, à espera do embarque para o trecho seguinte da viagem. O barco foi amarrado e desligou os motores, porque já estava seguro no porto. Mas nem isso impediu que uma das maiores tragédias da navegação na Amazônia acontecesse instantes depois.

Logo após o embarque de mais cinco sacas de farinha, o barco, mesmo preso ao cais, adernou bastante. Com isso, os cabos que o prendiam ao flutuante não suportaram e foram arrebentando, um a um, como frágeis linhas de costura. Inclinada, a carga que se amontoava no convés deslizou feito bolas de boliche, empurrando muita gente para a água e decretando a inclinação fatal do casco. Com todo o peso concentrado num só lado, o Sobral Santos II tombou de vez. E afundou rapidamente, a míseros metros do cais, levando para o fundo do rio um número jamais sabido de pessoas.

Foi tudo tão rápido que não houve tempo nem de os passageiros das 28 cabines abrirem as portas. Morreram todos afogados e trancados, até porque, muito provavelmente, dormiam no instante do acidente. O próprio comandante do barco, David Silva, também descansava na sua cabine quando tudo aconteceu e só escapou com vida porque o imediato do barco o puxou para fora no último instante. Uma senhora que acabara de embarcar foi arrastada para a água em questão de segundos e não teve tempo nem de pegar a mala, que restou solitária na beira do cais.

No breu daquela noite, as águas do Amazonas viraram um pandemônio de escombros e gente tentando não ser engolida pelo maior rio do planeta. Alguns se salvaram com míseras braçadas até o cais. Mas a maioria afundou junto com o barco, presa nos camarotes ou imprensada pela carga solta — a principal causadora de tudo, como apuraria o inquérito da Marinha, três anos e 415 páginas de processo depois.

As lendárias gaiolas amazônicas são barcos famosos também pela estabilidade precária, porque, para serem rápidas, possuem cascos estreitos. E, para caber muita coisa dentro, são altas, com dois, três ou até mesmo quatro conveses. O Sobral Santos II tinha três e, naquela noite, transportava carga em todos eles. Por sua vez, o porto de Óbidos fica no trecho mais estreito do Rio Amazonas, onde, por isso mesmo, a correnteza é intensa — a tal contracorrente que tanto atormenta os comandantes de barcos da região. Para completar o cenário dramático, o Sobral Santos II, como era comum na época, não fora vistoriado pela Capitania dos Portos de Santarém na partida, porque isso era feito apenas por amostragem — só um terço dos barcos eram examinados para ver se não estavam com excesso de carga e passageiros.

Nos demais, bastava uma simples declaração por escrito do seu comandante. E o capitão David fizera isso, mesmo sabendo que o transbordo da carga do Miranda Dias para o seu barco tinha sido feito às pressas e de qualquer jeito. Por fim, ainda houve aquele passageiro que cortou um pedaço da corda que prendia parte da carga no convés para fixar sua rede. Possivelmente, ele foi indiretamente o causador da tragédia, porque, ao romper a corda, permitiu que parte da carga deslizasse quando o barco começou a inclinar. Mas jamais se soube quem ele era, nem mesmo se escapou com vida do naufrágio.

No tumulto que se seguiu ao tombamento e afundamento do Sobral Santos II, a precária lista de sobreviventes, feita ainda na anarquia que tomou conta do porto naquela madrugada, relacionou 183 pessoas. Já os mortos eram impossíveis de apurar, porque a própria correnteza tratou de levar muitos corpos rio abaixo — e, depois, as piranhas certamente deram conta deles. Estabeleceu-se o caos também nos serviços de resgate dos cadáveres, porque ninguém sabia quantos, afinal, procurar. Recolhiam-se corpos na medida em que eles fortuitamente surgiam boiando na superfície barrenta do rio, ou quando alguém mergulhava e conseguia livrar um ou outro cadáver do casco submerso.

Ao final do dia da tragédia, dois navios da Marinha chegaram a Óbidos, para tentar por alguma ordem nos trabalhos de resgate. Não conseguiram muita coisa e ainda despertaram a fúria dos parentes das vítimas, ao impedir a ação de mergulhadores contratados por eles para recuperar corpos e pertences.

O garimpeiro Francisco Catanhede foi um dos sobreviventes que contratou os serviços de mergulhadores locais. Mas ele não buscava parentes e sim o seu pequeno tesouro: dois quilos e meio de ouro em pó, que levava dentro de uma sacola plástica e que não teve tempo de pegar, quando acordou com tudo virando de cabeça para baixo no barco. Já o comerciante Celso Nakaut também fez o mesmo e recorreu aos mergulhadores particulares. Só que a causa dele era bem mais nobre: buscava os corpos da nora e do neto, que estavam no barco e nenhum dos dois escapou com vida. Nem seus corpos jamais foram encontrados.

Nos dias subsequentes, enquanto a Marinha tentava impedir que o casco do Sobral Santos II deslizasse do platô onde se encontrava para as profundezas do Amazonas, valas foram abertas, às pressas, no cemitério de Óbidos, para receber os corpos não reclamados rapidamente pelos parentes. Havia, também, alguns turistas estrangeiros a bordo e estes, seguramente, foram parar nas covas rasas, sem nenhuma identificação, já que não deu tempo de chegar nenhum familiar do exterior.

Revoltados com a lentidão nos resgates dos corpos, que passaram a ser feitos apenas pelos mergulhadores da Marinha, os parentes começaram a acusar as autoridades de não ter muito empenho na missão, porque quanto mais corpos aparecessem, maior repercussão a tragédia teria, expondo, assim, a fragilidade da fiscalização dos barcos na Amazônia.

Acusavam especialmente o dono do Sobral Santos II, o empresário de Manaus Kalil Mourão, e a Capitania dos Portos de Santarém. O primeiro, pela ganância de colocar carga demais no barco. A segunda, por não tê-lo vistoriado quando da partida.

Um inquérito foi aberto e testemunhas passaram a ser ouvidas. Uma das primeiras questões foi tentar descobrir quantas pessoas havia a bordo. As revistas e jornais falavam em "mais de 300 mortos", o que tornaria o naufrágio do Sobral Santos II o maior de todos os tempos na Amazônia — pior até que o do barco Novo Amapá, ocorrido apenas oito meses antes, na foz do mesmo rio Amazonas, onde morreram mais de 250 dos 600 passageiros — embora ele só tivesse capacidade oficial para 150 pessoas.

No levantamento, tomando como base a capacidade do barco, os depoimentos dos sobreviventes e os parentes em busca de familiares que foram surgindo nos dias subsequentes, concluiu-se, burocraticamente, que, quando emborcou no rio, o Sobral Santos II havia cerca de 250 passageiros e 20 tripulantes a bordo. Destes, descontados os 183 sobreviventes apurados e os 49 corpos enterrados sem identificação em Óbidos, restariam, portanto, cerca de 40 vítimas a serem recuperadas. E foi justamente para tentar resgatar eventuais cadáveres restantes que se tomou a decisão de içar o barco do fundo do rio, dias depois. Mas nenhuma outra vítima foi encontrada.

Pelo menos três dúzias de corpos foram dados como perdidos para sempre naquele pavoroso episódio, que ficou ainda mais vergonhoso quando o inquérito que investigou as causas da tragédia concluiu que o único responsável fora o capitão do barco, que, no entanto, foi condenado a pagar apenas uma multa e mais nada. Ao dono do barco não foi imputada nenhuma responsabilidade.

Tanto que, cumpridas as formalidades legais, ele recebeu o barco de volta e, tão logo o fato caiu no esquecimento, tratou de reformá-lo e vendê-lo, rebatizado como Cisne Branco, nome sob o qual voltou a navegar. E na mesma rota Belém-Manaus, para horror dos passageiros que sobreviveram àquela tragédia, no porto de Óbidos, na madrugada de 19 de setembro de 1981 — uma data que ficou tristemente marcada na história da navegação amazônica.

O eremita da ilha que virou celebridade

Tom Neale só queria paz quando decidiu viver numa ilha deserta. Mas sua própria fama acabou com seu sossego

Nos anos de 1960 e 1970, o desejo de uma vida tranquila e em paz com natureza numa ilha deserta, levou o neozelandês Thomas Neale a se transformar, por livre e espontânea vontade, em uma espécie de Robinson Crusoé de carne e osso. Um tipo de náufrago voluntário, que se tornou bastante famoso entre os navegadores do Pacífico Sul, naquela época.

Tudo começou em 1940, quando, numa conversa de bar, Neale conheceu o escritor e aventureiro americano Robert Frisbie, que lhe contou sobre um paraíso que conhecera tempos antes: o Atol Suvarov (assim chamado em homenagem ao navio russo que o descobriu, em 1814), a noroeste das Ilhas Cook, no Pacífico Sul.

Neale jamais havia ouvido falar daquelas ilhas, mas ficou fascinado com a descrição minuciosa que Frisbie lhe fez do lugar: "18 ilhotas cor de esmeralda em torno de uma lagoa azul", resumiu o amigo, que finalizou com uma frase, que soou como música nos ouvidos de Neale, já farto da vida sem graça que levava:

— É o lugar mais lindo da Terra — fulminou Frisbie.

A partir daquele dia, mudar-se para Suvarov e viver da maneira mais natural possível naquele paraíso passou a ser objetivo número um na vida de Neale, então já perto dos 50 anos de idade.

Mas foi só em junho de 1945, quando trabalhava como chefe de máquinas de um barco de carga que operava na região, que ele, finalmente, conheceu Suvarov, depois de convencer o comandante do barco a desviar a rota até lá. E o que Neale viu lá o convenceu de vez: aquele era o lugar onde ele queria viver. E sozinho, já que o atol, além de distante de tudo, era desabitado.

No passado, Suvarov abrigara alguns guardas costeiros, mas eles logo abandonaram o atol, porque o local era tão ermo e distante que nenhum barco passava por lá. Se nenhum barco visitava Suvarov, por que manter uma guarnição policial ali?

Neale desembarcou e examinou atentamente o casebre onde moravam os guardas e o reservatório de água doce da casa, que captava as chuvas. E concluiu que era tudo o que precisava. Em seguida, foi tentar obter autorização do governador da Ilhas Cook, a quem o atol pertencia, para viver lá. Não foi nada fácil, exigiu seguidos pedidos ao governador e consumiu sete longos anos de espera.

Até que, em outubro de 1952, a autorização foi concedida Ele, então, convenceu o dono de um barco a levá-lo até o atol e por lá ficou. Sozinho, como queria. E com o mínimo de mantimentos, porque o objetivo era viver dos próprios recursos da ilha. O neozelandês chegou a recusar a companhia de uma nativa das Ilhas Cook, que se ofereceu para ir junto, porque tudo o que ele queria era sossego. Além de realizar o sonho de ter sua própria ilha.

Quando Neale chegou a Suvarov, na companhia apenas de dois gatos, estava tudo do jeito que ele vira quando visitara o atol, anos antes: a pequena casa dos antigos guardas, o reservatório de água da chuva e a plena tranquilidade de um lugar habitado apenas por peixes, aves e pequenos animais terrestres, como as galinhas introduzidas pelos guardas, que, no entanto, por conta do isolamento, haviam se tornado ariscas e selvagens. A primeira providência de Neale foi tirar toda a roupa e vestir apenas um pequeno saiote, que passou a ser o seu único traje na ilha (tempos depois, ele abandonaria também o adorno). Em seguida, saiu para capturar o seu almoço.

Isso não era nada difícil. As águas azuis da lagoa de Suvarov eram um autêntico aquário, repletas de peixes, caranguejos (alguns Neale estimou que tivessem mais de dois quilos) e lagostas — que ele capturava facilmente, muitas vezes com as próprias mãos. Como não tinha como estocar comida, capturava apenas o que iria comer em seguida, com a certeza de que peixes e frutos do mar jamais lhe faltariam. Em terra firme criou uma horta, com algumas sementes que havia levado, que rapidamente lhe renderam verduras. E ainda havia os ovos das aves marinhas e das galinhas, quando ele conseguia capturar alguma.

Redomesticar as galinhas passou a ser a sua única atividade na ilha. Todos os dias, Neale espalhava fragmentos de polpa de coco em volta da casa (havia coqueiros em abundância no atol) e tocava um sino. Com o tempo, todas as vezes que as galinhas ouviam o badalo, se aproximavam da casa. E assim, aos poucos, Neale foi conquistando seus objetivos, que não passavam de coisas simples, como localizar onde as galinhas escondiam seus ninhos e roubar-lhes os ovos. Em questão de meses, ele já estava totalmente integrado à vida solitária na ilha. E só começou a lamentar não ter nenhuma companhia quando começou a achar injusto não ter com quem dividir tanta beleza e felicidade.

Os primeiros visitantes só apareceram em Suvarov dez meses depois. Era um casal de velejadores americanos que faziam a travessia do Pacífico e ficaram bem surpresos ao encontrar aquele neozelandês solitário naquela ilha esquecida. Preocupados, tentaram persuadi-lo a voltar à civilização — ao que Neale respondeu com um sonoro "não!". Aquela ilhota era tudo o que ele queria ter na vida. E, agora, ele tinha.

Dias depois, o casal partiu, mas passou a propagar entre os amigos navegadores a existência de um "eremita em Suvarov", como Neale passou a ser conhecido. Logo, todos queriam visitá-lo. Mas só alguns meses depois, outro barco parou na ilha. E foi a salvação de Neale.

Dias antes, ao arremessar a âncora do pequeno bar-

A BOIA NAVEGADORA

Uma grande boia sinalizadora, que emitia intermitentes flashs luminosos e um forte som de sino cada vez que balançava na superfície do mar, causou perplexidade entre os donos de barcos que trafegavam pelas ilhas Orkney, uma das áreas marítimas mais movimentadas do norte da Escócia, em junho de 1972. Por um bom motivo: nunca houvera boia sinalizadora alguma ali. A confusão só foi explicada quando se descobriu que aquela boia era americana e não escocesa, e que atravessara o Atlântico Norte inteiro à deriva, piscando e badalando, depois de desgarrar do litoral da Carolina do Norte, do outro lado do oceano, um ano antes.

quinho também herdado dos guardas e desembarcar na ilha vizinha para fazer o plantio de mais coqueiros, Neale sentiu uma pontada nas costas. A duras penas, conseguiu voltar para casa, de onde não mais conseguiu sair. Ele trincara uma das vértebras da coluna. E, sem poder caminhar, não tinha como buscar comida. Deitado, dia e noite, começou a definhar. E sem ninguém para ajudar.

Foi quando Neale ouviu vozes ao longe e imaginou estar delirando. Eram dois jovens velejadores que estavam fazendo uma preguiçosa travessia do Pacífico, quando ouviram falar do tal eremita e resolveram conhecê-lo. Chegaram na hora certa.

Os velejadores ficaram duas semanas na ilha, cuidando de Neale, e, pelo rádio do barco, comunicaram o fato às autoridades das Ilhas Cook. Outras duas semanas depois, um barco veio buscá-lo, para tratamento na cidade. Neale foi a contragosto, porque não queria deixar sua ilha. Ele sabia que seria complicado voltar para lá. E foi mesmo. Tomando como desculpa aquele problema de saúde, o governador cassou sua licença de morador do atol. E Neale precisou de outros seis anos para conseguir uma nova autorização.

Antes disso, porém, ele conheceu uma nativa da Ilha Palmerston e se apaixonou. E casou. Logo, virou também pai de dois filhos. Mas não era bem isso o que ele queria da vida. O que Neale queria era voltar para a sua ilha. E conseguiu. Em março de 1960, depois de nova autorização do governador, o neozelandês partiu novamente para Suvarov, deixando para trás, sem maiores remorsos, mulher e filhos. Lá chegando, encontrou um curioso bilhete, deixado por outro navegador que passara pela ilha, juntamente com uma nota de 20 dólares. Era o "pagamento" pelas verduras e galinhas que ele consumira. Neale jogou a cédula fora. Dinheiro, ali, não valia nada.

A segunda permanência de Neale em Suvarov durou outros três anos e terminou quando o movimento no atol tornou-se, segundo ele, "insuportável", por conta de sua fama. Todos queriam conhecê-lo. Primeiro, ele teve que abrigar alguns náufragos de um barco de passeio, que entrou na lagoa para visitá-lo e não conseguiu mais sair. Depois, passou a receber repórteres vindos de longe, atraídos pelas histórias do tal "eremita", título que Neale veementemente rebatia, porque, dizia, "gostava de pessoas", só que "não precisava delas em volta dele para viver bem". Por fim, outras ilhotas de Suvarov passaram a ser frequentadas por pescadores e caçadores de pérolas, o que roubou de vez a paz de seu paraíso particular. Desgostoso, Neale decidiu ir embora. Embarcou num dos barcos que passou pela ilha e foi para Rarotonga, capital das Ilhas Cook.

Lá, decidiu escrever um livro sobre sua experiência (o bem-sucedido *Uma ilha para mim*, que virou sucesso em seu país natal), mas, enquanto escrevia e recordava sobre a ilha, passou a sentir saudades da vida que tinha. Não demorou muito para ele retornar a Suvarov, pela terceira vez, e sozinho, como sempre. Era julho de 1967 e, desta vez, Neale ficou na ilha nada menos que dez anos, apesar da idade já avançada.

Atraído pela popularidade cada vez maior do neozelandês, o governo das Ilhas Cook decidiu instalar um "posto de correios" em Suvarov e nomeou Neale o responsável por ele — na prática, o único destinatário de toda a correspondência endereçada à ilha, que passou a receber cartas do mundo inteiro. Duas vezes por ano, um barco deixava pacotes de correspondências no atol e levava de volta as respostas da remessa anterior, escritas, uma a uma, por ele. Neale tornou-se uma daqueles seres exóticos do planeta, que todos queriam conhecer. Não havia navegador do Pacífico que não almejasse visitá-lo. E tamanha popularidade acabou de vez com a sua privacidade.

Além disso, no início de 1977, aos 75 anos, ele começou a sofrer de dores no estômago, que foram piorando. Até que resolveu pedir ajuda. Um barco veio buscá-lo e o levou para um hospital, de onde nunca mais saiu.

Tom Neale morreu em 30 de novembro daquele ano, e seu corpo, contrariando o bom senso, foi sepultado em um banal cemitério da capital das Ilhas Cook e não na ilha que ele sempre chamara de "sua". Em Suvarov, anos depois, foi colocada apenas uma placa dizendo que ali Tom Neale "vivera o seu sonho".

No rumo totalmente oposto

Como um grande navegador foi parar no país errado com o seu barco

Nem os gênios nascem sabendo. Um bom exemplo do velho ditado foi o velejador inglês Leslie Powles, dono de nada menos que três circum-navegações em solitário do planeta e, até hoje, verdadeira lenda entre os navegadores do Reino Unido. Em 1975, depois de construir seu primeiro barco, um veleiro de 34 pés sintomaticamente batizado de Solitaire, numa antecipação sobre como pretendia navegar com ele, Leslie, mesmo tendo menos de uma dúzia de horas de experiência com a embarcação, resolveu atravessar — sozinho, claro — o Atlântico. Seu destino: a Ilha de Barbados, no Caribe. Mas deu tudo errado.

Usando como equipamentos de navegação um reles sextante de plástico, um velho relógio retirado de um automóvel para cronometrá-lo, um rádio portátil de ridículo alcance, um almanaque estelar e uma Bíblia ("para o caso de nada disso funcionar", como explicou, bem-humorado, na partida), ele descobriu-se perdido no mar tão logo saiu da Inglaterra, após um denso nevoeiro encobrir tudo à sua frente. Mas seguiu em frente, não importando o rumo.

Dez dias depois, ao fazer a primeira medição com o precário sextante, Leslie descobriu que o velho relógio automotivo vinha atrasando quase um minuto ao dia, o que tornava suas marcações de distâncias um exercício de pura adivinhação. E ficou pior ainda na metade da travessia, quando todas as indicações de rumo passaram a não fazer mais nenhum sentido. Estaria o Solitaire sob a influência do temido Triângulo das Bermudas? — cogitou o então inexperiente navegador.

Vinte dias depois — e 57 após ter partido da Inglaterra —, a luz de um farol piscou no horizonte. Leslie estranhou. Pelas suas contas, ele ainda deveria estar a 200 milhas de Barbados. Horas depois, uma grande praia, com montanhas ao fundo, começou a se materializar diante de seu barco, ao mesmo tempo que curiosas embarcações com velas triangulares surgiram ao

VOLTOU A VIRAR NOTÍCIA

Em 1996, durante sua terceira circum-navegação em solitário do planeta, Leslie Powles, já com 70 anos de idade, voltou a virar notícia, ao "desaparecer" no mar durante quatro meses — até reaparecer na mesma marina inglesa onde vivia como se nada tivesse acontecido. A explicação foi uma tempestade o colhera ao partir da Nova Zelândia, danificando o rádio do barco e estragando boa parte das provisões que ele tinha a bordo, o que o obrigou a passar as derradeiras semanas da viagem sob uma severa dieta de água de chuva e uma mínima porção de arroz por dia, que era tudo o que ele tinha. Ao chegar, esquelético e faminto, Powles recebeu como prêmio da marina de Lymington uma vaga permanente e gratuita pelo resto da vida. Uma maneira sutil de convencer o intrépido septuagenário a parar de navegar. Ou, pelo menos, não ir tão longe.

longe. Ele nunca havia ouvido falar que Barbados tivesse barcos assim.

Quando a noite caiu, Leslie percebeu estar penetrando no que parecia ser um grande rio, algo que ele também julgava inexistente nas ilhas do Caribe. Onde, então, ele estaria? Encafifado, aproximou-se da margem, jogou âncora e ficou esperando amanhecer. Junto com a luz do dia, veio uma maré tão baixa que sugou toda a água ao redor do Solitaire. O barco ficou completamente no seco, encalhado, ao mesmo tempo que, de um povoado próximo, começaram a se aproximar um grupo de curiosos, falando uma língua que ele nada compreendia. Não era o inglês de Barbados, nem o francês da Martinica, muito menos o espanhol da costa da Venezuela, onde poderia ter chegado, caso tivesse passado reto pela ilha que era o seu destino.

Só quando o grupo se aproximou do barco entalado na areia e Leslie viu que um deles carregava uma bola nas mãos, e outro respondia pelo sugestivo apelido "Pelé", é que ele percebeu que estava no Brasil. Mais precisamente, no então esquecido povoado de Tutóia, no litoral do Maranhão. Inexplicavelmente, ele desviara quase 2 000 quilômetros de seu rumo original. Mesmo para um iniciante, era um erro grosseiro demais. Como aquilo poderia ter acontecido?

A explicação veio quando Leslie releu, com extrema atenção, as instruções sobre como tomar a latitude nas proximidades da Linha do Equador — justamente onde o Solitaire estava quando as medições de localização passaram a não fazer sentido. Como ele não havia percebido que tinha cruzado a linha que separa um hemisfério do outro, continuou acrescentando valores a declinação do globo terrestre em vez de diminuí-los. Com isso, foi se afastando cada vez mais de seu objetivo — uma falha primária de navegação, mesmo para um iniciante.

Depois de rir muito do próprio erro, Leslie levantou âncora, deu adeus ao litoral do Maranhão, apontou o Solitaire para o rumo oposto e, depois de muitos dias mais de navegação, finalmente chegou à Barbados. Com uma boa história para contar.

O estranho caso da Praia do Hermenegildo

Quando o mar amanheceu avermelhado e com peixes mortos, veio a dúvida: seria culpa da natureza ou de um naufrágio?

No final da década de 1970, o Brasil ainda vivia resquícios dos anos de chumbo da ditadura militar e praticamente desconhecia a expressão "crime ambiental". Foi nesse período que estas duas situações (ditadura e meio ambiente) se encontraram, depois que um estranho caso, nunca oficialmente explicado, aconteceu na Praia do Hermenegildo, no litoral do Rio Grande do Sul, em 31 de março de 1978.

Naquela data, quatro dias após uma violenta ressaca atingir a costa uruguaia e todo o litoral do extremo sul do Brasil, a Praia do Hermenegildo, no município de Santa Vitória do Palmar, praticamente na fronteira com o Uruguai, amanheceu com um forte cheiro vindo do mar e uma quantidade impressionante de peixes mortos. Até cachorros e cavalos, que estavam na beira da praia, ficaram intoxicados.

A população local se assustou. Mas, para as autoridades, tudo não passava de um fenômeno natural chamado "Maré Vermelha" — uma proliferação exagerada de algas marinhas que libera toxinas e "sufoca" o mar, gerando mortandade de peixes, além de tingir as águas com um tom avermelhado. O fenômeno já havia acontecido na região. Mas não com aquela intensidade.

Naquela manhã, as águas da Praia do Hermenegildo pareciam cobertas por uma película avermelhada, que desprendia fortes odores e dificultava a respiração das pessoas. Estudiosos e alguns precursores do ambientalismo brasileiro começaram a chegar ao litoral gaúcho, para analisar o caso. E um deles resolveu investigar a fundo a questão. Mas em outro sentido.

O historiador local Péricles Azambuja desconfiou que aquilo que estava acontecendo na praia poderia ser consequência de um vazamento de produtos químicos de algum navio em alto mar e resolveu checar. Também conferiu os naufrágios recentes na região.

E foi assim que ele chegou ao Taquari, um cargueiro do Lloyd Brasileiro que deixara o porto do Rio de Janeiro com destino a Montevidéu, em 1971, levando uma carga de "produtos químicos" não especificados, da empresa Dow Química. Ao atingir a região do Cabo Apolônio, na costa uruguaia, mas a apenas cerca de 100 quilômetros da Praia do Hermenegildo, o Taquari encalhou e foi abandonado, com sua carga nos porões.

Apesar do incidente ter acontecido sete anos antes, havia um detalhe intrigante também revelado pela pesquisa do historiador: durante aquela mesma ressaca que atingira a Praia do Hermenegildo, dias antes de o mar se tornar quase tóxico, o casco do Taquari havia se partido em dois e despejando seu misterioso conteúdo no vizinho mar uruguaio.

Coincidência? Não para o pesquisador, que começou a defender a tese de que o que havia acontecido naquela praia gaúcha não era um fenômeno natural e sim consequência do derramamento da suspeita carga do navio brasileiro abandonado na costa uruguaia.

Ao tomarem conhecimento do fato, outros pesquisadores aderiram a tese de que as correntes marinhas poderiam ter levado resíduos da misteriosa carga do Taquari até aquela praia. E começou uma pressão para que a empresa dona da carga do navio, a poderosa multinacional Dow Química, divulgasse o que ele transportava.

A empresa negou categoricamente que a carga do Taquari fosse tóxica, mas estranhamente pediu que eventuais barris que fossem dar nas praias não fossem abertos. O que eles continham? Jamais se soube. Até porque nenhum deles foi recuperado inteiro.

As suspeitas aumentaram ainda mais quando alguém lembrou que o então todo poderoso ministro da Casa Civil, general Golbery do Couto e Silva, era diretor da Dow Química, justamente na época em que o Taquari encalhara, o que poderia explicar a insistência do governo brasileiro em atribuir a culpa pelo que acontecera na Praia do Hermenegildo a um simples fenômeno natural, em vez de analisá-lo com mais profundidade.

Na época, ainda sob fortes resquícios militares no país, os ambientalistas não tinham nenhuma voz ativa, nem sequer o termo "ecologia" era conhecido. Por isso, o governo limitou-se a emitir um documento, batizado de "livro branco", no qual reafirmava que tudo não passara de uma ação da natureza. Embora altamente questionável, foi a primeira vez que o governo brasileiro deu alguma satisfação a povo sobre algo ligado ao meio ambiente.

Contudo, dez anos depois, ainda insatisfeita com aquela versão oficial para o que ficou conhecido como o "Caso do Hermenegildo", a Assembléia Legislativa do Rio Grande do Sul promoveu uma série de debates a respeito do tema. Ouviu políticos, moradores de Hermenegildo e ambientalistas, então já reconhecidos como tal, e concluiu que houve mesmo um fenômeno natural naquela praia, naquele dia, como demonstraram claros indícios da chamada Maré Vermelha. Mas concomitantemente ao vazamento do que quer que houvesse dentro do casco rompido do navio — uma perversa coincidência, já que um fenômeno natural acabou servindo para ocultar e mascarar um crime ambiental.

O governo, então, respirou aliviado. Mas a mesma sorte não tiveram os peixes e os animais da Praia do Hermenegildo naquele dia.

O incrível homem-foca

Depois que o barco afundou, ele passou uma noite inteira nadando no mar congelante da Islândia e sobreviveu para desafiar a ciência

Na década de 1980, um jovem pescador da gélida Islândia deixou os cientistas aturdidos pela sua extraordinária capacidade de resistir ao frio das águas congelantes do Atlântico Norte. Vítima do naufrágio do barco no qual trabalhava, a cerca de cinco quilômetros da ilha mais próxima, ele boiou e nadou durante mais de seis horas em águas em que a temperatura não passava dos cinco graus centígrados — algo, até então, considerado impossível para qualquer ser humano, por conta da hipotermia.

Ao chegar, congelado, mas vivo e lúcido, virou alvo, primeiro, de desconfianças sobre o seu relato, e depois de detalhados estudos, que, no entanto, pouco concluíram, a não ser o fato de que aquele jovem de 22 anos e corpo bem roliço, muitos quilos acima do ideal, era um ser realmente excepcional.

A façanha do pescador Gudlaugur Fridporsson, apelidado Gulli, começou em 11 de março de 1984, quando ele partiu, como sempre fazia, das ilhas Westman, uma das muitas que formam a Islândia, para pescar com mais cinco companheiros, a bordo do barco Breki, um trawler de aço, típico das águas frias daquela parte do globo terrestre.

Para os padrões locais, nem estava tão frio assim. Após uma forte tempestade de neve, o mar se acalmara, os ventos cessaram e a temperaturas, tanto do ar quanto da água, se estabilizaram entre três e cinco graus centígrados — ainda assim, frio o bastante para aniquilar em questão de minutos qualquer ser humano que eventualmente caísse no mar. E foi o que aconteceu, menos de um dia depois.

Ao varrer o fundo do mar com resistentes redes de arrasto, técnica corriqueira naquela época, o avanço do pesqueiro foi impedido por pedras no leito oceânico. As redes engancharam nas rochas e seguraram o barco. Nada, contudo, que preocupasse o comandante do Breki, já acostumado aquele tipo de imprevisto. Bastava dar ré, desenganchar a rede e seguir adiante.

Mas, naquela noite, algo deu errado. O guincho emperrou e a rede travou de vez no fundo. Para não sacrificar uma rede praticamente nova, o comandante do pesqueiro não quis ordenar o rompimento do cabo. Resultado: com a correnteza empurrando o travado barco para a frente, o Breki tombou no mar e capotou feito um barquinho de brinquedo. Não deu tempo de fazer nada. Nem mesmo de vestir os coletes salva-vidas. Em menos de um par de minutos, Gulli e seus cinco companheiros estavam dentro d´água. Uma água congelante.

Dois tripulantes sequer sobreviveram ao capotamento do barco, porque ficaram presos dentro do casco. Já Gulli e mais três pescadores, entre eles o próprio comandante, escaparam. Mas logo constataram o infortúnio da situação na qual se encontravam: agarrados ao fundo do casco do pesqueiro emborcado, não tinham condição de tentar alcançar o bote salva-vidas, que jazia a alguns metros de profundidade, ainda preso ao convés.

Mesmo assim, um deles mergulhou e tentou soltar o bote. Morreu congelado antes de conseguir qualquer resultado. Logo, o frio e a hipotermia fizeram outra vítima. Foi quando Gulli e o comandante, os dois únicos sobreviventes, resolveram abandonar o barco emborcado (que acabaria por afundar em seguida, tornado aquela decisão a única possível) e sair nadando, na escuridão do oceano. Mas, em qual direção? Nenhum dos dois sabia.

No começo, Gulli, com seus mais de 100 quilos de peso e a destreza de quem mal sabia nadar direito, seguiu a direção sugerida pelo companheiro. Mas não demorou muito para ele se ver sozinho no oceano, porque, em menos de 20 minutos, como seria de esperar de qualquer ser humano (na água, o corpo humano perde calor 25 vezes mais rápido do que em terra firme), o seu parceiro também sucumbiu ao frio e desapareceu nas profundezas. Restou apenas ele e a certeza da ciência de que não havia como escapar com vida daquela situação. Mas Gulli contrariaria isso, mesmo não sendo nenhum atleta. Muito pelo contrário.

Embora sentisse bastante frio, ele seguiu nadando, com movimentos lentos e descoordenados, que nada tinham a ver com os de um nadador experiente. Gulli mal mexia os braços e as pernas, e mais parecia estar boiando do que avançando. A roupa emborrachada, que todos os pescadores da região usam, também atrapalhava um bocado.

Ele, então, resolveu se livrar dela, mesmo sabendo que a roupa ajudava o corpo de reter um pouco de calor. Descalço ele já estava, porque havia dado suas meias e botas para um companheiro que agonizava congelado, quando ainda estavam agarrados ao barco. Uma vez livre da roupa emborrachada, ele ficou só de calça jeans e camisa de flanela, com uma reles camiseta sem mangas por baixo.

E foi assim que Gulli nadou até a manhã do dia seguinte, quando, finalmente, chegou à uma ilha — que nem ele soube explicar como conseguiu achar naquelas condições, porque um dos primeiros sintomas do frio agudo no ser humano é a perda do sentido do rumo. Com a dor causada pelo congelamento do corpo, o cérebro entra em pane e impede a pessoa de tomar decisões sensatas. Como, por exemplo, seguir numa direção ou escolher para onde ir.

Gulli não sofreu nem uma coisa nem outra. Ao contrário, quando ainda estava no mar, concluiu que deveria avançar no sentido oposto ao de um barco pesqueiro que viu passar ao longe, porque deduziu que ele deveria estar saindo para pescar — portanto, o porto ficaria na direção contrária. Um raciocínio complexo demais para uma pessoa arquitetar dentro de uma banheira de gelo.

Para espantar o medo e distrair a mente, Gulli rezava e falava com as gaivotas, que sobrevoavam sua cabeça, enquanto ele nadava. Até que a luz do farol de uma ilha surgiu à sua frente e o deixou esperançoso. Mas, quando ele chegou à ilha, veio o segundo problema: como vencer a arrebentação do mar nas pedras e, depois, como superar o paredão de rochas que separava o mar da terra firme, lá em cima, como é típico nas ilhas vulcânicas da Islândia? Tão difícil quanto nadar numa água com aquela temperatura agora seria conseguir sair com vida dela.

Para o primeiro problema, Gulli simplesmente se deixou levar pelas ondas, e, feito um caranguejo, se agarrou a primeira pedra sobre a qual foi arremessado — por sorte, sem se machucar demais. Mas, para o outro obstáculo, a escalada do paredão, ele não encontrou solução. Foi quando Gulli tomou a mais improvável das decisões: voltou para o mar e continuou nadando, até um lado menos íngreme da ilha.

Lá, de novo, ele venceu a feroz arrebentação do mar, se atirando sobre as pedras. Em seguida, ao preço de esfolar os pés nas rochas pontiagudas até eles ficarem em carne viva, escalou um precipício da altura de um pequeno edifício. Mas, por fim, conseguiu chegar ao topo da ilha, onde caminhou por mais de uma hora até atingir um pequeno povoado, onde pediu ajuda na primeira casa que viu. E desmaiou, esgotado, ao tentar explicar a sua saga. Gulli estava salvo, embora isso contrariasse toda a lógica.

Ao chegar ao hospital, o islandês estava tão gelado que sua temperatura corporal não atingia o valor mínimo dos termômetros, que é de 33 graus (abaixo de 35 graus qualquer pessoa já é considerada em situação de pré-morte). Mas, para surpresa geral, se recuperou rápido. E logo recebeu a visita de um intrigado pesquisador da Universidade da Islândia, que não acreditava no que tinha ouvido. Teria que haver alguma explicação científica para aquilo que todos diziam ter sido um milagre. Isto é, se é que aquela história era verdadeira...

No começo, todos julgaram que Gulli estava mentalmente confuso e, por isso, teria exagerado tanto na distância que nadara quanto no tempo que passara na água. Não era possível que ele tivesse sobrevivido a tamanho frio, durante tanto tempo. Mas, quando o sonar de um navio da Marinha Islandesa, acionado para rastrear a região onde Gulli dizia que o Breki havia afundado, detectou o pesqueiro a cerca de três milhas náuticas da ilha para onde Gulli dizia ter nadado, ficou provado que ele estava falando a verdade. As dúvidas, então, deram lugar a perplexidade. Como ele não morrera congelado?

Para tentar encontrar uma resposta, o mesmo pesquisador convenceu Gulli a fazer alguns exames físicos. A primeira constatação foi que, além da má forma física, a espessa camada de gordura que revestia o corpo daquele jovem quase obeso e fumante inveterado era três vezes mais densa e sólida que a de qualquer pessoa, mesmo as mais gordas. Algo semelhante ao corpo dos leões-marinhos, que, por isso, conseguem viver em águas congelantes. Gulli ganhou, então, o apelido que o tornaria conhecido em toda a Islândia:

homem-foca — embora ele não se sentisse nada bem sob os holofotes da fama e até alimentasse um sentimento de culpa por não ter morrido, como os seus cinco amigos.

— Tive sorte —, disse, simploriamente, quando tentou explicar como sobrevivera ao impossível.

Gulli manteve a explicação mesmo quando, também a pedido do pesquisador, foi levado para exames mais profundos, numa base naval da Inglaterra. Num dos testes, foi colocado dentro de um tanque com água nos mesmos cinco graus do dia de seu infortúnio, acompanhado de três atletas da Marinha Inglesa. O primeiro atleta não suportou mais que 15 minutos na água. E o último não passou de 25. Já Gulli ficou lá por horas a frio e só saiu do tanque porque os pesquisadores estavam ansiosos demais para decifrar aquele enigma. Mas ele estava cansado de tudo aquilo.

Dias depois, incomodado com aquela súbita notoriedade, Gulli abandonou os experimentos e voltou para casa. Três anos depois, retornou também ao mar, como pescador, o que fez regularmente até pouco tempo atrás.

Nas ilhas Westman, a façanha de Gulli Fridporsson é homenageada até hoje, a cada mês de março, com uma competição de natação de longa duração em revesamento, que dura as mesmas seis horas que ele ficou no mar — só que numa piscina aquecida, já que ninguém aguentaria fazer o que ele fez nem por meia dúzia de minutos.

De certa forma, o homem que involuntariamente desafiou a ciência, continua sendo um enigma para os cientistas, que jamais chegaram a uma conclusão para a origem de sua incomum proteção natural contra o frio. No caso dele, a gordura não mata. Salva.

DUAS TESES PARA UM ENCALHE

Desde dezembro de 1981, o casco do velho cargueiro grego Dimitrios faz parte da paisagem da linda praia de Valtaki, na Grécia, tanto quanto o mar estupidamente azul e a areia bem branca — até porque ele está perfeitamente fincado nela. Mas o motivo pelo qual o navio foi parar ali nunca foi devidamente esclarecido. Uma hipótese prega que, um ano antes, o Dimitrios havia feito uma parada de emergência no porto grego de Gythio e lá sido abandonado pelos seus proprietários. Depois, ao ser rebocado para um ancoradouro fora do porto, acabou à deriva e foi dar na praia. Já outra teoria, bem mais propagada na região, diz que o navio foi incendiado pela própria tripulação ao encalhar na praia, a fim de dar cabo do contrabando de cigarros que transportava. Afinal, cigarros queimam fácil.

Mais que uma tragédia

Como se não bastasse o veleiro destruído e inundado, o pai e comandante do barco ainda morreu de infarto durante o naufrágio

Um acidente no mar envolvendo um pequeno veleiro gaúcho, o Vagabundo, deu o que falar no Rio Grande do Sul, em julho de 1982. Na ocasião, o experiente comandante Romildo Santos, dono do barco, partiu da cidade de Rio Grande com destino a Montevidéu, onde iria buscar novos equipamentos para o veleiro, na companhia do filho, Newton, e de um amigo dele, Luiz Lourenço, ambos ainda jovens velejadores.

Os três esperaram dias a fio pelo melhor momento de partir, já que tanto a barra da Lagoa dos Patos quanto o mar do extremo sul do Rio Grande de Sul exigem respeito. Até que, na fria noite de 13 de julho, as condições pareceram adequadas à travessia, apesar do frio cortante e do vento congelante.

O Vagabundo partiu por volta da meia-noite e, logo após a saída da barra, Newton assumiu o leme, enquanto seu pai desceu a cabine, para preencher o diário de bordo. E foi de lá que ele deu o alerta, depois de sentir no corpo o que os dois jovens tripulantes, lá fora, mal notaram: um grande volume de água passara repentinamente sob o casco, feito uma onda submersa – uma "crescente", no jargão dos escaldados velejadores do litoral gaúcho.

— Vamos voltar! — gritou o comandante.

Não deu tempo. Mal baixaram as velas e ligaram o motor, para apressar o caminho de volta ao porto de Rio Grande, um estrondo ecoou no escuro da noite e uma grande onda desabou sobre a popa do barco, inundando tudo.

Romildo não sabia, nem tinha como saber, mas, naquele momento, o Vagabundo estava passando sobre um banco de areia formado pelo naufrágio do velho navio Rio Chico, décadas atrás, daí aquelas súbitas ondulações. Ele saiu da cabine, correu para o leme e acelerou tudo à frente. Agora, pelo menos, o comandante Romildo sabia de onde vinham as ondas e precisava posicionar o barco para melhor enfrentá-las. Após alguns segundos avançando sobre o rastro de uma onda que passara, ele virou totalmente o leme e deu uma guinada de 180 graus, ficando de proa para as outras ondas que porventura viessem. E elas vieram. Duas. Mais altas do que a primeira.

A segunda onda foi abordada da maneira correta, com o barco indo de encontro a ela e não o contrário, como involuntariamente aconteceu no primeiro caso. Mas era tão violenta que empurrou o Vagabundo para trás e o fez atravessar na frente da onda seguinte, a terceira e mais fulminante de todas.

O veleiro ficou na pior posição possível que um barco pode ficar diante de grandes ondas: de lado, impotente, no breu daquela noite gelada. Na sequência, foi tudo muito rápido. O vagalhão colheu o costado do veleiro em cheio, cuspiu seus tripulantes na água e virou o Vagabundo de cabeça para baixo.

Mas, em seguida, as ondas cessaram. Quando os três retornaram à superfície, depois de agonizantes segundos rolando debaixo d'água, estavam exatamente ao lado do casco emborcado do Vagabundo. E ali ficaram, agarrados. Até que o barco, como a maioria dos veleiros costuma fazer, desvirou sozinho, por conta do peso da quilha.

Quando o Vagabundo voltou à posição normal, os três subiram no barco, quase congelados de frio. E com dois seríssimos problemas para resolver. O primeiro era a quebra do mastro, consequência mais comum neste tipo de ocorrência. O outro, a completa inundação da cabine, o que exigiu muita rapidez para o Vagabundo não ir a pique de vez.

Com água pelos joelhos, Newton entrou na cabine e tentou mandar um pedido de socorro pelo rádio. Não conseguiu. A antena ficava no topo do mastro e ele, agora, jazia submerso, atado ao convés apenas pelos cabos de aço. Tentou, também, ligar as bombas de esgotamento de água, mas as baterias estavam submersas e o máximo que conseguiu foi a ameaça de um curto-circuito.

Depois de constatar que pelo menos o casco estava intacto, embora o barco também tivesse perdido o motor, o comandante Romildo, já exausto, decidiu esperar o dia clarear, a fim de improvisar uma vela e assim tentar chegar à Rio Grande. Mas, logo após comunicar isso ao filho, ele curvou o corpo sobre o leme e caiu duro, fulminado por um infarto.

Ninguém sabia que Romildo era cardíaco. Muito menos ele deveria saber que o contato com a água fria comprime as artérias do coração e aumenta barbaramente o risco de um colapso, como o que o vitimara. Agora, porém, era tarde demais. O velho capitão estava morto dentro do barco e nem seu filho nem o amigo dele sequer podiam parar de tirar água de dentro da cabine para não terem o mesmo destino. Era a luta pela vida, com a morte explícitamente ao lado. Uma situação angustiante e traumatizante. Não bastasse o barco seriamente avariado, Newton ainda tinha que lidar com a imagem do corpo inerte do pai, estirado no convés.

Mesmo assim, ele juntou forças para manter o barco à tona, até a manhã seguinte, como seu pai dissera que fariam. Mas, quando amanheceu, Newton concluiu que o Vagabundo estava a cerca de dez milhas da Praia do Cassino e resolveu mudar os planos originais do pai.

Fez, sim, uma vela improvisada, como fora instruído a fazer. Mas mudou a rota. Em vez de retornar a Rio Grande, arremessaria o Vagabundo de encontro à praia, porque isso não só abreviaria o sofrimento de ter que navegar com o cadáver do pai ao lado, como atenderia a uma vontade do finado, que sempre disse que gostaria de morrer no mar e junto com o seu querido veleiro, porque o Vagabundo não deveria ser de mais ninguém. Arremessar o próprio barco de encontro a uma praia de mar aberto, cheia de ondas, seria a última coisa que qualquer navegador faria. Mas, naquela situação, era o melhor a ser feito. E Newton fez.

Apesar da manobra suicida, o Vagabundo passou incólume pela arrebentação e encalhou na areia rasa. Ele e o amigo, então, levaram o corpo de Romildo até a praia, que já reunia alguns incrédulos curiosos, e pediram para alguém chamar a polícia. Era o fim da agonia, que, no entanto, custara uma vida.

Na manhã seguinte, o Vagabundo já não passava de escombros espalhados na beira da praia, depois de ter sido esquartejado, a golpes de machado, pelos saqueadores de barcos, durante a madrugada. Mas isso não incomodou Newton. Ao contrário, apenas concretizou o segundo pedido de seu pai, que queria acabar seus dias junto com o próprio barco. O comandante Romildo foi sepultado ainda com água salgada no corpo, a pedido do filho.

Uma semana depois, no dia da missa de sétimo dia do pai morto, Newton saiu da igreja e foi direto comprar outro barco: o pequeno Tahiti, antigo veleirinho da família, que fora construído pelo próprio Romildo, mas que fora vendido para custear a obra do Vagabundo. Com ele, Newton navega até hoje, guiado pelas lembranças do pai, seu eterno comandante.

Guiada pelo espírito do capitão perdido

Um furacão a deixou sozinha num barco destruído. Mas ela sobreviveu, graças ao namorado que o mar levou

Em outubro de 1983, depois de passarem alguns meses juntos nos paradisíacos cenários da Polinésia Francesa, onde haviam se conhecido pouco antes, o inglês Richard Sharp, de 33 anos, e a americana Tami Ashcraft, de 24, então um apaixonado casal de namorados, aceitaram a incumbência de levar um bonito veleiro de 55 pés, o Hazana, do Taiti a San Diego, onde ele seria entregue ao dono do barco, num típico serviço de delivery náutico.

Apesar da pouca idade, Richard era um velejador experiente, que há anos vagava solitário pelos mares do mundo com um veleiro que ele mesmo construíra. Já a experiência náutica de Tami se resumia ao que ela aprendera trabalhando como simples marinheira na escuna que a levara justamente ao Taiti. Lá, ela desembarcou, arrumou um emprego numa marina e conheceu Richard.

A paixão entre os dois foi imediata. E eles logo começaram a traçar planos de viagens futuras, mares afora, enquanto Tami dava os primeiros passos na arte da navegação e da condução de um barco, tendo como professor o próprio namorado.

Foi quando surgiu o convite, irresistível, de levar o Hazana até San Diego, mesma cidade de onde Tami partira, anos antes, disposta a descobrir o mundo, com uma grande dose de coragem e autossuficiência. A oferta incluía, além do pagamento de US$ 10 000 pelo serviço, passagens aéreas para o casal retornar ao Taiti e aos planos de uma vida a dois no barco de Richard. Rapidamente, eles aceitaram a proposta. E partiram.

A primeira semana de travessia foi tão prazerosa quanto uma lua de mel a bordo. Curtindo todas as delícias de uma nova paixão e velejando um grande barco na vastidão do Pacífico, eles passavam os dias saboreando vida. Mas Tami também aproveitou para aprender um pouco mais sobre marinharia. Mais tarde, isso lhe seria de extrema valia.

A segunda semana de viagem começou igualmente tranquila, sem nenhum sobressalto, salvo um aviso, que chegou pelo rádio, de que um furacão estava se formando na distante América Central. A tormenta estava fora da rota que eles seguiam. Mesmo assim, por precaução, Richard e Tami decidiram subir um pouco mais para o Norte, a fim de evitar problemas. Só que o furacão Raymond também mudou de rumo e, dias depois, atingiu a região onde o Hazana navegava, no meio do Pacífico.

Quando as ondas cresceram assustadoramente e o vento passou a uivar furioso, Richard ordenou que Tami ficasse na segurança da cabine, enquanto ele, atado ao convés por um cinto de segurança, tentava controlar o barco em meio a um cenário apavorante. Logo, as ondas chegaram aos 15 metros de altura e os ventos passaram dos 250 km/h. Foi quando aconteceu o pior.

A perversa combinação de ondas gigantescas e ventos avassaladores fez o Hazana atravessar no mar e capotar, dando um giro completo debaixo d´água. Tami, que estava dentro da cabine, foi pega de surpresa pelo capotamento e arremessada violentamente de encontro ao casco. Bateu a cabeça e desmaiou. Só acordou 27 horas depois, quando não havia mais sinal da tempestade. Nem de seu namorado.

Richard fora atirado ao mar quando o barco girou desgovernado, e teve seu cinto de segurança arrebentado. Engolido pelo turbilhão de ondas, sumiu para sempre. Já Tami acordou com a cabeça coberta de sangue coagulado e, quando descobriu que estava sozinha a bordo de um veleiro com o mastro quebrado, a cabine parcialmente inundada, um motor que não funcionava e o rádio pifado, sofreu um choque emocional que a fez ficar dois dias paralisada, trancada dentro da cabine.

Se a simples ideia de estar a bordo de um veleiro sem motor nem mastro na imensidão deserta do maior dos oceanos já causa calafrios até nos mais experientes navegadores, imagine na cabeça de uma jovem pouca coisa maior que uma menina, que, até então, ainda engatinhava no mundo da navegação e, que, dias antes, havia sido pedida em casamento, no próprio barco, pelo namorado, agora desaparecido para sempre?

O bloqueio mental de Tami só começou a diminuir quando ela passou a ouviu uma espécie de voz interior, que lhe ordenava que se mexesse e fizesse algo pela sua sobrevivência. Delírio? Alucinação? Para ela, não. Tami não tinha dúvidas de que era o seu namorado, mandando instruções de onde quer que ele estivesse.

Como que movida por uma força interior até então desconhecida, ela passou a executar tudo o que a voz lhe dizia. Começou soltando o mastro, que, ainda atado ao barco pelos cabos de aço, jazia semissubmerso, dando seguidas e apavorantes pancadas no casco — que, por sua vez, já furado, não parava de verter água. Em seguida, tapou precariamente o furo e as rachaduras na fibra de vidro com fita adesiva e correu para as bombas manuais de água, já que, parcialmente inundado, o Hazana não tinha mais motor, baterias nem energia para acionar as bombas elétricas. Tampouco rádio, para pedir socorro.

Tami era inexperiente com barcos, mas esperta e habilidosa, além de forte e determinada. Seguindo as "instruções" que brotavam em sua mente, improvisou uma vela presa entre a ponta e o meio do barco, e o pôs, ainda que lentamente, em movimento. Era preciso avançar, rumo a qualquer lugar. Mesmo ela não sabendo exatamente onde estava.

Pegou, então, o sextante que Richard começara a ensiná-la como usar dias antes, e tentou calcular precariamente a sua posição, com o pouco que sabia sobre o uso daquele equipamento. Estimou que estava a cerca de 2 800 quilômetros do Havaí, a terra firme mais próxima. Depois, seguindo o que aquela voz lhe dizia, consultou as cartas náuticas e viu que, naquela direção, havia correntes marítimas favoráveis.

Em seguida, foi até a proa do barco, atirou uma embalagem de papel na água e cronometrou quanto tempo ela levava para chegar à popa do veleiro — uma maneira primitiva de medir a velocidade que o Hazana "navegava" empurrado pela correnteza e pela vela mambembe. Concluiu que era algo em torno de dois nós — ou menos de 4 km/h. Naquele ritmo, levaria cerca de um mês para chegar lá. Se é que conseguiria "acertar" as ilhas, já que estava praticamente à deriva. Se isso não acontecesse, o desfecho daquela história seria duplamente trágico, porque, depois do Havaí, só haveria o Japão, já do outro lado do Pacífico. Não havia escolha. Era tentar chegar ao Havaí ou... fim.

Além disso, havia outro problema: não havia tanta comida assim a bordo.

Muito menos água. Na primeira vez que choveu, Tami ficou eufórica, embora, desde o começo daquela jornada, tenha mostrado uma força de vontade espantosa — segundo ela, graças àquela voz, que a orientava e a tranquilizava.

E assim foi, até que, 41 dias depois daquele trágico encontro com a força da natureza no meio do oceano, Tami e seu destruído barco foram dar na maior ilha do Havaí, onde ela foi recebida com um misto de espanto, admiração e incredulidade, já que garantia que só havia conseguido graças às orientações que ouvia do ex-namorado morto.

A façanha lhe rendeu um livro, um filme e muitas perguntas. Mas Tami, que ainda está viva e segue velejando, jamais teve dúvidas de que só se salvou porque alguém que não estava mais no barco a guiou o tempo todo. E segue pensando assim até hoje.

A grande volta ao mundo com o menor dos barcos

Ele passou três anos contornando o planeta com um microveleiro que era estranho até no nome

Quando decidiu construir um barquinho (um "barquinho" de fato, de apenas 11 pés e 10 polegadas ou míseros 3,6 metros de comprimento), o francês radicado na Austrália Serge Testa não tinha sequer um projeto no papel. Só a vontade de dar a volta ao mundo navegando e também bater o recorde da circum-navegação do planeta com o menor barco da História — que, até então, pertencia a um veleiro de 18 pés e 4 polegadas.

Para bater aquela marca bastaria construir um barco alguns centímetros menor, mas Serge foi bem além (ou melhor, bem abaixo) disso: seu barquinho tinha perto de seis pés (ou quase dois metros) a menos no comprimento, o que representava uma brutal diferença.

O objetivo era torná-lo o mais leve possível, para ganhar velocidade, e capacidade para abrigar apenas o que ele, de fato, precisaria naquela longa jornada. Ou seja, um lugar para dormir, ainda que sem poder me mexer muito, um espaço para estocar água e comida, um rádio, um fogareiro, um sextante, um kit de primeiros socorros e um aparelho sinalizador de emergência, para o caso de algo dar errado, embora ele confiasse bastante na resistência do barquinho. Nem banheiro havia — só um balde para atender as necessidades do velejador, quando não fosse possível recorrer diretamente ao mar, sem intermediários.

Antes disso, Serge havia começado a construir outro barco, bem maior, de 33 pés de comprimento, mas logo percebeu que, além de não ter dinheiro para terminá-lo, não precisava daquele espaço todo a bordo. Um dia, olhando para um pequeno bote numa marina, Serge concluiu que um veleiro daquele tamanho bastaria. Nele, caberia tudo o que ele precisaria. Menos, é claro, conforto.

Meses depois, seguindo apenas a intuição, brotou da garagem de sua casa uma microembarcação de alumínio com uma aparência tão incomum que foi batizada de Acrohc (algo como "coisa") Australis — um nome esquisito para um barco ainda mais estranho por seu minúsculo tamanho.

O veleirinho de Serge era tão acanhado que o peso do corpo do velejador já fazia o casco adernar até o convés quase tocar a água. E ele só podia navegar sentado, com as pernas dentro da cabine, ou deitado dentro dela, já que todos os comandos eram internos, para permitir comandar o barco do interior da cabine — uma maneira de aumentar a segurança, já que, em caso de mau tempo, bastava fechar a cabine e transformar o barco numa espécie de rolha.

A viagem começou em 9 de junho de 1984, em Brisbane, na Austrália, para onde Serge havia se mudado com a família. E logo no primeiro trecho com um ciclone pela frente. No 44º dia da travessia até a Ilha Cocos, no meio do oceano Índico, os ventos mudaram de direção, o mar engrossou, as ondulações se transformaram em um festival de muralhas d´água desencontradas e o Acroch passou a ser sacudido como se estivesse dentro de uma máquina de lavar roupas. E com Serge trancado dentro dele.

Para se proteger dos solavancos, que vinham de todos os lados, o aventureiro escorava o corpo com o travesseiro e rezava para que ambos (ele o barco) aguentassem. Algumas ondas vinham com uma rapidez alucinante e cuspiam os dois de uma crista para outra, enquanto Serge se perguntava quanto tempo suportaria aquele inferno.

Mas ambos não só sobreviveram àquele teste inicial radical, como, a partir de então, Serge passou a ter certeza de que ele e seu barquinho estavam realmente preparados para aquela imprevisível jornada. Rapidamente ele também se habituou a ter a companhia apenas de si mesmo e sabia que nem teria escolha, porque mesmo que conhecesse alguém interessante em alguma escala da viagem, não haveria espaço para outra pessoa a bordo. Nem bote salva-vidas o Acrohc Australis tinha, porque o tamanho do barco não permitia.

Serge também aproveitou o trecho inicial da viagem para testar a capacidade de seu organismo absorver pequenas doses diárias de água salgada, para o caso do estoque de água doce acabar durante as travessias. Começou bebendo pequenas doses diárias e concluiu que nada de mal acontecia ao seu organismo. A partir daí, ficou ainda mais tranquilo.

O Acrohc Australis tinha um tanque de 100 litros de água e Serge levava outros 100 litros em galões. Isso dava ao velejador uma autonomia de cerca de 100 dias no mar, desde que ele consumisse, no máximo, dois litros de água por dia. Para cozinhar e tomar banho, só água do mar e quando fosse possível, porque o veleirinho sacudia tanto que tudo a bordo tinha que ser feito com apenas uma das mãos — porque a outra era usada para se segurar, o tempo todo.

Além disso, ao chegar à Ilha Cocos, após oito semanas no mar, Serge teve quase que reaprender a caminhar e reativar os músculos das pernas, porque o tamanho de seu barco não permitia que ele desse mais que um passo a bordo. Mesmo assim, ele chegou sentindo falta apenas de um cigarro e uma cerveja gelada, luxos que o Acroch Australis não permitia. Sua cabine era úmida feito uma caverna, por conta da condensação da própria respiração do navegador, que, por causa do tamanho reduzido do barco, passava 90% do tempo dentro dela. Era um desconforto só.

Mas o pior ainda estava por vir. Na travessia seguinte, entre a Ilha Cocos e Madagascar, uma explosão no fogareiro gerou um princípio de incêndio na apertada cabine do barco. Na ânsia de apagá-lo, Serge viu as chamas tomarem conta de seu cabelo e da longa barba, obrigando-o a se jogar no mar para apagar o fogo no próprio corpo.

Em seguida, ainda mais apavorado, ele nadou apressado de volta ao barco, que seguiu avançando, empurrado pelos ventos. O fogo só foi dominado quando Serge, esbaforido, assustado e queimado, conseguiu voltar a bordo e passou a jogar baldes e mais baldes de água dentro da cabine — que, com isso, ficou completamente inundada. Foram preciso vários dias de sol para tudo voltar ao normal, sem falar nas queimaduras do velejador, que só foram tratadas quando ele chegou a Madagascar.

O trecho seguinte da travessia, entre a África e o Brasil, também começou da pior maneira possível. Para vencer com seu pequeno barco o Cabo da Boa Esperança, onde o Índico encontra o Atlântico e gera ondas do tamanho de pequenos edifícios, Serge viveu dias de extremo desconforto, acentuado pelo frio congelante das correntes marítimas que vêm da Antártica e ali desembocam.

Açoitado dia e noite por monstruosos vagalhões de água muito fria, o casco de alumínio do Acrohc Australis se transformou numa espécie de caixa frigorífica, enquanto sacudia não apenas para frente, para trás e para os lados, mas também para cima e para baixo. Diversas vezes, o veleirinho de Serge inclinou tanto que encostou o mastro no mar, ao mesmo tempo que era martelado por montanhas de água congelante, gerando um barulho ensurdecedor dentro da cabine-sarcófago, onde ele passou dias trancado.

Serge sofreu tanto para dobrar o histórico cabo africano, sobretudo com o frio, que decidiu mudar de rota: não mais avançaria para o sul, na direção do Cabo Horn, onde as águas do Atlântico se misturam às do Pacífico, nas cercanias da península Antártica (portanto, águas ainda mais geladas), mas subiria para o norte, rumo ao Canal do Panamá, onde a travessia para o maior dos oceanos é bem mais tranquila e segura — embora igualmente tensa para um barquinho tão pequeno quanto o dele.

Desta vez, a travessia foi tranquila, salvo a intensa movimentação de navios em alguns trechos. Mas Serge jamais abriu mão de dormir as noites inteiras, para descansar, a despeito de não haver ninguém lá fora para vigiar o mar e de sequer usar luzes de navegação, porque, segundo ele, elas de nada adiantariam frente aos gigantescos navios e ainda consumiriam toda a energia da única bateria que o Acrohc Australis tinha.

Mesmo sabendo dos riscos de ser atropelado no mar, Serge tinha confiança na resistência de seu barco e em sua capacidade de continuar flutuando mesmo após ser atingido, graças a meia dúzia de compartimentos estanques espalhados pelo pequeno casco. Além disso, considerava que seu barquinho, justamente por ser bem leve, não ofereceria nenhuma resistência a um eventual impacto, sendo apenas afastado, em vez de esmagado. Pelo menos era nisso que ele acreditava.

No Canal de Panamá, Serge esteve literalmente muito perto de comprovar isso, quando se viu lado a lado com gigantescos navios dentro das eclusas. Perto deles, o Acrohc Australis parecia uma canoa. Tão acanhado que não havia como seguir o protocolo de levar um prático a bordo. A solução foi prendê-lo a um veleiro maior e usar o mesmo prático do outro barco. Foi, talvez, a primeira vez que um barquinho tão pequeno cruzou o mais famoso canal do mundo. Tanto que, ao chegar à entrada do canal e comunicar, pelo rádio, os dados de seu barco, Serge teve que frisar que se tratava de uma embarcação de "12 pés" e não "12 metros", como habitualmente era interpretado por quem estava do outro lado.

Da mesma forma, sempre que ele dizia de onde estava vindo e para onde estava indo com aquele barquinho, havia uma constrangedora pausa na conversa, porque era difícil acreditar naquilo. Desde o início, responder aos incrédulos interrogatórios das pessoas durante a viagem tornou-se uma gostosa rotina para Serge, que, com isso, foi colecionando amigos e admiradores a cada escala.

Quando, porém, estava sozinho no mar, Serge passava o tempo conversando mentalmente consigo mesmo, admirando uma paisagem que raramente mudava e, eventualmente, pescando, para aumentar a quantidade de comida a bordo. Fisgava atuns e dourados com frequência, embora, muitas vezes, tivesse que disputá-los com tubarões maiores que o barco, na hora de recolher os peixes. Às vezes, só conseguia ficar com a cabeça deles.

Mas jamais passou fome. Serge chegou a ter comida estocada para ficar um ano inteiro no mar, apesar do trecho mais longo da viagem ter sido os dois meses que gastou para vencer a distância entre Galápagos e as Ilhas Marquesas, na Polinésia Francesa, já no Pacífico, no caminho de volta para casa.

Aquela foi, também, a primeira vez que Serge usou um equipamento de navegação de verdade, um Satnav, que permitia navegar com a ajuda de satélites, comprado no Panamá. Até então, ele usava apenas um pré-histórico sextante para determinar sua posição no mar — e raramente errava, apesar da dificuldade em mirar o horizonte a bordo de um barco bem menor do que as ondas.

Na Polinésia Francesa, Serge recebeu a visita de um de seus irmãos, mas como era impossível dormirem os dois no barco (e os parcos recursos da família não permitiam excessos, como quartos de hotéis), a solução foi alugar um carro e transformá-lo, também, em dormitório. Nenhum problema para quem se habituara a viver em espaços bem menores.

Na escala seguinte, as Ilhas Cook, Serge foi recebido com certa preocupação. Dois anos antes, passara por ali o americano Bill Dunlop a bordo de um barco ainda menor que o seu, o Wind's Will, de apenas 2,7 metros de comprimento. Com ele, Dunlop pretendia bater o recorde da travessia do Pacífico com o menor dos barcos, depois de já ter feito o mesmo no Atlântico. Mas não conseguiu. Partiu de lá e nunca mais foi visto.

Serge, porém, seguiu em frente, sem maiores problemas. Até que, três anos depois de ter partido de Brisbane com o firme objetivo de rodear o mundo com um barco menor que um automóvel, ele retornou à mesma cidade de onde iniciara aquela longa jornada, mas com o globo inteiro no currículo e o recorde da circum-navegação do planeta com o menor barco de todos os tempos garantido, o que perdura até hoje.

Na Austrália, Serge foi recebido como uma espécie de herói e o seu minúsculo barco levado para o museu de Queensland, bem perto de onde ele atualmente vive. E ainda navega. Mas, agora, só com barcos de tamanho convencional. Seu incrível recorde, no entanto, permanece.

Um navio no quintal de casa

Quando aquela socialite ficou sabendo da triste novidade, tratou de tirar proveito da situação inusitada

Na manhã de 23 de novembro de 1984, a socialite americana Mollie Wilmot, dona de uma mansão à beira-mar em Palm Beach, na Flórida, foi despertada com uma notícia improvável: havia um navio encalhado no jardim de sua casa. E era verdade.

O velho e decrépito cargueiro venezuelano Mercedes I, que havia partido dias antes da Ilha Margarita, na costa da Venezuela, com destino ao porto de Palm Beach (e que, na viagem, já havia sofrido nada menos que quatro panes seguidas nos motores), tinha perdido a âncora durante a noite, enquanto aguardava autorização para entrar no porto e, agora, jazia entalado na areia da praia, a míseros metros do impecável gramado dos jardins da milionária — o que, inclusive, comprometia a sessão de fotos de sua casa para uma revista, programada para aquele dia.

Mas Mollie não ficou nem um pouco incomodada com a inusitada visita. Ao contrário, resolveu explorar o fato de ter um navio no quintal (que ela imediatamente alardeou, com muito bom humor, como "o maior Mercedes que alguém poderia ter em casa") e convidou os assustados tripulantes do navio a desembarcarem através da própria mansão, sob os flashes dos fotógrafos que ela mesmo se encarregou de chamar.

Junto, porém, com a imprensa, veio também a polícia, que tratou de interromper aquele espetáculo midiático, porque, além de tudo, nem todos aqueles venezuelanos tinham autorização para desembarcarem nos Estados Unidos.

O impasse foi sanado com a proposta de colocar os tripulantes sob custódia em um hotel, até que a situação do navio fosse resolvida. Mas nada aconteceu, porque, ao saber dos custos para retirar o navio da quase praia particular de Mollie, o dono do Mercedes I optou por abandoná-lo ali mesmo e trazer os tripulantes de volta, de avião.

Foi quando aquele velho barco, coberto de ferrugem de cima a baixo, virou um problema de fato para Mollie, que passou a ter uma inconveniente paisagem em seu jardim à beira-mar. Mas, de novo, ela transformou o incômodo em mais uma forma de autopromoção.

Mollie entrou em contato com um fundo americano de prevenção contra vazamentos de óleo no mar e conseguiu convencê-los a não só retirar o velho navio da frente de sua casa, como, em seguida, afundá-lo em mar aberto, criando assim um recife artificial para os mergulhadores — o primeiro do gênero na costa da Flórida e, até hoje, conhecido como recife Mercedes. A prefeitura de Palm Beach, no entanto, não autorizou o naufrágio nas águas do município, o que fez Mollie recorrer à cidade vizinha de Fort Lauderdale.

No dia 30 de março de 1985, depois que técnicos abriram uma sequência de buracos no fundo do casco do navio encalhado e depositaram cerca de 150 quilos de dinamite dentro dele, o Mercedes I foi rebocado para bem longe da praia e espetacularmente afundado. Mollie assistiu a tudo em grande estilo, de dentro de um cinematográfico dirigível, que ficou sobrevoando a área, enquanto o Mercedes I descia para o seu derradeiro ancoradouro, agora transformado em um refúgio da fauna marinha. Na ocasião, até um drinque, batizado de Mollie´s Follies (algo como "Loucuras da Mollie)", foi criado em homenagem ao folclórico episódio.

Não demorou muito para o local do naufrágio virar um dos pontos de mergulho mais populares da Flórida, o que levou o governo daquele estado a criar outros 50 recifes artificiais do mesmo tipo, ao longo da costa. A própria prefeitura de Palm Beach se arrependeu profundamente de não ter autorizado o afundamento do Mercedes I em suas águas e, para compensar a bobeada, resolveu depositar no fundo do mar diante da cidade algo ainda mais atraente: um automóvel.

Mas não um carro qualquer e sim um Rolls Royce Silver Shadow, na época considerado um dos automóveis mais exclusivos do mundo. E bem mais adequado ao maravilhoso mundo da espirituosa Mollie Wilmot que um velho navio cargueiro enferrujado.

Isso que é bater recorde!

Apesar da idade avançada, ele não só fez a volta ao mundo em solitário mais rápida da época, como em bem menos tempo do que pretendia

O americano Dodge Morgan sempre cultivou o sonho de dar a volta ao mundo velejando. Em 1985, aos 53 anos, depois de ficar rico com uma empresa de detectores de radares, ele decidiu vender o negócio, encomendar um bom barco, que batizou de American Promise, e partir em busca de seu objetivo: tornar-se o homem a dar a volta ao mundo pelo mar mais rápida da História.

Para tanto, Morgan decidiu que navegaria sozinho e não faria nenhuma parada no caminho. Até então, o recorde do gênero pertencia ao inglês Chay Blyth, que, entre 1970 e 1971, dera a volta ao mundo, também em solitário e sem escalas, em 292 dias, navegando no sentido leste. Já Morgan pretendia fazer o mesmo em apenas 180 dias, navegando no sentido oposto, ou seja, Oeste, direção na qual a predominância dos ventos é mais favorável a circum-navegação do planeta. Mesmo assim, todos duvidaram que ele conseguiria atingir tal marca, porque ela representava 100 dias a menos que o recorde vigente.

Mas, quando Morgan completou sua jornada, na mesma cidade de onde partiu, em novembro de 1985, ele não só trucidou o antigo recorde como rodeou o planeta inteiro em apenas 150 dias, um mês a menos do que ele próprio pretendia, o que o transformou numa espécie de herói da vela americana.

Satisfeito com o seu feito, ele, então, vendeu o barco e comprou uma pequena ilha na costa do Maine, onde viveu, sozinho, até morrer, de câncer, em 2010. Quando isso aconteceu, o seu espetacular recorde já havia sido pulverizado. Mas por velejadores bem mais jovens que o velho e audacioso Dodge Morgan.

O caçador de tesouros que jamais desistiu

O americano Mel Fisher passou 16 anos procurando um tesouro e repetindo "hoje é o dia!". Até que, um dia, acertou

Poucas coisas mexem tanto com a imaginação das pessoas quanto à caça a um tesouro. Todo mundo sonha com isso. No caso do fundo do mar, este é um sonho perfeitamente plausível, porque como as riquezas do passado eram transportadas em barcos — que não raro afundavam —, é certo que muitos deles persistem até hoje nas profundezas. Mas raríssimas pessoas já encontraram um tesouro de verdade. O americano Mel Fisher foi um deles.

Em 1985, após 16 anos de uma obstinada busca quase que diária nas águas rasas da região das Keys, minúsculas ilhas e bancos de areias no extremo sul da Flórida, nos Estados Unidos, Fisher finalmente encontrou o que tanto procurava: os restos do naufrágio do galeão espanhol Nuestra Señora de Atocha, ocorrido exatos 363 anos antes.

Foi um acontecimento histórico e um dos mais fabulosos tesouros náuticos oficialmente encontrados de todos os tempos. Mas Fisher não teve como manter em sigilo o seu achado. Até porque ele revelou ser bem maior que o esperado. Só em moedas de ouro e lingotes de prata estimou-se o tesouro do galeão em cerca de 400 milhões de dólares. Uma dinheirama que despertou a cobiça do governo da Flórida, que acionou a Justiça, alegando ter direitos sobre o achado, já que ele estava nas águas do estado.

Mas não conseguiu. Fisher ganhou a causa e, uma vez milionário, tomou duas atitudes: passou a se dedicar com afinco à arqueologia submarina (atividade que o fez passar a dar tanto valor a um simples pote de barro quanto a uma moeda de ouro) e abriu um museu sobre o tesouro recuperado do Atocha na pequena cidade de Key West, a pouca distância de onde o galeão foi encontrado.

A história do tesouro do Atocha remonta ao século 17, quando as minas de ouro e prata das américas faziam a corte espanhola enriquecer. De Potosi, na Bolívia, saiam fortunas, por terra, em direção ao México, onde eram embarcadas para Cuba, e, de lá, para a Espanha. No final de agosto de 1622, uma grande frota com oito galeões escoltados por outros barcos, para combater os piratas, partiu de Havana, levando um novo carregamento de ouro e prata para a Europa. O barco líder da flotilha era o galeão Nuestra Señora de Atocha, com 250 tripulantes e muitas toneladas de preciosidades a bordo. Mas a viagem começou bem atrasada.

Quando a flotilha partiu de Cuba, no início de setembro, a temporada de furacões do Caribe já havia começado. Como consequência disso, dias depois, quando a flotilha navegava nas proximidades da pon-

PROCURAVA UM TESOURO, ACHOU OUTRO

Em 1972, quando buscava os restos do galeão Atocha, o mesmo Mel Fisher encontrou outro antigo barco naufragado. Mas, como a pesquisa inicial mostrou que a nau descoberta aparentemente não transportava metais preciosos, ele deu pouca bola para o achado. Teria ficado por isso mesmo, se, num dos últimos mergulhos exploratórios no naufrágio prestes a ser abandonado, um dos membros da equipe de Fisher não tivesse encontrado uma intrigante argola de ferro. E, depois, outra. E muitas outras mais, num claro sinal de que se tratava de um navio de transporte de escravos. Vasculhando melhor, encontraram, também, o sino do navio, que revelou a identidade do barco. Era o Henrietta Marie, de 1699, nada menos que o mais antigo navio-negreiro americano. Em termos de História, foi um achado ainda mais valioso que o galeão do tesouro.

ta da atual Flórida, um furacão atingiu a região e dois galeões naufragaram: o Santa Margarita e o próprio Atocha. Os sobreviventes retornaram a Cuba e contaram o ocorrido, fazendo com que os espanhóis enviassem equipes para recuperar os tesouros. Mas eles não localizaram os dois naufrágios. Começava a saga em busca dos milionários restos do Atocha.

Trezentos e cinquenta anos depois, Mel Fisher, um ex-criador de galinhas, passou a se interessar por resgate de naufrágios. Em especial, pelo tesouro do Atocha, que estava vagamente registrado em velhos livros, que ele gostava de pesquisar. Só que ninguém sabia onde o galeão repousava — apenas que ele estava em algum ponto do fundo do mar da Flórida.

Por conta própria, Fisher passou a vasculhar o fundo do mar da região. Teve sorte e logo encontrou um velho galeão, que não continha tesouro algum mas que, mesmo assim, lhe rendeu algum dinheiro, com objetos históricos. Com o que ganhou, ele montou uma empresa profissional de salvatagem e contratou um historiador, Eugene Lyon, para decifrar velhos manuscritos espanhóis. Seu objetivo era um só: encontrar o Atocha.

Nos arquivos das Índias, em Sevilha, na Espanha, o historiador Lyon achou um texto de 1626 que versava sobre as tentativas de localização do galeão Santa Margarita, que afundara junto com o Atocha. E lá estava uma pista: ele citava um certo "Cayo Marquesas", um banco de areia que existe até hoje na região das atuais Florida Keys. Fisher partiu para lá, com sua equipe.

Mas um equívoco na tradução do espanhol arcaico, a princípio não detectado pelo pesquisador, fez Fisher começar as buscas no lado errado do banco de areia, a Leste e não a Oeste, como seria o correto. O engano lhe custou anos de trabalho em vão. Até que o próprio Lyon descobriu a confusão e avisou Fisher.

Ao mudar de direção, as buscas começaram a surtir efeito. E vestígios foram aparecendo. Só que, em seguida, aconteceu uma tragédia: dias depois de descobrir um canhão submerso, prova cabal de ali havia um antigo naufrágio, o filho de Fisher, a mulher dele e outro mergulhador morreram afogados, quando um dos barcos da empresa virou no mar, durante os trabalhos de prospecção da área.

Fisher ficou muito abalado com a perda do filho, mas nem assim perdeu o entusiasmo em encontrar o galeão que tanto sonhava. Antes de cada novo mergulho, sempre reunia a equipe e dizia a mesma frase: "Hoje é o dia!". Até que, um dia, ele acertou. Mas isso só aconteceu dez longos anos depois do início da busca pelo Atocha no lado certo do banco de areia.

Era 20 de julho de 1985 quando o Atocha foi, finalmente, descoberto — após 16 anos de buscas. O galeão estava destruído, mas seu tesouro, intacto. Sobretudo o ouro e cerca de 1 000 lingotes de prata. Foi o maior achado do gênero na época e tornou o museu onde hoje está a mostra uma parte do que foi encontrado, uma das maiores atrações turísticas do sul da Flórida.

Mel Fisher morreu em 1998, aos 76 anos, rico e famoso por ter sido um dos mais perseverantes caçadores de tesouros náuticos de todos os tempos.

O lendário barco da lata

Para não serem presos, os tripulantes atiraram 15 000 latas de maconha ao mar. Para alegria dos cariocas

O verão carioca de 1988 foi marcado por um fato curioso, que fez a alegria de muitos frequentadores das praias do Rio de Janeiro: a chegada, pelo mar, de latas cheias de maconha, no que ficou conhecido como o "verão da lata" e virou até letra de música na época.

Tudo começou quando o barco cargueiro panamenho Solano Star partiu de Cingapura, com destino a Miami com uma carga de 22 toneladas de maconha disfarçada dentro de latas que imitavam alimentos em conserva. Alertada pelo departamento antidrogas dos Estados Unidos, que monitorava secretamente o avanço do barco, a Polícia Federal do Brasil entrou em ação e abordou o pequeno cargueiro quando ele passava ao largo da cidade do Rio de Janeiro.

Mas, antes que isso acontecesse, com problemas mecânicos que fatalmente o obrigariam o barco a fazer uma escala não prevista no porto da cidade, a tripulação do Solano Star já havia atirado ao mar toda a sua carga proibida, para alegria especialmente dos surfistas, que viram chegar às praias cariocas latas e mais latas cheias de maconha, como se fossem presentes de Iemanjá. Das cerca de 15 000 latas que o barco transportava, apenas pouco mais de 2 500 foram recuperadas pelas autoridades brasileiras, nas praias. As demais serviram para embalar festas na cidade, além de transformar a expressão "da lata" em sinônimo de coisa boa, já que a maconha era da mais alta qualidade.

Quando a polícia abordou o Solana Star, nada encontrou a bordo. Com isso, nem a sua tripulação foi presa. Só o barco ficou confiscado, apesar dos protestos do armador, que dizia nada saber sobre a tal carga.

A euforia carioca com as latas de maconha do Solana Star durou meses, mas o destino do barco foi bem menos glorioso. Retido durante dois anos e, depois, leiloado, ele virou barco pesqueiro e foi rebatizado Tunamar, mas logo na primeira viagem, adernou, emborcou e afundou na altura de Arraial do Cabo, ao que tudo indica por excesso de peso.

Depois de fazer a alegria dos maconheiros do Rio de Janeiro, o Tunamar (ex-Solana Star) hoje alegra os mergulhadores que o visitam no fundo do mar, em busca de diversão e — quem sabe? — alguma lata esquecida no casco.

Bateau Mouche: sinônimo de tragédia

Irresponsabilidade e impunidade marcaram o mais famoso e dramático naufrágio do Brasil

Na noite de 31 de dezembro de 1988, o mar que banha a cidade do Rio de Janeiro estava particularmente agitado, mesmo dentro da Baía de Guanabara. Ventos fortes e ondas de mais de dois metros de altura na saída da baía traziam certo risco a navegação.

Preocupado, o comandante do Bateau Mouche IV, um antigo pesqueiro transformado em barco de recreio que fazia passeios regulares nas águas cariocas, Camilo Faro da Costa, comentou seus temores ao ligar para casa, antes de partir para sua derradeira viagem — nem ele escaparia da tragédia que aconteceria horas depois e que se tornaria o mais emblemático naufrágio da história do Brasil. Disse, também, que teria que navegar com mais passageiros que o barco permitia, porque, na ânsia de aproveitar a oportunidade, a empresa que fretara o barco para uma festa de Réveillon no mar, diante do show de fogos de artifício da praia de Copacabana, tinha vendido mais bilhetes que deveria.

Faro sabia das limitações do barco que comandava. Ele estava em mau estado e havia passado por uma série de alterações, visando aumentar sua capacidade. Uma delas criara um segundo deque (na verdade, uma absurda marquise de concreto, que pesava cerca de quatro toneladas) no lugar do simples telhado de madeira que, até então, protegia o convés principal do sol. Com isso, o barco passou a ter dois "andares" externos, além do salão interno.

A reforma, assinada por um engenheiro civil — e não naval —, incluiu, ainda, duas caixas d'água no novo deque, cada uma com capacidade para 2 500 litros de água, o que aumentou o peso suspenso no barco em cerca de nove toneladas, sem que isso tivesse a devida compensação no equilíbrio na parte de baixo do casco. A mudança alterou drasticamente o centro de gravidade do barco, que passou a se comportar como uma espécie de joão-bobo ao contrário — tinha mais peso em cima que embaixo.

Dentro do barco também foram feitas alterações. A descarga de um dos banheiros foi modificada e a válvula que bloqueava a entrada de água externa ao vaso sanitário retirada. Com isso, se o barco adernasse demais, como aconteceria naquela noite de mar agitado, a água poderia entrar pelo vaso — como, de fato, entrou naquela triste noite de Réveillon. A Marinha vistoriou o barco na antevéspera do naufrágio e não fez nenhuma objeção às reformas. Nem mesmo ao fato de, depois delas algumas escotilhas terem ficado abaixo da nova linha d'água pintada no casco, fruto do brutal aumento de peso no barco.

Para tornar ainda mais crítica a precária estabilidade do barco, o Bateau Mouche IV recebeu, para aquela festa de Réveillon, dezenas de mesas com pesados tampos de mármore, que tampouco foram fixadas no convés. Mais tarde, as mesas soltas virariam uma espécie de arma deslizante contra os ocupantes do barco.

No embarque, a confusão já era geral. Não havia uma lista formal de passageiros. A sensação era que havia gente demais para embarcar. E havia mesmo, porque a empresa que havia fretado o barco para a festa do Ano-Novo havia vendido mais passagens que deveria. Havia diversas famílias completas e algumas crianças. Não poderia haver cenário mais cruel para uma tragédia. E o pior é que ela poderia ter sido evitada.

A catástrofe começou a tomar forma às 21h15 do último dia de 1988, quando o Bateau Mouche IV soltou as amarras e partiu do píer da restaurante Sol & Mar, dentro da Baía de Guanabara, rumo a Copacabana. A bordo, quase não havia espaço para caminhar. Havia gente demais e mesas e cadeiras atravancavam os conveses. E não havia nenhum colete salva-vidas à mostra. Os que o barco possuia, em número insuficiente para tantos passageiros, estavam trancados em um banheiro desativado, que fora transformado em depósito. E todos em péssimo estado.

Minutos depois de partir, no entanto, surgiu uma esperança de que aquela previsível catástrofe pudesse ser evitada. Uma lancha da Capitania dos Portos deu quatro voltas ao redor do barco e mandou que ele parasse. Dois oficiais subiram a bordo, conversaram rapidamente com o comandante Faro, mas foram embora. Minutos depois, voltaram e reembarcaram. Pareciam não estar convencidos de algo. O barco demonstrava ter gente demais e navegava de maneira instável. Os oficiais contaram, rapidamente, a quantidade de passageiros e ordenaram que o Bateau Mouche IV retornasse ao pier. E ele voltou. Infelizmente, por pouco tempo.

No atracadouro, aconteceu uma suspeita conversa entre os dois oficiais e o representante da empresa que fretara o barco, testemunhada, a distância, pelos próprios passageiros. Em seguida, os dois fiscais retornaram ao Bateau Mouche e deram permissão de partida ao comandante. Mais tarde, uma

A CULPA FOI DO BARCO

Dos mais de 15 mil nadadores que já tentaram cruzar o Canal da Mancha a nado, dez morreram na empreitada. Um deles foi a brasileira Renata Agondi, que, em 1988, depois de mais de dez horas avançando no mar gelado e agitado, morreu de parada cardíaca causada pelo esforço sobre-humano de seguir avançando após mais de 40 mil braçadas dadas. Falta de preparo para tamanho desafio? Não. O que matou a jovem nadadora de 25 anos, então uma das promessas da natação brasileira, foi o despreparo do seu próprio barco de apoio — além da determinação irrefreável da própria nadadora. A partir da metade do percurso, o piloto do barco, a quem cabe indicar a direção a seguir pela nadadora, errou o rumo e esticou demais a rota. Ao perceber o erro, a treinadora da brasileira ordenou que ele abortasse a travessia. Mas Renata, que nunca desistia de nada, ignorou a ordem e continuou nadando. Morreu metros depois. E só a treinadora foi considerada culpada.

investigação da Marinha comprovou que houve algum tipo de suborno. Mas os dois oficiais foram punidos apenas pela própria corporação — não pela Justiça.

O regulamento do passeio previa que, se o mar estivesse ruim, ele se restringiria ao interior da Baía de Guanabara. Mas isso também não foi respeitado pelos responsáveis pela festa. Para não frustrar os passageiros, ansiosos por verem o espetáculo dos fogos na praia mais famosa do país, eles ordenaram que o mestre Faro fosse até Copacabana, apesar de o mar estar em condições impróprias, sobretudo para um barco superlotado. O comandante até tentou atrasar ao máximo a partida, de forma a ficar o menor tempo possível na área de mar aberto, onde o risco era maior. Mas o Bateau Mouche IV nem chegou até lá. Na saída da baía, faltando menos de dez minutos para a meia-noite, quando começaria o espetáculo, veio a catástrofe.

Ventava forte quando o Bateau Mouche IV partiu, pela segunda vez, balançando ainda mais. Um dos passageiros chegou a brincar com um amigo, perguntando se o barco estava balançando mais que antes ou se era ele que já estava bêbado. O amigo respondeu que eram as duas coisas.

Como fazia calor, apesar da chuva fina que caia, algumas escotilhas do casco estavam abertas — e outras, em mal estado, não tinham borrachas de vedação. Com o balanço acentuado do casco, passou a entrar água no salão interno, escorrendo e empoçando no porão, onde ficavam os motores. Além disso, a descarga daquele vaso sanitário que havia sido alterada passou a verter água para dentro em vez de expulsá-la, como testemunharam alguns passageiros que tentaram usar o banheiro. Na cabine de comando, o mestre Faro acelerou um pouco mais, de olho no relógio, a fim de chegar na praia antes da meia noite, mas, estranhamente, o barco não respondia. Sem que ele soubesse, a casa de máquinas estava enchendo de água, deixando o barco ainda mais pesado e instável. Era o início do fim.

No exato instante em que o barco atingiu a saída da Baía de Guanabara, os motores, inundados, pararam de funcionar, bem como o gerador. O barco ficou às escuras e à deriva, à mercê das ondas. Três delas, em sequência, fizeram o Bateau Mouche jogar violentamente de um lado para outro, derrubando as pessoas e fazendo com que as mesas soltas deslizassem, feito bolas de boliche. Com o peso dos passageiros e do mobiliário concentrado num só lado, o Bateau Mouche IV inclinou ainda mais e capotou. Em seguida, afundou. Faltavam menos de dois minutos para o Ano-Novo.

Quem estava nos conveses foi esmagado pelas mesas soltas ou arremessado ao mar. E quem estava no salão interno, desceu junto com o barco. Na água, o formigueiro humano de sobreviventes passou a boiar como podia, sem coletes salva-vidas, em meio a um mar grosso. A gritaria contrastava com a alegria dos fogos de artifício, já espocando ao longe, em Copacabana.

Foi o alvoroço na água que chamou a atenção de alguns barcos que também seguiam para a festa. Mas, apesar das dimensões da tragédia, nem todos pararam para socorrer às vítimas. A escuridão não permitia enxergá-los. É certo que algumas vítimas que escaparam do naufrágio acabaram morrendo atropeladas pelos mesmos barcos que poderiam tê-las salvo. O horror havia se instalado nas águas da Baía de Guanabara.

Só dois barcos perceberam a situação e passaram a recolher o máximo possível de pessoas. Um deles era a humilde traineira do pescador Jorge Souza Viana, que seguia para Copacabana com a família. Com os olhos treinados por décadas de mar, ele viu uma estranha mancha branca na água e resolveu se aproximar. Era a popa do Bateau Mouche IV, minutos antes de afundar por completo. O pescador desligou o motor e deixou o barco se aproximar lentamente. Foi, então, cercado por náufragos desesperados, que queriam embarcar todos ao mesmo tempo. Se isso acontecesse, a pequena traineira também tombaria, transformando sua própria família em náufragos. O pescador ameaçou os mais impetuosos, mas recolheu 31 pessoas, entre mulheres e crianças. Mais que isso, não cabia na sua acanhada traineira. Lançou o que tinha ao mar, para servir de boia e aliviar o peso do barco, e partiu, levando a primeira leva de sobreviventes.

Outro barco, o iate Casablanca, também socorreu muita gente. Do posto de comando, o dono do iate viu alguns pontos claros boiando na água e mandou o marinheiro se aproximar. Eram as roupas brancas que os passageiros do Bateau Mouche IV vestiam para a festa de Réveillon. Foram salvos por aquele detalhe.

Quem escapava com vida logo entrava em pânico, ao descobrir que seus parentes, não tiveram a mesma sorte. Quase nenhuma família que estava a bordo saiu intacta do naufrágio. Das 142 pessoas que estavam no Bateau Mouche IV naquela noite, 55 perderam a vida.

Dias depois, no rastro de um rumoroso inquérito instalado por força da indignação popular com a ganância das empresas responsáveis pelo barco

— e com o pouco caso das autoridades que deveriam tê-lo fiscalizado —, o Bateau Mouche IV foi içado do fundo da baía. Dentro dele, jaziam mais alguns corpos. Dois estavam na cabine de comando. Um era o do próprio comandante Faro. O outro, o engenheiro responsável pela desastrada reforma no barco.

Mais tarde, simulações demonstraram que a estabilidade do Bateau Mouche IV após a ampliação dos deques era praticamente zero. Do jeito que estava, ele poderia ter tombado mesmo atracado. Não houve um motivo para o naufrágio. Houve vários. Um completo descaso.

Apesar da comoção nacional que o naufrágio gerou e das claras evidências de ganância e negligência, praticamente ninguém foi punido. No primeiro julgamento, o juiz responsável pelo caso preferiu concentrar as responsabilidades apenas no mestre e no engenheiro do barco — que não podiam ser punidos, pois haviam morrido no naufrágio.

Indignada, a sociedade exigiu um segundo julgamento, que, por fim, acabou condenando três dos nove sócios do barco (dois espanhóis e um português) por homicídio culposo, quando não há intenção de matar. As penas foram de prisão em regime semi-aberto, o que permitiu aos réus passarem os dias fora do presídio. Não demorou e todos fugiram do país. Na prática, acabou que ninguém foi punido. O caso do Bateau Mouche IV revelou, também, outra tragédia brasileira: a da Justiça.

Entre os sócios da empresa que fretara o barco, um morreu em seguida ao naufrágio e os outros seguem, até hoje, empurrando os processos de indenização das famílias das vítimas, com intermináveis recursos. Ironicamente, só quando a tragédia completou 30 anos, em dezembro de 2018, o Supremo Tribunal Federal condenou a União (por negligência na vistoria do barco e por ter concedido autorização para aquele passeio) e os sócios ainda vivos da falida empresa de turismo que fretara o Bateau Mouche IV a indenizarem uma dezena de parentes das mais de 50 vítimas fatais do desastre. Valor da Indenização: entre R$ 150 000 e R$ 450 000 — quase nada perto do valor inestimável de uma vida.

Outras 40 famílias ainda aguardam alguma compensação pelo que aconteceu naquela noite de horror. De certa forma, a tragédia do Bateu Mouche IV segue viva até hoje.

O naufrágio dos 5 000 carros

O que causou tanta comoção no caso do cargueiro Reijin não foi o encalhe do navio. Foi o fim de sua cobiçada carga

Durante um bom tempo, ao longo da primavera de 1988, a principal distração dos frequentadores da Praia da Madalena, no litoral norte de Portugal, foi sentar-se na areia e ficar admirando o enorme casco do cargueiro japonês (mas com bandeira panamenha e tripulação sul-coreana) Reijin, tombado bem diante da praia. O navio era tão grande que praticamente impedia a visão da linha horizonte. Não havia como ignorar aquele gigante de aço deitado a míseros metros da areia, e pequenas multidões passavam o dia apreciando aquela insólita paisagem.

Mas, bem mais interessante que o encalhe em si, era o que havia à mostra no convés do navio semiafundado: automóveis. Centenas de automóveis zero quilômetro. Cerca de 5 000 novíssimos carros da marca Toyota jaziam à mostra, sendo borrifados, dia e noite, pela água salgada. Uma desejada e valiosa carga, sendo paulatinamente deteriorada pelas ondas da praia.

Alguns banhistas mais ousados chegavam a nadar até o monstruoso casco adernado, em busca de algum suvenir ou — quem sabe? — um acessório possível de retirar dos automóveis prestes a serem engolidos pelo mar. Durante meses, a Praia da Margarida, que nunca fora muito popular entre os moradores da vizinha cidade do Porto, tornou-se atração turística de primeira grandeza na região. E tudo por conta da pitoresca carga daquele navio, logo apelidado de “Titanic dos carros”.

O que causou tudo aquilo foi a incompetência da tripulação sul-coreana, que, após desembarcar cerca de 200 automóveis no porto de Leixões, vizinho à praia, não tomou o devido cuidado de compensar o peso extraído do navio completando os seus tanques de lastro. A consequente má distribuição do peso a bordo desestabilizou o Reijin, que acabou tombando nas ondulações do rumo (também equivocado) que tomou ao sair do porto: em vez de rumar para o mar aberto, o navio avançou paralelo à costa, onde as ondas são sempre mais vigorosas.

Era madrugada do dia 26 de abril quando o costado de bombordo do Reijin inclinou e encostou no mar, incapaz de retornar à posição original. Em seguida, o navio foi arrastado pela ondulações até a orla, onde as pedras da Praia da Margarida celaram de vez o seu destino,. Dos 22 tripulantes que havia a bordo, um morreu e outro desapareceu no episódio. E, embora ainda novo (fora lançado apenas um ano antes e aquela travessia, do Japão até a Europa, era a sua primeira grande viagem), o Reijin foi dado como perdido, bem como sua cobiçada carga de automóveis, que virou pura tentação para a vizinhança da praia.

Nos meses subsequentes, para frustração geral da plateia, milhares de carcaças de carros jamais utilizados foram retiradas do navio encalhado e, mais tarde, junto com ele próprio, afundadas num ponto a 40 milhas da costa, o que transformou o local em um dos maiores ferros-velhos submersos do planeta. Nenhum automóvel foi salvo, muito menos resgatado pelos ambiciosos moradores da região.

Aos esperançosos banhistas da Praia da Margarida só restaram pedaços de ferro carcomido do navio e um ou outro acessório encharcado daqueles 5 000 automóveis trazidos pelo mar. Para eles, o sonho de ter um carro zero quilômetros de graça também morreu na praia.

O fim brutal do campeão da F1 dos mares

A onda não passava de uma marola, mas fez o barco decolar e ceifou a vida do mais badalado dos campeões da motonáutica

O italiano Stefano Casiraghi já era mundialmente famoso quando se tornou campeão mundial de motonáutica, em 1989, aos 29 anos — mas não por conta apenas das corridas de lanchas. Filho de um milionário e marido da princesa Caroline, de Mônaco, com quem se casara pouco antes, ele era um exemplo de alguém bem-sucedido na vida. Era jovem, rico, bonito, famoso, empresário habilidoso, pais de três lindos filhos com a famosa princesa e um talentoso piloto de corridas de barco nas horas vagas.

Nas competições, sua função não era propriamente pilotar as velozes lanchas da Classe 1 do Campeonato Mundial de Offshore, categoria topo da motonáutica e uma espécie de Fórmula 1 dos mares. A ele cabia a função apenas de acelerá-las. E fazia isso com arrojo e afinco. Em 1984, havia cravado o recorde mundial de velocidade na água, com a impressionante marca de 278, 5 km/h.

Casiraghi era o competente *throttleman* da poderosa lancha catamarã Pinot di Pinot, encarregado de cuidar dos aceleradores dos dois motores de 800 hp cada, aumentando ou diminuindo a potência conforme a situação, enquanto seu companheiro, o também italiano Patrice Innocenti, se incumbia do volante, dando direção ao barco. E foi uma infeliz manobra de ambos que causou o acidente que tirou a vida do então campeão mundial da modalidade.

Era a segunda volta de uma das etapas da Mundial de Offshore de 1990, nas águas de Saint Jean Cap Ferrat, cidade vizinha a Mônaco, onde Casiraghi vivia com a princesa Caroline e os filhos, e a dupla favorita, Innocenti e ele, liderava a competição já com certa folga, quando a combinação de velocidade excessiva, na hora estimada em 170 km/h, com a abordagem equivocada de uma pequena onda, de não mais que um metro de altura, fez a lancha decolar, girar e rodopiar no ar, antes de cair na água, de cabeça para baixo. Em seguida, o catamarã começou a afundar e só não sucumbiu por completo porque as bolsas de ar que se formaram dentro dos seus dois cascos mantiveram os bicos de proa — mas só eles — fora d'água.

Enquanto girava no ar, a lancha cuspiu longe o piloto Patrice Innocenti, que, graças a isso, sobreviveu sem maiores problemas. Já Casiraghi não teve a mesma sorte. Ficou preso no apertado habitáculo (a Pinot di Pinot tinha dois, um em cada casco, com piloto e *throttleman* separados por quase toda a largura do casco) e afundou junto com o barco. Mas a causa de sua morte não foi afogamento. O que matou o badalado piloto foi o impacto do casco de cinco toneladas na água, como comprovaria a autópsia mais tarde.

Tempo depois, também ficaria provado que se os cockpits da lancha de Casiraghi fossem fechados nem Innocenti teria sido ejetado nem ele morrido no impacto, o que levou a Federação Mundial a obrigar que, dali em diante, os habitáculos dos barcos da categoria passassem a ser cobertos. Também foi alterado o local das competições, que, apesar do nome "offshore" ("fora da costa"), passaram a ser disputadas em águas mais próximas das margens, a fim de agilizar os resgates em caso de acidentes — ainda que, no caso de Casiraghi, nem isso teria ajudado, porque a autópsia também revelou que ele teve morte instantânea.

Naquele dia, a competição foi interrompida e a etapa suspensa, em meio a uma comoção generalizada. O campeão Casiraghi, que defendia o título conquistado no ano anterior e que, três semanas antes, havia escapado de uma explosão no mesmo barco durante uma competição na ilha inglesa de Guernsey (razão pela qual havia decidido que aquela seria sua última temporada no Mundial de Offshore), estava morto. E isso traria um tom fúnebre às corridas de barcos por muito tempo.

Fora do circuito da motonáutica a comoção foi ainda maior. A morte brutal de Casiraghi foi um choque para a família Grimaldi, que sempre dominou o Principado, e deixou viúva a jovem princesa Caroline, cuja mãe, a ex-atriz americana Grace Kelly, havia morrido pouco antes também em um acidente de automóvel, na mesma região. E alimentou ainda mais a crença na maldição que sempre perseguiu os Grimaldi.

O funeral do piloto celebridade foi um acontecimento mundial e a cerimônia aconteceu na mesma catedral do Principado onde a mãe de Caroline fora velada, oito anos antes. Os três filhos do casal, Andrea, Charlote e Pierre Casiraghi, então com seis, quatro e três anos de idade respectivamente, estavam presentes e ao menos um deles, o caçula Pierre, herdou do pai o mesmo gosto pela velocidade na água — só que com barcos à vela.

Em 2016, durante uma regata na Itália, Pierre Casiraghi voltou a associar o sobrenome famoso com acidentes náuticos, quando o veleiro no qual competia abalroou um dos barcos da organização da prova. Felizmente, ninguém se feriu no episódio. Mas há quem diga que, talvez, a maldição dos Grimaldi ainda não tenha terminado.

Se flutuam, eles navegam

No auge da crise econômica em Cuba, milhares de cubanos se lançaram ao mar em busca do sonho americano, a bordo de qualquer coisa

Na década de 1990, sérios problemas políticos e econômicos levaram milhares de cubanos a tentar fugir para os Estados Unidos pelo mar, atravessando os 170 quilômetros de água que separam a ilha de Cuba do território americano, na Flórida, a bordo de embarcações totalmente improvisadas.

O auge dessa fuga desesperada em massa aconteceu em 1994, quando, todos os dias, centenas de cubanos se aboletavam sobre qualquer coisa que flutuasse, na esperança de chegar a uma praia dos Estados Unidos e começar nova vida, já que pelas leis americanas vigentes na época os imigrantes ilegais cubanos só podiam ser presos e extraditados se apanhados ainda no mar. Se conseguissem ticar em solo americano, automaticamente ganhavam direito a permanência no país, o que estimulou ainda mais cubanos a tentar aquela travessia insana. Foi a "crise dos balseros", como foi apelidado o movimento dos que tentavam aquela fuga a qualquer custo.

Na época, houve até uma tentativa de sequestro de um insólito ferry boat que fazia a travessia de um braço de mar em Havana, com o objetivo de desviá-lo para Miami — o que, obviamente, não deu certo. A balsa era infinitamente mais lenta que as lanchas da polícia cubana e foi detida antes mesmo de sair dos limites da baía. Além disso, ela não teria combustível para fazer aquela travessia.

Dez anos depois, em 2004, as tentativas de imigração de cubanos pelo mar continuaram intensas e geraram episódios dramáticos quase que diários nas praias da Flórida. Em um deles, um grupo de banhistas de Fort Lauderdale não pensou duas vezes na hora de entrar no mar e ajudar dois homens e uma mulher a chegar à praia, antes que a polícia os interceptassem na água, numa cena típica de filme de aventura. Os três cubanos estavam há dez dias no mar, se equilibrando sobre quatro câmeras de pneus de trator amarradas em forma de balsa, e tão exaustos que não conseguiam nadar até a praia. Foram ajudados pelos banhistas e, assim sendo, cumpriram a formalidade legal de tocar o solo americano antes de serem apanhados.

No mesmo ano, outro fato bizarro envolvendo balseros cubanos correu o mundo. Marciel Lopez e Luis Rodrigues foram detidos pela Guarda Costeira americana a quilômetros da costa da Flórida, tentando alcançar os Estados Unidos com um pré-histórico automóvel Buick, de 1959, que eles, engenhosamente, haviam transformado em um veículo anfíbio. Na mesma ocasião, outro grupo fez o mesmo com um Mercury ainda mais velho.

Todos, porém, tinham alguma experiência no assunto. Meses antes, juntos, eles haviam participado de uma tentativa ainda mais absurda: fazer a mesma travessia com um caminhão Chevrolet 1951, caseiramente adaptado para "rodar" na água e com mais de 50 cubanos na carroceria. Os "camionautas", como ficaram conhecidos, foram detidos pelos agentes americanos e mandados de volta para a ilha, onde, no entanto, apenas aperfeiçoaram o engenho e o transplantou para aqueles dois velhos automóveis — que também foram interceptados.

Mesmo assim, eles não desistiram. Metade do grupo, por fim, chegou aos Estados Unidos, por meio de uma travessia "convencional". Ou seja, a bordo de uma balsa improvisada feita com câmaras de ar de pneus de caminhão e presas com pedaços de madeira arrancados dos bancos de praças de Havana.

Mais originais ainda foram os nove cubanos, que, em setembro de 2014, desembarcaram na elegante costa de Key Biscaine, em Miami, dentro de uma prosaica lata de lixo, dessas usadas para recolher entulhos nas ruas. Ela fora adaptada para receber o motor de um velho caminhão e ganhou câmaras de ar de pneus em volta, para não afundar. Nela, o grupo passou dez dias no mar, mas conseguiu chegar.

Para conquistar o sonho americano, a necessidade virou a mãe da criatividade dos cubanos.

Náufraga de quatro patas

A cadelinha que driblou tubarões, nadou quilômetros e sobreviveu cinco meses numa ilha quase deserta

Era apenas mais um passeio de barco do casal Jan e Dave Griffith, pelo litoral de Queensland, na Austrália, quando o inesperado aconteceu: uma onda mais forte da tempestade que se aproximava estourou sobre a lancha e arrastou para o mar o terceiro ocupante do barco: a cadelinha Sophie, que sempre ia com seus donos para o mar.

Apesar da tormenta chegando, o casal vasculhou a área durante um bom tempo, em busca da cachorrinha perdida. Mas não encontraram nem sinal do animal no mar. Resignados, voltaram para casa e tentaram esquecer o triste episódio.

Cinco meses depois, os parcos habitantes das remotas Ilhas St. Bees, na região da Grande Barreira de Corais, começaram a estranhar o surgimento de várias carcaças de filhotes de cabras mortas e chamaram a polícia florestal, pensando se tratar de algum animal selvagem.

Sim, era um animal que vinha causando as mortes daquelas cabras, mas ele não nada tinha de selvagem — tinha, apenas, fome. Era a cadelinha Sophie, tentando sobreviver naquela ilha quase deserta, feito uma versão canina de Robinson Crusoé. Facilmente capturada, ela foi despachada para o continente.

Por uma dessas artimanhas do destino, a notícia de que um cachorro havia sido encontrado numa ilha onde não existiam cães chegou aos ouvidos do ainda triste casal Jan e Dave. Mesmo sabendo que não poderia ser Sophie, já que as Ilhas St. Bees ficam a mais de dez quilômetros do local onde a onda invadiu o barco naquele dia de mar violento, os Griffith foram até o local onde estava o animal, para conhecer "a fera da ilha", como aquela cadelinha passou a ser jocosamente chamada. E deram de cara com a dócil Sophie, logo transformada em heroína náutica, assim que sua história foi contada.

O que mais impressionou o casal e os australianos em geral não foi nem o fato de Sophie ter conseguido nadar tanto no mar turbulento, nem de ter conseguido (sabe-se lá como) avançar na direção de uma ilha que sequer era visível no local do acidente — mas sim ter sobrevivido aos tubarões, que infestam as águas da região.

Para um predador de olfato extraordinário, como é o tubarão, o cheiro forte de um cachorro molhado tem o mesmo atrativo de um churrasco. Mesmo assim, nada aconteceu com Sophie, que, além de sortuda, virou uma espécie de símbolo da sobrevivência no mar, mesmo sendo um animal com patas em vez de nadadeiras.

A saga dos patinhos navegadores

Em 1992, cerca de 30 000 patinhos de borracha caíram no mar. Alguns deles seguem boiando até hoje

Era uma vez um navio cargueiro que, em janeiro de 1992, durante uma tempestade, deixou cair no mar um dos contêineres que transportava. Até aí, nada de mais. Contêineres perdidos no mar são fatos quase corriqueiros nos oceanos. Só que, naquela ocasião, ao cair na água, o contêiner se abriu e espalhou no mar sua curiosa carga: quase 30 000 patinhos de borracha, desses usados para divertir as crianças nas banheiras, que haviam sido produzidos na China e estavam sendo levados para os Estados Unidos. A lógica era que os patinhos logo virariam apenas mais um pouco de lixo no oceano. Mas não foi bem o que aconteceu.

Como se tratavam de brinquedos feitos justamente para boiar, meses depois, alguns patinhos começaram a chegar a certas praias do Alasca, a mais de 3 000 quilômetros do local do incidente. E, nos anos seguintes, passaram a pipocar, também, em partes bem mais distantes do globo, como a China e a Escócia. Nascia assim a "caça aos patinhos navegantes", brincadeira que, durante muitos anos, arregimentou pessoas no mundo inteiro.

Isso aconteceu porque aquele contêiner caiu num ponto específico do Pacífico onde duas correntes marítimas se encontram e cada uma prescreve um círculo completo, envolvendo mais de um continente. Uma delas, chamada Giro Subártico, faz uma volta completa — e permanente — entre a América e a Ásia, além de unir-se a outra corrente que atravessa o Estreito de Behring, até o Atlântico, o que explica o surgimento de patinhos também na Europa e na costa leste americana, do outro lado do Pacífico.

Com base nisso, os cientistas perceberam que aquela inusitada tropa de patinhos de borracha era uma maneira eficaz de estudar as correntes marítimas e passaram a pedir que, quem os encontrasse, fizesse contato. Ao mesmo tempo, ao notar que algumas pessoas estavam de fato empenhadas em coletar os tais patinhos, a empresa dona da carga, uma rede americana de lojas de artigos infantis, farejou uma oportunidade de ganhar visibilidade mundial e passou a oferecer 100 dólares de recompensa por cada brinquedo devolvido. Com isso, a caça aos patinhos se transformou, também, em um modismo rentável. Além disso, colecioná-los tornou-se algo ainda mais desejado.

Quanto mais deteriorados os patinhos iam surgindo, mais passaram a valer para os colecionadores, porque isso significava que haviam ido mais longe ou que tinham ficado no mar mais que os outros. O movimento gerou até um livro, o divertido *Moby Duck* (um trocadilho com *Moby Dick*), escrito por Donovan Holh, um dos primeiros colecionadores daqueles patinhos navegantes. Durante cinco anos, Holh seguiu o rastro daqueles brinquedos errantes e estimou que alguns daqueles deles haviam navegado mais de 80 000 quilômetros, antes de desgarar das correntes marítimas e dar em alguma praia. Quando isso acontecia, lá estava ele, tentando montar o quebra-cabeças de por onde aquele singelo patinho havia passado.

HERÓI NO MAR E NO AR

No início de 1983, o francês Christian Marty tornou-se o primeiro homem a atravessar o Atlântico com uma prancha a vela, depois de cruzar do Senegal à Guiana sobre um windsurf — façanha que levou 37 dias para ser completada. Foi uma travessia de verdade, porque, embora tivesse a escolta de um barco de apoio, no qual comia e dormia, Marty não permitia que a embarcação continuasse avançando enquanto ele descansava — recurso muito usado por outros aventureiros do gênero. Mesmo assim, ele só se tornou mundialmente famoso por conta de uma tragédia: a queda de um avião Concorde, na França, em julho de 2000, que decretou o fim do mais famoso dos supersônicos e matou 113 pessoas — inclusive ele próprio, que era o piloto do avião e, com extrema habilidade, mesmo com um dos motores em chamas, conseguiu desviá-lo de áreas mais populosas dos arredores de Paris. Marty morreu como um herói do mar e do ar.

Até o incidente com aquele contêiner, a ciência não sabia exatamente quanto tempo um objeto levava para completar o Giro Subártico. Hoje, graças aos patinhos, sabe-se que é algo em torno dos três anos. Mas, como as correntes são circulares e retornam sempre ao mesmo ponto, é bem provável que, mesmo hoje, quase 30 anos depois, alguns daqueles bravos bichinhos de borracha ainda estejam navegando, em algumas partes dos oceanos. E ninguém sabe até quando ficarão fazendo isso.

Navegando em busca de outra viagem

Quando o tempo fechou e a tormenta chegou, aquele bando de malucos fez exatamente o contrário do que qualquer um faria. E avançou na direção dela

Em junho de 1994, uma violenta tempestade desabou sobre o mar da Nova Zelândia. Durou dias a fio e foi tão marcante que acabou batizada de "Tempestade da Rainha", por coincidir com as comemorações do aniversário da monarca inglesa Elizabeth II. No meio dessa longa tormenta, estava um barco que simplesmente não deveria estar lá: o Heart Light, um catamarã tripulado por um estranho casal.

Os americanos Darryl e Diviana Wheeler eram esotéricos até o último fio de cabelo e navegavam em busca de "experiências sensoriais" em locais remotos, onde pudessem "entrar em contato com seres espaciais, sem interferências da civilização", como costumavam explicar aos curiosos em geral.

Ela, em especial, acreditava receber instruções cósmicas de uma voz chamada Sage, que ditava tudo a bordo do barco - inclusive a hora de partir e para onde ir. Na Nova Zelândia, o casal passou a oferecer cruzeiros de "contatos criativos" para outros adeptos do esoterismo. E foi durante um desses cruzeiros esquisitos que tudo aconteceu.

Ignorando as previsões meteorológicas, que indicavam uma forte tormenta a caminho, o Heart Light partiu para o alto-mar, seguindo as instruções da tal voz, que apontava aquela tempestade justamente como uma oportunidade de "migrar os tripulantes para outra dimensão". Portanto, uma tempestade perfeita. Mas o que se seguiu nada teve de bom.

Apesar da completa deteriorização das condições de navegação, o casal, mais outros tripulantes, seguiram avançando com o barco de encontro a tempestade, em completo estado de graça. Eles acreditavam que no centro da tormenta encontrariam uma "porta fosforescente" que os levaria a uma nave espacial e dali partiriam para uma espécie de Nirvana cósmico.

As ondas eram apocalípticas e os ventos sopravam a furiosos 90 nós. Mas aquela tripulação de malucos, que navegava regida por cristais em vez de cartas náuticas, não desanimava. Ao contrário, vibrava. Diviana, sobretudo, estava convencida de que o que parecia ser o fim do mundo era, na verdade, o início de outra vida e afirmava aos demais ocupantes do barco que "Sage confirmava isso".

Bastaria, segundo ela, atingir um certo ponto da costa neozelandesa, "sobre um templo submerso feito de cristais", para embarcar na tal viagem na nave espacial. No mar, o Heart Light era jogado para todos os lados, mas eles não se importavam. A cada novo risco de naufrágio, acreditavam estar mais perto "do ponto de passagem". Até que, pelo rádio, veio a volta a realidade.

Um grande barco pesqueiro que estava próximo deles viu a forma suicida que o Heart Light navegava e ofereceu ajuda. Eles recusaram. Mas o outro barco não se deu por satisfeito e ficou insistindo no resgate. A troca de mensagens pelo rádio durou horas, até que, irritado, o experiente comandante do pesqueiro ameaçou chamar a Guarda Costeira. Só assim os Wheeler e seus passageiros interromperam o devaneio e concordaram em passar para o outro barco, bem maior e mais seguro.

A operação foi delicada, mas bem-sucedida. Uma vez a bordo, ao confirmar suas suspeitas de que aquele grupo não passava de um monte de loucos irresponsáveis, o comandante do pesqueiro, amparado nas regras da segurança da navegação, que prega que um barco à deriva é sempre um risco para as demais embarcações, resolveu prestar um duplo serviço a comunidade náutica e afundar o Heart Light com uma trombada.

Com isso, não só evitou um possível acidente como, de certa forma, impediu que os Wheeler voltassem a navegar. Pelo menos por um tempo, até que juntassem dinheiro para comprar outro barco, o que jamais se soube se foi feito.

Bem mais longe que parecia

A praia, que seria a salvação, estava bem em frente. Mas ele acabou nadando na direção errada

Na madrugada de 15 de agosto de 1992, o veleiro Resurgam afundou na costa da Flórida, obrigando o seu único tripulante, o velejador americano Webb Chiles, a se atirar ao mar e sair nadando. Pelos seus cálculos, ele estava a cerca de 10 milhas da costa, ou pouco mais de 18 quilômetros, o que consumiria apenas algumas horas de braçadas. Mas o que Chiles não contava era com a intensidade da corrente do Golfo, que corre feroz rente a costa leste americana.

Após seis horas na água, começaram as câibras e a exaustão geradas pelo esforço de tentar varar a correnteza rumo à praia. A roupa que Chiles vestia (e que ele não tirou para manter a temperatura do corpo) dificultava o avanço e esfolava a pele. Mas ele seguia nadando. Nadando e sofrendo. Foi assim o dia inteiro.

Quando anoiteceu novamente, Chiles passou a ter delírios, causados pelo cansaço. Enxergava barcos imaginários vindo por todos os lados na sua direção. Nadou diversas vezes em busca deles, mas eram apenas alucinações de sua mente. Até que julgou ter ouvido um barco bem perto. Reuniu forças e se aproximou o máximo que pode, berrando na escuridão da noite.

Desta vez, não era uma miragem. O barco existia de verdade e resgatou Chiles da água, após 26 horas nadando no mar. A bordo, veio a espantosa surpresa: por causa da correnteza, ele estava a mais de 230 quilômetros do local do naufrágio.

A sina do sino de Colombo

Três países brigaram intensamente pela posse de uma espécie de símbolo da descoberta da America

Em 1994, um mergulhador italiano encontrou, em águas portuguesas, os restos da nau espanhola San Salvador, que afundara em 1555, quando retornava do Caribe, e dele retirou secretamente alguns objetos. Quatro anos depois, na Espanha, uma empresa anunciou que leiloaria o lendário sino da nau Santa Maria, capitaneada por Cristóvão Colombo na viagem de descoberta da América.

A revelação de que o dono da peça era o mesmo mergulhador que havia descoberto a San Salvador levou o governo português a unir os dois fatos e a deduzir que o famoso sino poderia estar sendo transportado pela nau que afundou em suas águas e fora saqueada pelo italiano. Com base nisso, Portugal conseguiu impedir o leilão, alegando saque ao seu patrimônio histórico submerso.

O caso foi a julgamento, mas acabou sendo mantido o direito do leiloeiro espanhol de colocar a peça à venda. Contudo, em seguida, a empresa leiloeira faliu e o sino, aparentemente, sumiu — como alegou o dono italiano. Mas, ao que tudo indica, não foi bem assim.

Em 2006, uma empresa americana ligada a um dos sócios da falida leiloeira da Espanha teria contrabandeado a histórica peça para os Estados Unidos, onde ela alcançaria lances ainda maiores do que na Europa. Mas, no ano seguinte — de novo —, essa outra empresa também teria falido e perdeu-se a pista do sino uma vez mais. Será? A certeza sobre saga do sino de Colombo ainda vagueia pelos sete mares.

O som da salvação

Preso dentro do barco emborcado numa remota área do oceano, só restava contar com um milagre. E ele veio, na forma de três batidinhas no casco

Quando decidiu participar da regata de volta ao mundo em solitário Vendée Globe, em 1996, o inglês Tony Bullimore sabia que não seria nada fácil. Mas, apesar de bem preparado para comandar o Exide Challenger, um respeitável veleiro de dois mastros, ele jamais imaginou viver a desesperadora situação de ficar preso dentro de um casco emborcado, em um dos mares mais gelados e inóspitos do planeta, ao sul da Austrália.

O problema começou quando Bullimore decidiu traçar uma rota mais ao sul possível, para aproveitar os ventos fortes dos confins do planeta, e assim ganhar velocidade. Mas o que ele não imaginava é que ali encontraria ventos acima de 70 nós e ondas de quase 20 metros de altura, que castigaram duramente o barco, acabando por arrancar-lhe a quilha. Sem ela, o Exide Challenger emborcou, trancando Bullimore dentro do casco, numa espécie de bolha de ar. Era uma situação dramática e a única esperança residia em rezar para que o aparelho Epirb, um emissor de sinais de socorro via satélite que ele acionara, funcionasse naquelas águas congelantes e pouco frequentadas pelos barcos.

Os dedos das mãos e dos pés do velejador já estavam enrijecidos pelo frio, quando Bullimore ouviu um zumbido, que foi ficando cada vez mais forte. Era um avião. Mas, assim como surgiu, o barulho sumiu no horizonte. Horas depois, ele ouviu outro ruído, este bem mais próximo e forte. Desta vez, era um barco: uma fragata da Marinha Australiana, que seguira as coordenadas passadas pelo avião, que, por sua vez, fora acionado pelos organizadores da regata depois de receberem os sinais do Epirb do veleiro emborcado do inglês.

Do navio, um mergulhador saltou no mar, nadou até o veleiro e deu três pancadinhas no casco virado. Bullimore, que, apesar do apelido "buldogue inglês", dado pelos conterrâneos em razão de sua força física e resistência, já estava quase no mundo dos mortos por conta da hiportermia e com extrema dificuldade de raciocínio, custou a compreender o que estava acontecendo, mas bateu de volta, indicando que ainda estava vivo. E foi assim que ele foi salvo e virou mais notícia do que o vencedor daquela regata.

Quanto menor, melhor

A insana disputa entre dois aventureiros pela travessia do oceano Atlântico com o menor barco possível

Na segunda metade da década de 1960, o americano Hugo Vihlen, então um piloto de aviões da empresa Delta Airlines, decidiu que iria atravessar o oceano Atlântico com um minúsculo barco que ele mesmo construíra: o April Fool, que tinha apenas 6 pés (ou 1,82 m) de comprimento. E embora mal coubesse dentro daquela caixinha equipada com um mastro, ele efetivamente fez aquela improvável travessia, da África à Flórida, em 1968, despertando em outros aventureiros a vontade de superá-lo.

Um deles em especial, o inglês Tom McNally, fez de tudo para bater a marca de Vihlen. Até que conseguiu, a bordo de um barquinho ainda menor, de 5 pés e 4,5 polegadas ou pouca coisa mais que um metro e meio de comprimento. Mas até que isso acontecesse, muita coisa aconteceu na disputa ferrenha entre os dois. A começar pelas duas primeiras tentativas fracassadas de Hugo Vihlen.

O OVO QUE NAVEGAVA

Entre os microbarcos que já fizeram grandes travessias, o de Wayne Dickinson foi um dos mais esquisitos. Tinha apenas pouco mais de oito pés (ou 2,5 metros) de comprimento e a forma de um ovo. Ou de uma gota. Tanto que foi batizado de God's Tear (lágrima de Deus). Em 1982, Dickinson foi para o mar com seu exótico barquinho, buscando um objetivo grandioso: cruzar o Atlântico. E, tal qual Vihlen, McNally e Spiers, também conseguiu. Levou 142 dias na travessia, mas quase morreu na praia — literalmente. Cansado pelo esforço, ele pegou no sono justamente quando chegava perto de uma praia da Irlanda e acabou nas pedras de uma costeira. E o seu barco partiu-se ao meio. Feito um ovo de verdade.

Por duas vezes, ele tentou partir do Marrocos e em ambas foi trazido de volta à costa pelos ventos contrários — o barquinho simplesmente não conseguia navegar contra o vento. Mas, longe de desanimá-lo, o fracasso inicial deixou Vihlen ainda mais determinado. Ele haveria de conseguir cruzar o Atlântico com o seu minúsculo barco. E conseguiu, na terceira tentativa.

O segredo foi escolher uma época do ano em que os ventos não fossem tão violentos e equipar o April Fool com dois recursos inicialmente não previstos no projeto: um motorzinho de popa de 3 hp, para ser usado apenas nos momentos mais críticos (até porque não havia espaço a bordo para armazenar combustível) e uma âncora de tempestade, uma espécie de saco submerso cuja função é impedir que o barco ande para trás ao navegar sob ventos contrários. As duas novidades deram certo.

Mas o April Fool era tão acanhado que não cabia nem o estoque de água e comida necessário para aquela longa travessia. Vihlen estocou tudo o que podia na parte oca da quilha e praticamente navegava sobre latas de comida. Com a umidade, muitas delas perderam os rótulos e ele passou a não saber o que continham. Só descobria quando as abria. Comer virou uma loteria.

Além disso, à noite, Vihlen precisava acordar de hora em hora para checar se havia alguma embarcação vindo na direção de seu casquinho, que, de tão minúsculo, não era detectado pelos radares dos navios. Também passou a sentir estranhas dores na parte de baixo do estômago, que ele temia ser uma crise de apendicite — algo fatal para quem está sozinho no meio do oceano. Preocupado, passou boa parte da travessia se autorrecriminando por não ter extraído previamente o apêndice, bem como os dentes do siso, atitude que todo navegador em solitário deveria tomar, por precaução. Mas, felizmente, nada de ruim aconteceu.

Problemas mesmo Vihlen teve quando chegou bem perto da costa da Flórida e foi atingindo por fortes ventos, o que levou a Guarda Costeira americana a vir ao seu encontro e exigir que ele embarcasse no barco da corporação, além de rebocar o April Fool até a costa. Para quem havia atravessado um oceano inteiro aguardando ansiosamente o momento da chegada, aquela imposição foi uma decepção e tanto. E não seria a única vez que as autoridades marítimas americanas implicariam com as diminutas dimensões dos barcos de Vihlen.

Mesmo assim, 84 dias depois de ter partido do Marrocos, o April Fool tocou as águas da Flórida, do outro lado do Atlântico, depois de ter navegado mais de 7 000 quilômetros e cravado o recorde de menor barco a realizar tal

DOIS OCEANOS COM UM VELEIRINHO

Inspirado pelo feito de Hugo Vihlen, em 1979, o americano Gerry Spiers também decidiu construir um pequeno barco na garagem de sua casa. Com toques de genialidade, fez um veleirinho de apenas 10 pés (praticamente três metros) de comprimento, totalmente fechado, feito um casulo. Nele, Spiers navegava só com a cabeça para o lado de fora e sentava-se sobre os suprimentos, que, por sua vez, preenchiam a quilha, para dar estabilidade ao casco. Seu objetivo, contudo, era inversamente proporcional ao tamanho do barco, que foi batizado de Yankee Girl — Spiers também queria atravessar o Atlântico com ele. E foi o que ele fez, após 53 dias navegando entre os Estados Unidos e a Inglaterra. Mas Spiers foi bem mais longe que isso. Dois anos depois, repetiu a façanha no Pacífico, indo dos Estados Unidos à Austrália com o mesmo barquinho. Mas, ao chegar lá, satisfeito com os seus dois feitos, desistiu da vida no mar.

façanha até então. Um feito e tanto, embora Vihlen tenha sofrido um bocado.

O recorde do americano durou 25 anos. Mas, desde o começo, instigou outro exótico navegador a também vencer o Atlântico a bordo de um barquinho que qualquer ser humano mais sensato não usaria nem para atravessar um riacho.

O inglês Tom McNally era um artista com pouquíssimos recursos financeiros e um navegador totalmente inexperiente quando decidiu navegar de um lado a outro do Atlântico, inicialmente com um pequeno veleiro convencional. Na primeira tentativa que fez de atravessar da Europa ao Caribe, errou tanto a rota que veio parar no Brasil.

Em seguida, o inglês não sossegou enquanto não construiu o seu primeiro microbarco, o Big C, que tinha 6 pés e 10 polegadas ou pouco mais de dois metros de comprimento. Com ele, em 1983, McNally repetiu o feito de Vihlen, só que no sentido inverso. Partiu do Canadá e navegou até a Irlanda com seu barquinho em forma de cápsula, que era apenas 25 centímetros maior que o usado por Vihlen para cravar o recorde. E este seria o seu próximo objetivo: atravessar o Atlântico com um barco menor que o do americano.

No caminho, McNally chegou a ser confundido com um náufrago pelos tripulantes de um navio e teve que beber água do mar depois que o estoque de água doce do Big C acabou (décadas depois, ao ser diagnosticado com câncer, os médicos se perguntaram se não teria sido isso o início de seus problemas de saúde). Apesar de tudo, quando chegou, combalido, ao litoral da Irlanda, McNally tinha certeza de que era possível fazer aquela travessia com um barco menor ainda. E foi o que ele fez, dez anos depois.

Em 1993, depois de construir outro barquinho, o Vera Hugh, assim batizado em homenagem à sua mãe, com impressionantes 5 pés e 4,5 polegadas de comprimento (pouco mais de 1,63 m), McNally embarcou para o litoral do Canadá, disposto a, desta vez, bater o recorde de Vihlen. Lá, por mera coincidência, encontrou o rival, que ao saber dos rumores sobre o diminuto barco que McNally usaria na tentativa, também construíra outro microveleiro, o Father´s Day, de 5 pés e 6 polegadas (1,67 m), para tentar a mesma travessia. Só que Vihlen não sabia que o seu novo barco era quatro centímetros maior que o do inglês.

A descoberta chocou Vihlen, que havia optado por partir do litoral do Canadá depois de ter sido impedido de ir para o mar na costa do seu país pela Guarda Costeira americana que, uma vez mais, julgara a embarcação dele frágil demais. No Canadá, Vihlen conheceu McNally e, apesar da inesperada dupla surpresa (de encontrar o rival e de descobrir que o barco dele era menor que o seu), começou ali uma respeitosa amizade, regida pela mútua admiração.

Mesmo sabendo que o barco do inglês era menor que o Father´s Day, Vihlen resolveu tentar a travessia, contando que o adversário não conseguiria — como, de fato, não conseguiu. Mas ele tampouco. O mau tempo impediu que os dois fossem além de poucas milhas da costa. Vihlen, então, retornou à Flórida com uma só coisa em mente: tentar novamente — mas só depois de cortar um pedaço de seu barco, para que ele ficasse menor que o do concorrente. Vihlen e McNally ficaram amigos, mas continuavam adversários quando a questão era atravessar o Atlântico com o menor barco possível.

Já McNally voltou à Europa disposto a tentar uma nova travessia, agora no mesmo sentido leste-oeste que Vihlen usara um quarto de século antes. Naquele mesmo ano e com o mesmo barco, o Vera Hugh, onde, entre outros incômodos, só era possível dormir em posição fetal porque não havia espaço para esticar as pernas, McNally, já com 53 anos, partiu de Portugal e, quatro meses e meio depois, foi dar em Porto Rico, no Caribe.

Chegou desidratado e faminto, porque a travessia levou bem mais tempo do que os seus parcos suprimentos permitiam, e teve até que ser hospitalizado antes de seguir viagem para a Flórida (onde, não por acaso, vivia o seu amigo/adversário), completando assim a travessia do Atlântico. Ele, finalmente, tinha conseguido bater o recorde de Vihlen. Que, no entanto, revidou em seguida.

Depois de cortar cinco centímetros no comprimento do Father´s Day (a guerra entre os dois passou a ser por milímetros), Vihlen voltou ao mar para dar uma resposta imediata a McNally. Mas, outra vez mais, foi impedido pelas autoridades americanas de partir das águas de seu país.

Após quatro tentativas (numa delas, chegou a ser interceptado no mar por um avião da Guarda Costeira), desistiu e tomou o rumo do Canadá, de onde, finalmente, avançou Atlântico adentro, para uma nova tentativa — e para recuperar o título de recordista. Cento e cinco dias depois, Vihlen, já com 65 anos, chegou à Inglaterra a bordo da segunda versão do Father´s Day, que media 5 pés e 4 polegadas — apenas meia polegada (pouco mais de um centímetro) a menos que o barco usado por McNally.

O inglês, no entanto, não se deu por vencido. Na volta aos Estados Unidos, Vihlen foi surpreendido pelo anúncio de que McNally, já então razoavelmente conhecido pelo apelido "Crazy Sailor" (velejador maluco) pretendia construir um novo barco, o Vera Hugh II, com inacreditáveis 3 pés e 10,5 polegadas de comprimento (menos de 1,20 m!), que ele de fato fez, embora, sem recursos, tenha precisado de nove anos para terminá-lo.

Quando finalmente o microscópico barco (que tinha equipamentos improvisados como a escotilha extraída de uma velha máquina de lavar roupas) foi para a água, em 2002, um improvável imprevisto interrompeu a travessia de McNally: o barquinho foi roubado durante uma escala nas Ilhas Canárias. De tão pequeno, deve ter sido içado para outro barco e levado embora.

O inglês, então, passou a buscar dinheiro para construir outro barco e anunciou que ele seria meia polegada menor que o anterior (3 pés e 10 polegadas, ou 116 centímetros), embora o novo desafio fosse o dobro: ir e voltar no Atlântico, arrecadando recursos para um fundo de auxílio às vítimas do câncer — entre elas, ele próprio, que já havia sido diagnosticado com a doença. Ao saber dos planos do rival, Vihlen replicou, garantindo que construiria um barco de 3 pés e 8 polegadas, cinco centímetros menor que o do amigo/adversário, para defender o seu recorde.

Mas nenhum dos dois chegou a executá-los. McNally, doente, não levou o projeto adiante. E Vihlen, sem a ameaça do concorrente, não viu motivos para bater um recorde que já era seu. McNally morreu de câncer, em 2017, mas Vilhen segue vivo até hoje, ainda como recordista da travessia do Atlântico com o menor barco de todos os tempos.

O cruzeiro que virou maratona

Eles saíram para velejar e só voltaram 16 anos depois.
Com o mundo inteiro no currículo

Numa certa manhã de julho de 1998, o casal inglês Jane e Clive Green, ambos aposentados e sem filhos, resolveram pegar o velho barco que tinham, um veleiro de 35 pés chamado Jane G, para fazer uma rápida viagem de férias da Inglaterra à Espanha. O objetivo era apenas curtir uma semana de navegação no ensolarado verão do Mediterrâneo. Mas os dois gostaram tanto da experiência de passar dias e noites a bordo que resolveram esticar a viagem — até o outro lado do mundo. E só voltaram para casa incríveis 16 anos depois.

A travessia rendeu ao currículo do casal uma volta ao mundo completa, com passagens pelo Caribe, Pacífico e Índico, cerca de 51 000 milhas náuticas navegadas e longas temporadas nas mais de 50 ilhas e países que visitaram. Durante esse tempo, sobreviveram da pensão como aposentados e do simples aluguel de sua casa, em Pembrokeshire, feito a distância, quando já estavam navegando.

Além disso, complementavam o orçamento fazendo pequenos negócios nos lugares por onde passavam. Como quando Jane trocou um sutiã usado por muitas frutas, numa ilha remota do Pacífico. "Nos acostumamos a viver com pouco", contou Clive, ao retornar ao seu país natal, quase duas décadas depois, acrescentando que só não foi uma viagem perfeita porque os dois tiveram que controlar o orçamento o tempo todo. Na longa travessia entre as Ilhas Galápagos e as Marquesas, na Polinésia Francesa, a única sobremesa que eles tiveram, durante um mês inteiro, foram bananas de um cacho que levaram pendurado no barco. Mesmo assim, os dois adoraram a experiência.

Também não tinham um roteiro prédeterminado. Em cada parada, conheciam outros velejadores que lhes falavam de lugares interessantes adiante, e ele iam em frente, com as dicas deles. No total, passaram quase 6 000 dias no mar e viveram muitos episódios.

Mesmo assim, Jane e Clive optaram por não escrever nenhum livro sobre a viagem. "Livros desse tipo só vendem quando narram desastres e, com a gente, felizmente, não aconteceu nada desse tipo", explicou o casal, que hoje voltou a viver na Inglaterra, mas, vira e mexe, pega o barco e sai para velejar pela Europa.

E, quando isso acontece, os vizinhos ficam de alerta: será que eles voltarão?

A regata dos ventos fatais

A meteorologia falava apenas em "fortes ventos". Mas a famosa regata Sydney-Hobart daquele ano teve bem mais que isso

A previsão do tempo nem sempre acerta. Sobretudo décadas atrás, quando não havia tantos recursos tecnológicos. Um dos exemplos mais dramáticos disso aconteceu em dezembro de 1998, durante a regata Sydney-Hobart, na Austrália, uma das competições de barcos à vela mais famosas do mundo.

Quando os 115 veleiros inscritos para aquela prova partiram da mais bonita baía australiana para um percurso de 630 milhas até a capital da vizinha Tasmânia, o sol brilhava forte, os ventos eram tranquilos e a meteorologia previa nada além do habitual para a travessia do Estreito de Bass, que separa as duas ilhas — onde sempre costuma ventar forte e bastante. "Ali, as rajadas podem chegar a 50 nós", anunciou, quase burocraticamente, o organizador da regata, aos participantes.

Mas, três dias depois, quando os primeiros barcos começaram a chegar a Hobart, semidestruídos e com tripulações esgotadas, os números daquela triste regata eram bem mais aterrorizantes: 71 barcos haviam abandonado a competição ou sido abandonados pelos seus tripulantes, cinco afundaram, a guarda costeira australiana recebeu 80 pedidos de socorro e fez 55 tenebrosas operações de resgates, com barcos e helicópteros, na maior ação do gênero da história do país. Mas o pior de tudo é que seis velejadores estavam mortos.

A culpa foi da meteorologia, que não previu que os ventos de 50 nós anunciados na partida virariam mais de 80 (ou quase 150 km/h) ao longo da travessia do Estreito. Nenhum barco estava preparado para tamanha intensidade de vento. O resultado foi a regata mais trágica da história, juntamente com a Fastnet, de 1979, na Inglaterra. A diferença é que, enquanto naquela edição da Fastnet os participantes sabiam que iriam encontrar situações duríssimas pela frente, na Sydney-Hobart daquele ano todos os barcos partiram confiando no que informara a meteorologia — e o que ela dizia não era tão preocupante assim.

Soprava um vento moderado, entre 13 e 20 nós, quando os barcos partiram da Austrália, na manhã de sábado, 26 de dezembro, logo após o Natal, como manda a tradição da Sydney-Hobart. Mas, no dia seguinte, domingo, apenas 24 horas depois, as tripulações dos dois barcos líderes da prova, o Brindabella e o gigantesco Sayonara, do milionário americano Larry Ellison, já reportavam, pelo rádio, ventos crescentes e mar bem grosso pela frente. E a situação seguiu piorando, rapidamente.

Logo, toda a flotillha estava lutando contra ondas de até 15 metros de altura, que atiravam os barcos de uma para a outra, feito rolhas, gerando um cenário de terror para os tripulantes. Avariados, nove veleiros abandonaram a regata ainda no primeiro dia e outros comandantes já tencionavam fazer o mesmo quando começou o pior: os acidentes e as mortes.

Um dos barcos, o Stand Aside, foi tombado por uma onda e perdeu o maestro, que desabou sobre a tripulação, deixando três feridos a bordo. Um deles teve parte dos dedos decepados pelos cabos de aço do mastro e outra tripulante ficou presa na mastreação avariada, dentro d'água. Milagrosamente, ela foi resgata pelos próprios companheiros, em meio aquele quase maremoto.

Instantes depois, uma onda gigantesca atingiu o veleiro Winston Churchill, que inclinou 45 graus e foi arremessado de encontro a outra vaga, que completou a tragédia, inundando e afundando o barco. A tripulação só teve tempo de disparar um pedido de socorro e pular para as balsas salva-vidas. Mas nem todos escaparam. Três tripulantes que estavam agarrados a uma das balsas, tentando subir a bordo, foram tragados por outra onda, no começo daquela noite — uma longa noite de seguidas tragédias.

E logo veio outra perda trágica: a do velejador olímpico inglês Glyn Charles, que não era nenhum principiante no esporte. Mesmo estando atado ao barco por um cinto de segurança, ele foi varrido do convés do veleiro Sword of Orion por uma muralha d'água e também desapareceu no turbilhão de água salgada que se tornou o mar do Estreito de Torres naquela noite. Seu corpo jamais foi encontrado.

Enquanto tudo isso acontecia, os atônitos organizadores da regata se limitavam a retransmitir dezenas de pedidos de socorro à Guarda Costeira australiana, que mobilizou todos os seus barcos e helicópteros para tentar tirar o máximo possível de velejadores do meio do oceano. Às 22 horas de domingo, as rajadas chegaram a insuportáveis 80 nós e outra meia dúzia de barcos foi abandonada no mar. Outros tantos buscaram abrigo numa ilha próxima e por ali ficaram. Mas o cenário de horror continuava. Outro veleiro, o Business Post Naiad, capotou duas vezes, perdeu o mastro e dois tripulantes: um afogado e o próprio comandante, de ataque cardíaco, causado pelo estresse e esforço em tentar manter o barco flutuando.

O mais incrível, contudo, foi que a regata continuou, apesar de, lá na frente, os ponteiros avançassem tentando apenas escapar o mais rápido possível daquele inferno. Vencer não importava mais. O que contava era sobreviver. E a melhor maneira de fazer isso era chegar logo a um porto seguro.

Na terça-feira, o primeiro barco chegou a Hobart. Era o Sayonara, do milionário Elisson, que estava a bordo e nem de longe comemorou a vitória. "Não estávamos competindo", disse, chocado, ao desembarcar. "Estávamos apenas tentando sair vivos daquilo tudo".

No final, apenas 44 barcos completaram a prova, que teve um trágico saldo de seis mortes, mas deixou um legado para sempre: a previsão do tempo nunca mais foi a mesma na Austrália, depois daquela pavorosa regata Sydney-Hobart.

O resgate que virou desastre

Uma manobra inadequada e o grande navio fez uma família perder o barco no meio do oceano

Era final de 1999 e o dinamarquês Niels Blixenkrone-Moller havia decidido tirar um ano sabático para velejar com a mulher, Rikke, e o filho Rasmus, de 11 anos, da Europa para o Caribe, a bordo do pequeno veleiro da família: o Nuts (nozes, em inglês, numa referência ao seu tamanho de "casquinha de noz", mas também algo como "malucos", na gíria americana), de apenas 28 pés ou menos de nove metros de comprimento.

Tudo ia bem até que, no décimo dia da travessia, entre as Ilhas Canárias e Barbados, ele descobriu que as baterias do barquinho estavam fracas demais para ligar o motor, a fim de justamente recarregá-las, e que o painel solar também não estava gerando a energia necessária.

No dia seguinte, Niels viu um grande navio no horizonte e fez contato pelo rádio, usando para isso a pouca energia que restava nas baterias. Sua esperança é que o navio pudesse recarregar as baterias do Nuts ou ceder-lhes uma bateria nova, para prosseguir viagem. E a resposta veio rápida: o cargueiro estava vindo na direção do veleiro prestar ajuda.

Em questão de minutos, um imenso navio tanque paquistanês começou a dar voltas em torno do pequeno Nuts, emitindo ordens para que o veleiro se aproximasse rapidamente, enquanto pesadas cordas despencavam do convés do navio feito bombas. Niels ficou receoso daquela manobra, porque era fácil prever o que aconteceria no caso de um choque entre os costados das duas embarcações, embora o mar estivesse relativamente calmo e o navio navegasse lentamente.

Mas, preocupado com o risco que representava ficar sem bateria no meio do Atlântico (e, ainda por cima, com uma criança a bordo), ele resolveu tentar. Foi se aproximando lentamente, usando pouquíssima área vélica e, quando chegou bem ao lado daquele monstro de aço, recolheu de vez todos as velas, deixando o Nuts derivar até o casco. Em seguida, amarrou os cabos que foram jogados do navio na proa e na popa do veleiro, atando assim um barco ao outro.

Mas, durante a manobra, o petroleiro se movimentou um pouco mais do que deveria, e Niels ficou na eminência de ver o seu veleirinho ser sugado pelos gigantescos hélices do navio. Lá do alto, os tripulantes do navio também pressentiram isso e, para evitar uma catástrofe, puxaram rapidamente os cabos, desestabilizando o pequeno barco. Com isso, o mastro do Nuts bateu forte no casco do petroleiro, arrebentando parcialmente. Agora, o problema era muito maior que a simples falta de bateria.

Vendo o que havia acontecido, o comandante do navio mandou baixar uma escada feita de cordas e a família foi convocada (na verdade, intimada) a subir a bordo. Sem outra alternativa, os três escalaram aquela parede de aço, até o convés, onde foram recebidos pelo próprio comandante, que se disse "muito feliz" por tê-los "resgatados" — sem, no entanto, mencionar o dano irreparável que a desastrada manobra causara ao pequeno barco.

Após constatar que não poderia continuar navegando com o mastro do veleiro daquele jeito, o dinamarquês pediu que o Nuts fosse içado para o convés, mesmo sabendo que o navio seguia na direção oposta à deles, rumo a África. Mas o comandante respondeu que não havia espaço para o barco no convés e que ele, pelas leis internacionais de salvatagem, teria que ser abandonado no mar ou — pior ainda — destruído pelo próprio navio, para não criar obstáculos a navegação.

Niels apavorou-se. Tudo deles estava a bordo do veleiro e era preciso retirar, ao menos, os passaportes. Depois de muita insistência, o dinamarquês conseguiu que o comandante autorizasse a sua descida, juntamente com um tripulante do navio, a fim de retirar alguns objetos do Nuts, bem como a não destruição do barco — que foi deixado à deriva, enquanto o navio partia.

Os três dinamarqueses mal podiam acreditar naquilo. O que começara como uma simples bateria arriada, terminara com a perda do barco. E causada pela embarcação que deveria justamente ajudá-los. No diário de bordo do navio, o comandante registrou o "bem-sucedido" resgate. Que, no entanto, para Niels, não passou do "atropelamento" de seu veleiro.

Doze dias depois, eles foram desembarcados num porto de Angola, só com a roupa do corpo e uma dívida de US$ 6 000 em passagens de avião compradas de lá para casa. Mas a boa notícia veio no mês seguinte: um navio norueguês havia avistado o Nuts à deriva e, sem que ninguém tivesse que implorar por isso, o içou a bordo.

Dias após, o veleiro da família Blixenkrone-Moller foi desembarcado no Panamá e, mais tarde, recuperado pela família. O Nuts, enfim, atravessou o Atlântico e chegou ao Caribe. Mas da maneira mais desastrada possível.

CAPÍTULO 4

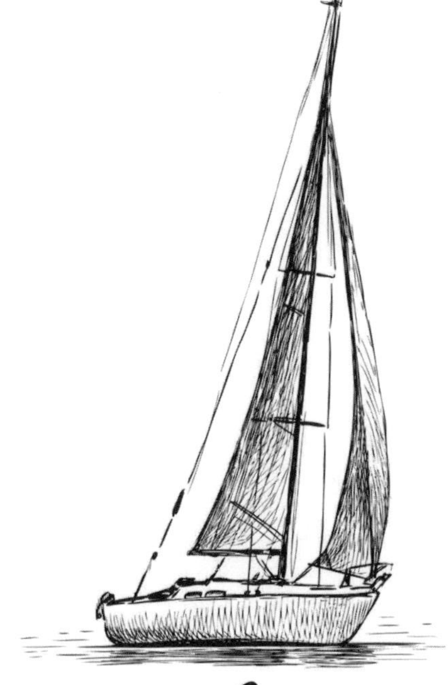

HISTÓRIAS RECENTES

2000 EM DIANTE

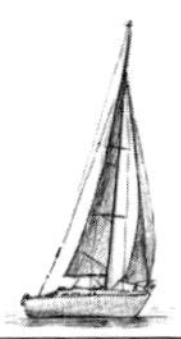

O náufrago das sete vidas

Quando tudo parecia perdido, surgia uma nova esperança e o pescador se mantinha vivo

O motor do pesqueiro Água do Rio Negro, um barco de madeira com 17 metros de comprimento e nove homens a bordo, pipocou, falhou, engasgou e, por fim, parou. No meio do mar. O diagnóstico veio rápido: a bomba injetora de combustível não funcionava mais. Havia duas bombas de reserva a bordo, mas, na ânsia de trocá-la rapidamente, já que o mar estava grosso, o suporte que a apoiava ao motor quebrou. Agora não havia jeito: seria preciso esperar pelo socorro, no dia seguinte. O pesqueiro Água do Rio Negro ficou, então, à deriva num mar cada vez mais revolto. Era o começo de uma impressionante história, em setembro de 2011, envolvendo o pescador potiguar Francisco Januário, o Zabóia, um dos tripulantes daquele barco avariado. Mas nem nos seus piores pesadelos aquele velho pescador, de 61 anos, conseguiria imaginar o que o aguardaria nos setes dias seguintes. A pior das agonias para quem vive no mar ainda estava por vir.

— Rapaz, você não acha que devia amarrar isso? Se ficar solto, pode cair no mar...

Foi dito e feito. Ao entardecer daquele sábado de mar mexido e motor morto, uma onda mais forte inclinou o Água do Rio Negro mais que o habitual e a caixa da balsa salva-vidas, aquela que, um dia antes, ainda no porto, Francisco sugerira ser amarrada ao teto da casaria, despencou feito uma pedra no mar. "Eu vou buscar!", avisou ele, quando

CORRIDA MALUCA

Atravessar o Atlântico com um simples barco a remo é um feito que merece respeito. Que dirá fazer isso correndo contra o relógio, competindo contra outros barcos. Pois é o que acontece, a cada dois anos, na Atlantic Rowing Race, uma corrida de barcos a remo que vai de um lado a outro do oceano, entre as Ilhas Canárias e o Caribe. Ela existe há quase 20 anos e, apesar de duríssima para os remadores (que podem ser quatro, dois ou apenas um em cada barco, competindo em categorias diferentes), costuma reunir dezenas de participantes. O regulamento é rígido: nenhum barco pode pesar menos de 750 quilos e todos têm que ter dessalinizador para transformar a água do mar em potável, além de um curioso sistema de lastro com 150 litros de água potável, que, se necessário, pode ser bebido, embora o competidor seja penalizado por isso. Mas, pelo menos, ele não morrerá de sede. A travessia dura, em média, entre um mês e meio e dois meses, dependendo das condições do mar, dos ventos e dos braços dos competidores.

percebeu que nenhum dos companheiros estava disposto a cair na água. Ele pegou uma boia e uma linha grossa de náilon, deu três nós atando uma coisa à outra e se jogou na água, na direção da balsa, que se afastava rapidamente por causa da correnteza. Não devia ter feito isso. Mas, na hora, Francisco lembrou que, três dias antes, o Água do Rio Negro voltara ao porto fazendo água e, se acontecesse aquilo de novo, era bom ter uma balsa daquelas por perto. Ele mal sabia o quanto dependeria daquela balsa nos próximos sete dias...

Francisco nadou apenas 20 metros e cansou. O mar estava forte demais. Gritou para ser puxado de volta, pela linha de náilon. Os companheiros puxaram. Mas os nós desataram. "O que é que eu fiz!", ele pensou, enquanto tentava, em vão, dar braçadas contra a correnteza. Até que parou de nadar. Não adiantava gastar energias. Gritou para alguém vir buscá-lo. Ninguém se ofereceu. O máximo que fizeram foi atirar outra boia na água. Que a correnteza levou para longe. Tentaram de novo. Nada. Daquele jeito, Francisco não seria salvo. E não foi mesmo.

Para piorar, logo anoiteceu. E começou a chover. O Água do Rio Negro foi se tornando uma luzinha cada vez mais distante aos olhos de Francisco. No barco, ninguém mais o enxergava. Ele foi dado como, irremediavelmente, perdido. Ninguém aguentaria mais que uma noite num mar daqueles. Foi a sua "primeira morte" — e outras seis, entre acontecimentos e decepções, ainda viriam. O velho pescador entregou seu destino a Deus. Seria como Ele quisesse. Resignado, agarrou-se à boia e ficou à espera de algo. Que nem ele sabia o quê.

Uma hora depois, sentiu câimbra nas pernas e ficou ainda mais imóvel, no sobe e desce das ondas. Numa dessas subidas, viu algo branco boiando perto dele. Era a tal caixa da balsa salva-vida, que caíra do barco — a mesma que gerara tudo aquilo. "Tentei pegar a balsa e, agora, ela é que vem me pegar", pensou Francisco com ironia. Ele nadou como pôde e tentou agarrar a caixa — uma espécie de tambor, com uma balsa inflável dentro. Conseguiu. Mas ela estava lacrada por duas cintas de náilon. Passou um par de horas tentando rompê-las com as unhas. Ficou com os dedos em carne viva. Quando, finalmente, destravou a caixa, uma balsa salva-vidas dobrada pulou de dentro dela. Aleluia! Era tudo o que um náufrago naquela situação precisava. Mas nem deu tempo de respirar aliviado. Com o peso da lona vazia, a balsa afundou feito uma âncora.

Francisco ficou só com a tampa e um pedaço de cabo boiando. Agarrou o cabo e puxou, tentado trazer a balsa de volta à superfície. Conseguiu bem mais que isso. A corda acionava o disparador e a balsa subiu já inflada. Só que pela metade, porque o cabo estrangulava a passagem do ar. Paciência. Era melhor ter meia balsa do que nada. Passou o resto da noite agarrado ao pedaço que flutuava. Quando amanhecesse, tentaria dar um jeito naquilo. Pegou o cabo e se amarrou nele. Se morresse, pelo menos, um dia, alguém acharia o seu corpo, pensou.

Com a luz do dia, Francisco conseguiu fazer a balsa inflar direito. E descobriu que, debaixo dela, havia uma espécie de mochila, com água e comida — quando tudo parecia perdido, surgia uma nova luz no fim do túnel. Não era muito, mas o suficiente para encher de esperanças quem até então não tinha nenhuma. Entre outras coisas, havia, na mochila, cinco foguetes de sinalização, uma caneca para esgotar a água que entrasse na balsa (que, por causa das ondas, vivia inundada), um apito, dois remos e, mais importante que tudo: oito pacotes de ração, com seis tabletes cada, e dez de água, cada um com dez saquinhos de 50 mililitros. Francisco lembrou de um velho curso que fizera na Marinha que mandava economizar recursos em casos como o dele e decidiu que só comeria e beberia um daqueles por dia. Assim, não morreria nem de fome nem de sede. Pelo menos por uns dez dias.

Enquanto fazia contas, ele viu um barco pesqueiro parado, não muito distante. Era a primeira de uma série de embarcações que ele avistaria nos próximos dias, sem, contudo, ser visto por nenhuma delas. Tentou identificar algum movimento a bordo. Não viu nada. Os pescadores deviam estar dormindo, depois de uma noite inteira pescando. Tentou remar para se aproximar, mas a correnteza era contrária. Pensou em disparar um dos foguetes, mas concluiu que todos deveriam ser de luz, não de som, portanto, de dia, pouco ajudariam. Resignado, decidiu esperar outra oportunidade. E a correnteza o afastou do barco.

No dia seguinte, o terceiro no mar, nada menos que três outros pesqueiros apareceram diante dele. Mas, de novo, nenhum o viu na água. Quando o primeiro surgiu, não muito distante, Francisco improvisou uma bandeira, com a camiseta na ponta do remo. Foi ignorado e o barco passou rápido. No segundo, decidiu disparar um dos foguetes, mas ele não subiu. E o terceiro barco passou tão perto que ele resolveu usar o apito. Soprou o máximo que pode e um sujeito botou a cara para fora da cabine, olhou para os lados e voltou para dentro, possivelmente pensando ter imaginado coisas. Desanimado, Francisco deitou no fundo encharcado da balsa.

Enquanto isso, longe dali, em Natal, no Rio Grande do Norte, sua família recebia uma estranha visita. Era o mestre do barco Água do Rio Negro, que vinha dar uma triste notícia: Francisco estava morto. Era a "segunda morte" anunciada do velho pescador, que, naquela noite, muito por pouco, não cumpriu mesmo a fatídica previsão: numa onda mais forte, sua balsa virou. A capotagem custou-lhe meia hora de esforço para desvirá-la, os dois remos perdidos, a caneca, um foguete e alguns saquinhos de água e ração levados pelo mar. Tudo o que Francisco não comera nem bebera para economizar, perdera em segundos. Mas, por sorte, a mochila com o resto da água e da comida, que estava bem amarrada à balsa, ficou. Porém, as provisões diminuíram. E, com elas, também a expectativa de quantos dias mais ele suportaria aquele suplício.

Ao amanhecer, surgiu outra esperança: um navio vinha na sua direção. E tão perto que Francisco até viu duas pessoas conversando, na proa. Animado, gritou, acenou, pegou um foguete e disparou. Mas o artefato, de novo, não funcionou. E, até que ele pegasse outro foguete na mochila, o navio passou. Lá se ia mais uma vida. Ele recostou como pôde na balsa inundada e adormeceu, pela primeira vez, desde que caíra no mar, três dias antes.

Naquele dia, em Recife, a Marinha dava por encerrada as buscas do náufrago e Francisco era oficializado como morto. Um documento para expedição do atestado de óbito seria entregue a família em três dias. Francisco, mais uma vez, "morria". Agora, até no papel. Só a família — e ele — não acreditava nisso.

A quarta-feira terminou como começou: sem nenhum fato novo que alimentasse a esperança de um resgate. Na balsa precária, o tempo não passava. Francisco varava dias e noites vasculhando o mar, à procura de algum barco no horizonte, e ainda precisava pular o tempo todo, de um lado para outro, para a balsa não virar. O mar continuava grosso, mas, pelo menos, o tempo melhorara. Agora, fazia sol. Muito sol. Sol demais. E isso trouxe um novo problema: a insolação.

À deriva, Francisco sequer sabia em qual ponto do litoral estava. Feito um joão-bobo, era levado para lá e para cá pelos caprichosos ventos do Nordeste brasileiro. De manhã, o vento empurrava a balsa para o alto-mar. À tarde, o aproximava, da terra firme. Mas, naquele dia, Francisco viu algo diferente no mar: uma plataforma de petróleo surgiu bem na direção que o vento soprava. E continuou se aproximando, nas horas seguintes. Francisco rezava. E ela foi chegando, chegando, chegando, até que, quando sua balsa já deveria estar quase ao alcance dos olhos dos trabalhadores da plataforma, o vento mudou e começou a soprar ao contrário. E lá se foi mais uma chance de salvação.

Vagando ao sabor dos ventos, Francisco alternava doses diárias de decepção e esperança. De vez em quando, à noite, via um brilho mais intenso no horizonte. Era alguma cidade que passava. Ele ficava tentando adivinhar qual seria. Mas não era fácil, porque ele não enxergava a costa. Quando julgou passar por Natal, já estava além de Fortaleza. E ainda havia muito mar pela frente até o final da sua história.

A quinta-feira amanheceu promissora, porque Francisco avistara outro navio. Pegou mais um foguete, esperou ele se aproximar bastante e disparou. Só que o fez ao contrário, com a ponta para baixo. Na ânsia de ser salvo, não percebeu o erro grosseiro. Pior: queimou a mão e só não tacou fogo na própria balsa, porque ela estava cheia d'água. Na confusão, o navio foi embora. Só restaram mais dois foguetes. E bem poucas esperanças.

Aquela foi a primeira decepção do dia. Mas não a única. À tarde, outro navio surgiu no horizonte. E ainda mais alinhado com a balsa. Tão certeiro que Francisco traçou um plano mirabolante: se o foguete não funcionasse, ele tentaria bater com algo no casco do navio, para fazer barulho. Pegou o pequeno cilindro de ar comprimido que inflara a balsa e ficou esperando o gigante. Bem diante dele. O pior que poderia acontecer era ele ser atropelado. Mas, naquela situação, que diferença isso faria? Segurou firme o penúltimo foguete que tinha e, quando a proa do cargueiro alinhou com seu corpo, disparou. Mais uma vez, o foguete não funcionou. Rapidamente, agarrou o cilindro e se preparou para o plano seguinte. Mas, no último instante, o navio mudou de curso. E passou a alguns metros de distância dele. Pela primeira vez, Francisco sentiu vontade de chorar. Mas nem isso podia, porque precisava poupar líquidos no organismo. Ele já mal urinava. Estava ressecando por dentro, lentamente.

Naquele dia, sua família recebeu outra chocante notícia: o corpo de um homem havia aparecido, morto, numa praia perto de Natal. Os filhos seguiram para lá. A missa, pedindo ajuda ao pai, já encomendada, foi cancelada às pressas. Talvez, tivesse que virar outro tipo de missa, a de sétimo dia. O tal corpo já estava no necrotério. Pediram para um funcionário identificá-lo. Só queriam saber se o defunto tinha todos os dedos da mão direita, porque, na de Francisco, faltava um dedo. O funcionário voltou com a notícia. O de lá tinha. Não era Francisco. Foi mais uma "morte" não consolidada.

Mas, naquele dia, o que estava ruim para Francisco ficou pior ainda: a balsa virou, de novo, no início da noite, e ele só conseguiu desvirá-la na manhã seguinte. Passou a noite agarrado ao fundo emborcado, tentando endireitá-lo. Só parava para respirar e buscar alguma energia onde não mais havia. Achou que não aguentaria e morreria — seria, então, a sua sétima e definitiva "morte". Mas, quando o sábado amanheceu, ele ainda estava vivo. Embora com menos víveres, porque, na capotagem, perdera mais pacotes de água e ração. Agora, o que lhe restara só daria para mais dois dias. Depois disso, só Deus saberia.

Francisco estava tão esgotado pelo esforço da noite que precisava comer algo. Abriu um tablete de ração e olhou, indiferente, para o mar ao redor. Foi quando ele viu um barco se aproximando e desovando, com boias, o que pareciam ser armadilhas para lagostas. Pensou: se ele está deixando as armadilhas é porque, depois, voltará para buscá-las. E decidiu: ficaria agarrado a uma daquelas boias, até que isso acontecesse. Mesmo que levasse dias. Era sua melhor alternativa. Na verdade, única, porque o barco já seguia em frente, desovando mais armadilhas.

Francisco tentou se aproximar, usando as mãos como remos. Quando chegou perto de uma das boias, se atirou na água e saiu nadando, levando a balsa a reboque, amarrada ao pé. Depois de um minuto nadando assim, estava quase morto de cansaço. Voltou para a balsa e se atirou, prostrado, no fundo encharcado. Será que aquele suplício nunca acabaria?

Foi quando, ao longe, o lagosteiro começou a retornar. Francisco ficou olhando, porque já sofrera tantas decepções que era melhor não alimentar esperanças. Mas o que ele não sabia era que, a bordo do tal barco, o mestre Eduardo Januário (coincidentemente mesmo sobrenome dele) já tinha visto a sua balsa, embora a julgasse vazia, porque a avistara justamente quando Francisco caiu na água, para tentar nadar até a boia. Não fosse pela curiosidade e pela possibilidade de recuperar um "bote desgarrado", que valeria algum dinheiro, o lagosteiro jamais teria retornado. Mas, quando se aproximou, achou algo bem mais valioso do que uma balsa de borracha. Achou Francisco, clamando por auxílio.

"Fique tranquilo, você está salvo!", disse o lagosteiro, depois de ouvir os apelos de Francisco. Nem precisava. Bastaria olhar para ver que aquele homem já estava quase à beira da morte. Quando subiu a bordo, sete dias depois de ter se atirado ao mar, Francisco estava seis quilos mais magro, tinha as pernas inchadas e a pele torrada e rachada. Mas, contrariando todas as evidências, estava vivo. Mesmo depois de, por várias vezes, ter "morrido". Ou quase isso.

Do barco, o lagosteiro passou um rádio e mandou avisar a família do náufrago. Os filhos saíram correndo para encontrá-lo numa praia do Ceará. E os vizinhos foram enchendo a rua. Quando Francisco voltou para casa, foi saudado como autor de um milagre: o de ter sobrevivido várias vezes a morte e provado que não só os gatos têm sete vidas.

A enigmática canoa das ossadas

Dentro do casco à deriva e semi-inundado, jaziam ossos de dois homens, que jamais foram identificados

No dia 3 de março de 2014, um mistério foi dar no esquecido litoral do Amapá. Ao voltar de mais uma pescaria em alto-mar, o mestre Antônio Sousa Marques, do pesqueiro B/P Diniz Pesca, avistou um casco semissubmerso à deriva. Era uma espécie de grande canoa de fibra de vidro, tão inundada que mal podia ser vista na superfície. E sem ninguém a bordo.

Ele se aproximou e pediu que dois companheiros passassem para a canoa, para prender um cabo, a fim de rebocá-la. Mas aquele barco não estava tão vazio quanto parecia. Ao enfiar a perna na água turva empoçada dentro do casco, um dos pescadores sentiu algo sob os pés. Enfiou a mão e retirou um fêmur. Em seguida, um crânio. E outro mais. Além de vários ossos. Boa parte de duas ossadas humanas repousavam no fundo da tal canoa. A quem pertenceriam?

O macabro achado foi notícia nos jornais da região e rendeu dois inquéritos: um na Capitania dos Portos, outro na Polícia Federal. Mas ninguém chegou a conclusão alguma sobre aquele barco, de onde ele veio, o que teria acontecido com as vítimas e, sobretudo, quem elas eram. E a impossibilidade de identificação teve algumas razões.

Uma delas é que o barco, que não passava da parte de baixo do casco de um velho veleiro, com cerca de dez metros de comprimento, cujo convés fora grosseiramente cortado e transformado numa canoa, não trazia nenhum tipo de identificação — apenas o nome do estaleiro italiano que produziu a embarcação original, gravado em relevo na fibra de vidro. Mas o estaleiro não existia mais. Também não havia nenhum vestígio de nome, bandeira ou porto de registro.

Outro complicador é que, além dos ossos, nada mais havia a bordo. Apenas um anel enferrujado e alguns cabos, já carcomidos pelo tempo e revestidos com o mesmo musgo que forrava boa parte do casco, sinal de um longo período em contato com a água salgada. Nenhum pedaço de roupa, utensílio ou pista, enfim, que ajudassem a descobrir, ao menos, a origem das vítimas.

Mas como os ossos já estavam completamente "limpos", ou seja, sem mais nenhum resquício de carne humana, deduziu-se que, seja lá o que tivesse acontecido, acontecera há um bom tempo, uma vez que, mesmo em contato com o sol e o mar, o corpo humano leva meses para se decompor totalmente. Portanto, era certo que aquela canoa vagara durante meses no oceano, sem ser vista por ninguém — algo bem mais plausível do que pode parecer.

Uma das primeiras iniciativas da polícia foi consultar os registros de desaparecidos no mar da região, embora a hipótese de as vítimas serem brasileiras logo tenha sido descartada, não só pelo próprio barco, de construção estrangeira, como pela região onde ele foi encontrado, um conhecido ponto de encontro de correntes marítimas vindas do Caribe e da África. Teriam os restos daqueles dois infelizes seres cruzado todo o Atlântico à deriva, desde o continente africano? Sim, era possível.

Outra hipótese é que eles tivessem vindo de algum país vizinho, Suriname, Guiana e Venezuela, regiões onde a pirataria é intensa, o que também passou a ser considerado, embora nenhum ferimento ou marca de disparo de arma de fogo tenha sido identificados nas ossadas.

Mas foi possível saber que se tratavam de dois homens, um negro e outro possivelmente mulato, um deles bem mais velho, mas ambos com origens aparentemente humildes, a julgar não só pelo próprio barco, simplório e adaptado, como pela ausência de dentes frontais nas arcadas dentárias de ambos.

Este detalhe levou a investigação a deduzir que poderiam ser pescadores, que saíram para o mar para pescar e, por alguma razão, não conseguiram voltar — embora não houvesse nenhum vestígio de rede ou apetrecho de pesca na canoa. Uma tempestade poderia ter arruinado a vela do barco (no fundo do casco, havia uma cavidade que bem poderia ser usada para fincar uma rústica vela, tal qual nas jangadas), deixando-os à mercê das correntes marítimas — as mesmas que arrastaram seus despojos até o Amapá. Outra hipótese é que eles não fossem pescadores e sim imigrantes ilegais, tentando a sorte em outro país, embora as limitações do barco para uma travessia mais longa conspirassem contra esta teoria.

Certo é que não eram náufragos, porque nenhuma embarcação levaria aquele tipo de canoa como bote salva-vidas. Então, quem eram aqueles dois pobres coitados? Jamais se saberá. O mistério do "barco das ossadas", como o caso ficou conhecido na época no Amapá, acabou condenado pelo mar a se tornar eterno.

PERDIDO, MAS NÃO PARA SEMPRE

No mundo dos negócios marítimos, nem sempre um navio dado como perdido torna-se inútil. Em 22 de maio de 1971, o já decano Meteor, um pequeno navio de passageiros construído em 1955, pegou fogo perto do porto de Vancouver, no Canadá, e foi dado como irrecuperável. Já estava sendo vendido como sucata, quando surgiu uma proposta de compra feita pela empresa grega de cruzeiros Epirotiki, que ficou com o barco. O decrépito Meteor foi rebocado para a Europa, reformado e voltou ao mar, rebatizado Neptune, para operar no alegre mundo dos cruzeiros marítimos pelas ilhas gregas, onde está até hoje — mais de meio século e um incêndio (tido como fatal) depois.

O grande fiasco do barco revolucionário

O mais audacioso veleiro de regata que os ingleses já construíram teve que ser abandonado antes mesmo de largar

No final dos anos 1990, os ingleses decidiram construir um grande veleiro-catamarã, o mais revolucionário da História. Entre outras ousadias, ele tinha dois mastros, um em cada casco, o que jamais havia sido tentado. O objetivo do barco era competir na The Race, uma regata de volta ao mundo que partiria de Barcelona, em janeiro de 2001.

O projeto consumiu cerca de quatro milhões de libras (boa parte delas vinda de doações de simples entusiastas da vela) e a missão de torná-lo realidade foi entregue ao velejador inglês Pete Goss, que o transformou em um espetáculo de mídia — a construção pôde ser acompanhada pelo público, dia a dia, desde o início. Para Goss e todos os ingleses, o Team Philips, como o barco foi batizado, era mais do que um simples veleiro de competição. Era o próprio orgulho da tradição marítima inglesa.

O Team Philips ambicionava se tornar o veleiro mais rápido do mundo. Seu projeto fora, de certa forma, inspirado nas naves espaciais da série Jornada nas Estrelas. Ele tinha velas separadas para cada casco, 120 pés de comprimento e era mais largo do que uma quadra de tênis. Ficou pronto em janeiro de 2000 e foi batizado pela própria rainha da Inglaterra. Em seguida, foi para a água, para os primeiros testes práticos. Foi quando começaram os problemas. Muitos problemas.

Logo no primeiro teste, navegando com ventos de não mais que 24 nós (bem pouco para um barco daquele porte), o Team Philips inexplicavelmente perdeu toda a proa de um dos cascos, que simplesmente partiu durante a navegação. Ele teve que voltar rebocado, sob o risco de afundar ali mesmo. Refeito o casco, oito meses mais tarde, ele voltou à água. E, de novo, decepcionou. Dessa vez, quebrou a base de um dos mastros. Nada parecia dar muito certo no audacioso projeto de Goss, para frustração dos ingleses, que haviam transformado aquele barco num quase símbolo naval britânico.

Com tantos imprevistos, que atrasaram sobremaneira os cronogramas, os testes finais do barco tiveram que ser feitos já durante a travessia para a largada da competição, na Espanha. E foi quando o pior aconteceu. Em 2 de dezembro de 2000, perante uma multidão de torcedores, o Team Philips deixou a Inglaterra rumo a Barcelona, para a largada da The Race. Mas sequer chegou lá. Vítima de uma dessas infelizes coincidências, o barco foi colhido por uma brutal tempestade no trajeto e começou a desintegrar-se em pleno oceano.

Na noite de 9 de dezembro, a tempestade alcançou o Team Philips (de nada adiantou Goss ter penetrado bastante no Atlântico a fim de evitá-la), com ventos de até 70 nós. Logo, parte da pequena cabine central do barco saiu voando pelos ares e o resto ameaçava ir junto. Goss, então, baixou todas as velas e lançou ao mar uma âncora de tempestade, feita para tentar frear o avanço do barco. Mas não adiantou muito. Às 23h55, temendo pela vida dos tripulantes, ele decidiu emitir um pedido de socorro a um navio que estava por perto. O resgate chegou rápido. Só que, para isso, foi preciso abandonar o super-veleiro no oceano. Não havia outro jeito, pois era impossível rebocá-lo. Nem o barco aguentaria muito tempo se fosse puxado.

Vazio, o Team Philips vagou à deriva ninguém sabe por quanto tempo, até que, seis meses depois, dois pedaços destruídos do seu casco foram dar em duas praias distintas, uma da Irlanda e outra da Islândia, esta a 1 500 quilômetros de distância de onde ele havia sido abandonado. Ironicamente, os dois fragmentos traziam trechos das mensagens que haviam sido pintadas no casco por apoiadores do projeto ("Vamos fazer as coisas melhores", dizia uma delas), além de assinaturas de cidadãos ingleses que fizeram doações para a construção do barco.

O Team Philips virou sinônimo de completo fiasco e decretou o fim do sonho inglês de construir um barco revolucionário. Mas o vexame deixou uma lição: a de que, no mar, não existe tempo para a pressa.

O perigo que veio por baixo

As chances de um submarino atingir um navio na superfície são mínimas. Mas foi o que aconteceu com aquele azarado barco japonês

Era manhã de 9 de fevereiro de 2001 e o Ehime Maru, um pequeno barco pertencente à prefeitura da cidade de Ehime, no Japão, e usado como barco-escola para treinamento de jovens aprendizes da carreira de pesca profissional, chegava ao Havaí, após 74 dias de viagem pelo Pacífico. Levava a bordo 20 tripulantes, dois professores, 13 alunos adolescentes e um clima de total tranquilidade, já que a travessia havia ocorrido sem nenhum imprevisto. Em poucas horas, todos estariam curtindo as praias de Oahu. Foi quando aconteceu o improvável. À apenas nove milhas da costa, o submarino nuclear americano USS Greenville emergiu abruptamente e atingiu o Ehime Maru em cheio, mandando o barco japonês e nove dos seus tripulantes para as profundezas.

Foi uma falha tão grosseira que mereceu até um pedido formal de desculpas do presidente americano George Bush ao povo japonês — além de estremecer ligeiramente as relações diplomáticas entre os dois países. Como poderia um submarino da maior potência tecnológica do planeta cometer tamanha barbeiragem? A resposta estava em uma só palavra: imprudência.

No instante do acidente, o USS Greenville, que havia partido da base de Pearl Harbor para demonstração de suas capacidades a um grupo de políticos e empresários a bordo, estava sendo "pilotado" por um civil, o magnata americano do petróleo John Hall, que fazia parte do seleto grupo de convidados e experimentava a sensação de segurar seus controles.

Até então, para impressionar os visitantes, a tripulação do USS Greenville vinha executando uma série de manobras de demonstração, incluindo uma "subida de emergência", que consistia em submergir o submarino para, em seguida, emergir em alta velocidade. Foi durante esta manobra que ele atingiu o Ehime Maru, que navegava tranquilamente na superfície. O resultado foi dramático. E trágico.

A falha foi ainda mais grotesca porque o radar do submarino havia indicado a presença de uma embarcação nas proximidades. Mas a varredura visual da área não confirmou isso — talvez por não ter sido feita com o devido cuidado, outra imprudência do comandante do submarino, Scott Waddle, que, depois da colisão, também se afastou do local sem prestar socorro, alegando que o submarino era grande demais para fazer manobras de resgate sem colocar em risco a segurança das vítimas que estavam na água. Waddle se limitou a comunicar o fato a base e pedir ajuda. O Ehime Maru afundou em menos de cinco minutos, levando para o fundo do mar havaiano nove ocupantes, entre alunos e tripulantes.

Dias depois, o casco do barco japonês foi içado do fundo do mar, para que pudessem ser recuperados os corpos das vítimas. Mas nem todos foram encontrados. Em seguida, foi erguido um memorial em Honolulu, em homenagem às vítimas de uma das maiores barbaridades navais dos tempos modernos. E o caso parou por aí.

No final daquele ano, após assumir publicamente a responsabilidade pelo desastre, o comandante Scott Waddle foi afastado da ativa e colocado na reserva da Marinha Americana. Mas sua punição se limitou a isso — apesar dos nove japoneses que perderam a vida. Já o milionário John Hall sequer foi indiciado.

Não foi por falta de aviso

Todos tentaram impedir que ele se lançasse naquela ousada travessia a remo. Mas a vontade falou mais alto que o bom senso

Tentar, bem que a mulher, os filhos, os amigos e até a meteorologista contratada por ele para orientá-lo naquela longa travessia, tentaram. Mas não houve jeito de fazer o médico cardiologista americano Nenad Belic, de 62 anos, desistir do sonho de atravessar o

Atlântico sozinho com um barco a remo, na rota mais difícil: de oeste para leste, dos Estados Unidos à Europa. O resultado foi uma angustiante tragédia, cujos reais detalhes jamais serão conhecidos, já que Belic remava sozinho quando foi engolido pelo oceano, na noite de 30 setembro de 2001.

O que se sabe é que, nas primeiras horas daquele mesmo dia, ele havia recusado o conselho da meteorologista Jenifer Clark para ativar o Epirb, um aparelho que emite pedidos de socorro. Pelo telefone via satélite, a especialista avisara que uma violenta tempestade se aproximava velozmente da área onde Belic estava, a cerca de 260 milhas náuticas da costa da Irlanda, e o aconselhava pedir ajuda, enquanto era tempo.

Mas Belic, que já estava no mar há 143 dias (bem mais que os 100 dias que ele previra para aquela travessia), seguia tão obstinado em chegar do outro lado do Atlântico remando um pequeno barco como quando partira de Massachusetts, quase cinco meses antes — apesar de já estar bastante cansado e enfraquecido pelo racionamento de comida que precisou fazer por conta da maior duração da viagem.

Seu barco, de pouco mais de seis metros de comprimento e projetado por ele mesmo, com base no que aprendera em travessias menores, não tinha nenhuma outra fonte de propulsão a não ser os remos. Por isso, aquela travessia era tão preocupante para um homem de idade avançada, ainda que fisicamente bem preparado e acostumado a remar bastante. Mas quem haveria de conseguir fazer o obstinado Belic mudar de ideia e desistir? Nem mesmo sua meteorologista.

O VEXAME DO SUBMARINO BRASILEIRO

Na véspera do Natal de 2001, o submarino Tonelero, da Marinha do Brasil, comprado 30 anos antes por 40 milhões de dólares, afundou pateticamente junto ao cais da corporação, na Baía de Guanabara, vítima de uma inacreditável sucessão de falhas durante uma simples operação de manutenção do seu sistema de tanques de lastros. O primeiro erro foi realizar a operação à noite, e não durante o dia, como recomendado. O segundo, comandá-la de dentro do submarino, e não de fora, o que tornou impossível monitorar visualmente a linha d´água do casco. O problema aconteceu porque os tanques de lastro não receberam nenhuma injeção de ar, só de água, e foram abertos mais de um tanque ao mesmo tempo, o que também contrariava as normas. Por fim, o erro mais grosseiro: uma das escotilhas estava aberta, o que fez a água invadir o interior do submarino quando o peso dos lastros atingiu o limite máximo. Apesar das dimensões do acidente, não houve vítimas, até porque um mísero passo separava o submarino do cais. Nem tampouco punição aos responsáveis. Seis meses depois, o Tonelero foi vendido como sucata.

Belic sabia que, se acionasse o pedido de socorro estaria abdicando do sonho de atravessar o Atlântico a remo, porque, ao ser resgatada, a vítima é obrigada a abandonar o barco. Decidiu que não faria aquilo, apesar dos sensatos argumentos da meteorologista.

— Meu barco tem condições de flutuar feito uma rolha, mesmo nas piores tormentas — foram suas últimas palavras.

Mas, naquela mesma noite, 12 horas após o conselho da meteorologista, a Guarda Costeira irlandesa captou um sinal do Epirb do barco de Belic e despachou um helicóptero para a região. Lá, tudo o que a equipe de resgate encontrou foi a luzinha do aparelho piscando, em meio a fúria do mar e ondas que passavam dos cinco metros de altura. Do barco e de Belic nenhum sinal. Muito possivelmente, ele só decidiu seguir o conselho da meteorologista quando já era tarde demais.

Naquela mesma noite, sem saber do ocorrido, a mulher de Belic sentiu um momentâneo calor envolvendo o seu corpo, como se alguém a estivesse abraçando. Foi um mau presságio. Algumas horas depois, sua intuição se confirmou: a Guarda Costeira irlandesa ligou informando que Belic havia desaparecido.

Um mês e meio depois da tragédia, um pescador julgou ter visto uma baleia morta, boiando no mar, ao largo da costa irlandesa. Ao se aproximar, viu que era um pequeno casco emborcado — o do barco de Belic. Dentro dele, porém, não havia nenhum sinal do corpo do remador. O obstinado médico americano que se recusara a pedir socorro pagou caro por isso.

DESISTIU A TEMPO

Inspirado na tentativa de travessia de Nenad Belic, o também aventureiro canadense Greg Kolodziejzyk anunciou, em 2010, que faria até mais que seu inspirador: atravessaria do Canadá ao Havaí com um barquinho com casco igual ao usado pelo médico americano, mas movido a pedais e não a remo — uma espécie de pedalinho hi-tech, batizado WiTHiN. Mas não chegou nem a tentar. Depois de quatro anos de testes práticos com o curioso barco, ele, sensatamente, desistiu da empreitada: "O WiTHiN não tem a estabilidade necessária para enfrentar as grandes ondas oceânicas", disse, ajudando a esclarecer o que pode ter acontecido com Belic. Mesmo assim, Kolodziejzyk pôs o seu curioso pedalinho à venda: "Para travessias menores, ele serve", explicou.

Herói ou mentiroso?

Nem todo mundo acreditou quando ele disse que passou meses à deriva numa das rotas marítimas mais movimentadas do mundo

No final de maio de 2002, Richard Van Pham, um vietnamita naturalizado americano de 62 anos, partiu sozinho de Long Beach, na Califórnia, para navegar com seu veleirinho, de 26 pés, até a vizinha Ilha Catalina. Mas, no meio do caminho, enfrentou uma tempestade que quebrou o mastro e danificou o motor do barco. Como ele não tinha rádio para pedir socorro nem como regressar por meios próprios, vagou à deriva por nada menos que três meses, até ser localizado a 2 500 milhas dali, já próximo ao litoral da Costa Rica.

Para sobreviver durante esse tempo todo, Van Pham usou a carne de uma tartaruga que conseguiu capturar, quando o animal subiu junto ao barco para respirar. Dela, além de saciar a fome imediata (e guardar pedaços para ir comendo aos poucos, nos dias subsequentes), ele produziu iscas, que espalhava pelo convés do barco, a fim de atrair aves marinhas, que eram abatidas a pauladas.

Mas, ao contrário dos náufragos convencionais, Van Pham cozinhava as carnes antes de comê-las, usando para isso a gasolina do motor pifado e a madeira que revestia o interior do barco como lenha. Fazia uma pequena fogueira e assava o pouco que tinha para comer, mesmo correndo o risco de tacar fogo no barco inteiro. Engenhoso, também bolou uma maneira de fazer evaporar pequenas porções de água do mar dentro de um recipiente fechado e assim torná-las potáveis.

MOTIM, MORTE E MISTÉRIO

Quando a Guarda Costeira australiana entrou no pesqueiro taiwanês High Aim 6, abandonado na costa da Austrália em janeiro de 2003, a surpresa foi até maior do que a de encontrar aquele grande barco à deriva, sem ninguém a bordo — ele estava em perfeito estado, com os tanques cheios e repleto de suprimentos. Mas, e os tripulantes? A investigação concluiu que havia ocorrido um motim, possivelmente seguido de assassinatos. Não tardou e o sinal do celular do engenheiro do barco foi detectado num povoado da ilha de Sulawesi, na Indonésia, região de origem de toda a tripulação. O aparelho estava nas mãos de um dos marinheiros, que confessou ter matado o engenheiro e o capitão, mas se recusou a dizer por quê. Também não disse onde estavam os outros oito amotinados, que a polícia jamais encontrou. Teriam eles também sido mortos? Nunca se soube. O caso do High Aim 6 jamais foi totalmente explicado.

Na volta aos Estados Unidos, como prêmio pelo seu feito, Van Pham ganhou em doação outro barco, este devidamente equipado com todos os ítens de segurança. Mas, logo em seguida, ele voltou a ter problemas no mar e teve que ser novamente resgatado. Quando a Guarda Costeira americana chegou para ajudá-lo, constatou que faltavam vários equipamentos, que, antes, havia no barco. Ele, então, confessou tê-los vendido, para ganhar algum dinheiro. Desta vez, em vez de homenageado, Van Pham foi multado.

Além disso, para muita gente, Van Pham teria feito pior ainda: ele teria mentido sobre a duração do seu primeiro episódio, aquele que o tornou regionalmente famoso. O argumento foi que as águas da costa sul da Califórnia estão entre as mais movimentadas do mundo e seria pouco provável que alguém passasse três meses à deriva sem ser visto por nenhum outro barco. Para os acusadores de Van Pham, em vez de ficar meses à deriva no mar, ele teria passado boa parte do tempo escondido em algum lugar e só voltado a navegar pouco antes de ser "encontrado". Um golpe ainda mais baixo do que vender os equipamentos do barco que a ele fora doado.

Caiu no mar e ninguém viu

Mas o azarado virou sortudo, ao ser ouvido por outro navio

Aconteceu em abril de 2003, durante um desses cruzeiros pelo Caribe, repletos de bebidas e folias. Tim Sears, um americano de 31 anos, em-

BARCO NO TELHADO

Quando um violento terremoto, seguido por tsunami, atingiu a Indonésia, em 2004, um barco de pesca foi levado pela enxurrada e parou bem em cima da casa de Fauziah Basyariah, na região de Banda Aceh, uma das mais afetadas pela tragédia. Mas o que poderia ser o prenúncio de outro drama (o desmoronamento da casa sob peso do barco), acabou sendo a salvação dela própria, dos seus cinco filhos e de um total de 59 pessoas, quase todos vizinhos que ali buscaram abrigo, após o terremoto. Ao perceber que o barco estava "ancorado" no telhado da casa, já então tomada pelas águas, a mulher fez um buraco no teto e mandou que todos passassem para o pesqueiro, na esperança de que ele resistisse a inundação, já que se tratava de um barco. Deu certo. A água subiu até o telhado da casa, mas o barco continuou ali parado. E continua até hoje, agora transformado em atração turística da cidade. Virou a "Arca de Noé" do tsunami da Indonésia.

barcou com um amigo para uma semana de diversões, a caminho da Ilha de Cozumel, no México, quando, na noite do quinto dia de viagem, caiu no mar de uma maneira que, até hoje, nem ele sabe explicar. Inexplicável também foi a sorte que ele teve de sobreviver a um tipo de acidente que costuma ser fatal em 100% dos casos, especialmente quando ninguém a bordo nota a queda, como foi o caso.

Tudo o que Sears recordava é que ele havia passado o dia bebendo muito, e que, à noite, depois de dançar um pouco (e beber ainda mais), resolveu procurar o amigo, no cassino. Daí para a frente, mais nada. Quando ele deu por si, estava na água, só de cueca e camiseta, na escuridão do mar, e sem o navio por perto.

O mais provável é que Sears tenha sido vítima de um apagão, causado pelo excesso de álcool e caído da varanda de sua cabine, o que, por si só, estar vivo representava um quase milagre, porque o navio Celebration, no qual ele estava, tinha a altura equivalente a um prédio de dez andares. Porém, mais incrível que a queda sem sequelas foi Sears escapar com vida daquele infortúnio, porque ninguém no navio sentiu falta dele até o dia seguinte, quando o Celebration ancorou na ilha mexicana.

Quando recobrou os sentidos, Sears estava no meio do mar, bem distante da costa mais próxima. Mesmo assim, saiu nadando sem rumo, o que fez praticamente a noite inteira.

Quando o dia amanheceu, Sears continuou nadando. Até que, por volta do meio-dia, viu um navio vindo, mais ou menos, na sua direção e juntou forças para nadar ainda mais rápido. Minutos depois, ao se aproximar do navio em movimento, tentou o impossível: gritar para que alguém lá dentro o ouvisse. E não é que alguém ouviu os seus gritos?

10 DIAS DEBAIXO D´ÁGUA. E VIVOS

O mergulho no mar mais longo da História aconteceu em setembro de 2005, na ilha italiana de Ponza. O casal de mergulhadores italianos, Stefano Baresi e Stefania Mensa, passou nada menos que dez dias consecutivos debaixo d´água, durante um experimento para avaliar as reações do organismo humano aos mergulhos prolongados. Eles ficaram 240 horas submersos, ligados à superfície apenas por mangueiras de ar. Para se alimentar, usavam um batiscafo estacionado a oito metros de profundidade, e, para dormir, inflavam as roupas de borracha feito bexigas e eram contidos por redes submersas, para não subirem involuntariamente a superfície. “Sempre sonhávamos que o ar estava acabando”, brincou Stefania, ao final da curiosa experiência.

Um dos tripulantes do cargueiro Eny estava passando pelo convés naquele instante, quando ouviu os berros e localizou o americano na água. Sears foi resgatado, após passar 14 horas no mar. E praticamente no mesmo instante em que sua falta, finalmente, foi dada no navio do qual despencara.

O mar como testemunha de assassinato

Sob o pretexto de testar o barco, três comparsas mandaram o casal de proprietários para o fundo do mar da pior maneira possível

Depois de muito tempo navegando pelo mundo com seu trawler a motor, o Well Deserved, o casal de aposentados americanos Jackie e Thomas Hawks decidiu vender o barco e voltar a fixar residência em terra firme. No final de 2004, eles publicaram um anúncio e, logo depois, receberam a ligação de um interessado. Era Skylar Deleon, um desconhecido ex-ator de televisão que tivera seus quinze minutos de fama na infância, ao fazer parte de alguns seriados do grupo Power Rangers.

Um encontro foi marcado na marina onde o barco estava, em Newport, no estado de Rhode Island, e os Hawks ficaram bem mais tranquilos quanto a idoneidade do interessado quando ele chegou acompanhado da esposa, Jennifer, e de um bebê, que eles diziam ser filho deles. Depois de entrar, vasculhar tudo e elogiar o barco, o casal marcou um teste prático para dali a alguns dias, quando, então, o negócio seria fechado.

Na data combinada, 15 de novembro, Skylar chegou à marina também acompanhado — mas, agora, de dois "amigos": os ex-presidiários Alonso Machain e John Kennedy, que ele conhecera quando cumpriu pena por roubo de armas, anos antes. Skylar disse aos Hawks que eles ajudariam na avaliação do barco. Mas o papel deles foi bem outro: ajudar a dar um fim no pobre casal, em alto-mar.

Milhas depois de saírem da marina, Skylar revelou aos Hawks o objetivo do grupo: roubar o barco — e não era só isso. Após obrigarem Jackie e Thomas a assinar um contrato de venda e pegar os documentos bancários dos dois, além da chave do carro do casal, Skylar e seus comparsas amarraram os Hawks na âncora do barco e os atiraram na água — ao que consta, ainda vivos. Em seguida, retornaram com o barco para a mesma marina de onde haviam partido, como se nada houvesse acontecido.

Os corpos de Jackie e Thomas jamais foram encontrados. Mas a família logo estranhou o sumiço dos dois e deu queixa na polícia. Não demorou muito para a investigação chegar em Skylar, especialmente depois que uma tentativa de movimentação na conta bancária dos Hawks foi feita, a partir do México — para onde ele e a mulher haviam fugido, a fim de esperar a poeira do caso baixar.

Na polícia, Skylar se defendeu, exibindo o documento de compra do barco e alegando que, ao retornarem à marina, naquele dia, os Hawks se despediram e partiram no carro do casal (que o trio já havia feito sumir), levando o dinheiro da venda do barco, que teria sido em espécie, para não deixar rastros financeiros, já que o intuito da compra do barco era o de lavar o dinheiro que ele havia conseguido com a venda das armas — um crime bem menor do que ser acusado de duplo assassinato. Mas não adiantou.

Por meio dos depoimentos de Skylar, a polícia chegou, também, aos seus comparsas e um deles, Machain, intimidado com o risco de pena de morte, confessou o crime. Em seguida, Skylar, Jennifer e Kennedy foram presos e, mais tarde, levados a julgamento.

Antes disso, mesmo já estando na cadeia, Skylar convenceu um colega de cela que estava prestes a ser solto a cometer outros dois assassinatos em seu nome: o de um primo e o do seu próprio pai, que não apenas sabiam dos planos de Skylar de matar o casal dono do barco, como eram testemunhas de outro assassinato cometido por ele, um ano antes, o do americano John Jarvi.

Já a mulher dele, Jennifer, que após o crime se divorciou de Skylar como artifício para tentar convencer os jurados de que não sabia dos planos assassinos do ex-marido, foi julgada e condenada a prisão perpétua por cumplicidade, o mesmo acontecendo com Alonso Machain e John Kennedy. Já Skylar foi sentenciado a pena de morte, executada em abril de 2009.

Uma desgraça mais que anunciada

O mau estado do navio Al-Salam Boccaccio tinha tudo para acabar em tragédia. E ninguém se surpreendeu quando isso aconteceu

O mínimo que se poderia dizer do navio Al-Salam Boccaccio é que ele estava em péssimo estado, quando, em 3 de fevereiro de 2006, deixou o porto de Duba, na Arábia Saudita, com destino a Safaga, no Egito, com mais de 1 500 passageiros. Por causa disso, logo começou um princípio de incêndio na casa de máquinas, que foi controlado a base de baldes de água, já que as bombas do casco não funcionaram. Em seguida, um novo curto-circuito provocou outro início de incêndio, este bem mais intenso.

O comandante, então, resolveu retornar ao porto, mesmo com parte do navio ardendo. Foi quando o mar virou subitamente e as ondas aumentaram de tamanho. Pegando fogo e, agora, também desestabilizado, porque como as bombas d´água não funcionavam não havia como expulsar a água que entrava, o precário Al-Salam Boccaccio, por fim, adernou e emborcou no mar.

Morreram 1 018 pessoas, sendo que muitas das que milagrosamente sobreviveram a tudo isso, não resistiram a demora do serviço de resgates, porque o mar virado impediu o socorro imediato. O Al-Salam Boccaccio era uma tragédia mais do que anunciada. E, sem nenhuma surpresa, virou fato consumado.

Roubo e morte no caminho de Cuba

Eles queriam roubar a lancha que haviam alugado, mas foram muito além disso

Era uma agradável tarde de sábado, 22 de setembro de 2007, em Miami, quando dois rapazes, o americano Kirby Logan Archer, de 35 anos, e o jovem cubano Guillermo Zarabozo, de 19, chegaram a uma das marinas da cidade para embarcar na lancha Joe Cool, do casal Jake e Kelly Branam, que eles haviam alugado para uma travessia até as Bahamas, onde, diziam, iriam encontrar suas namoradas. As apresentações foram rápidas e a Joe Cool partiu em seguida, levando, além do casal proprietário do barco, um parente e um amigo deles, além dos dois clientes, que, até então, não demonstravam nada de suspeito. Ao contrário, haviam pago adiantado e pareciam entusiasmados com o reencontro das namoradas. Só que não havia namorada alguma naquela história.

Mais tarde, em algum ponto do litoral sul da Flórida, Jake, Kelly e os dois tripulantes do barco foram brutalmente assassinados a tiros e atirados ao mar pelos dois rapazes, que queriam apenas roubar a lancha e fugir para Cuba. Mas não deu certo, porque o combustível acabou quando eles ainda estavam no canal que separa os Estados Unidos da ilha cubana e os dois trocaram a lancha pelo bote inflável, no qual esperavam chegar a então ilha de Fidel Castro.

Mas os que os movia na direção de Cuba não eram ideais políticos: era apenas uma maneira de Kirby, mentor do plano, escapar da Justiça americana, pois havia sido condenado no estado de Arkansas por abuso sexual de crianças e por ter dado um golpe de quase 100 mil dólares na rede de supermercados Wall Mart, na qual trabalhava. Já Zarabozo, aparentemente, embarcou naquela insana jornada apenas para retornar secretamente ao país onde havia nascido, sem precisar prestar contas as autoridades cubanas.

O infame plano vinha dando certo até a noite de domingo, quando, preocupados com o não regresso do barco à marina, a família do casal Branam acionou a Guarda Costeira, que imediatamente iniciou uma busca nas águas da Flórida. No dia seguinte, a Joe Cool foi localizada por um helicóptero à deriva e sem ninguém a bordo, a cerca de 30 milhas de Cuba. E, algumas milhas adiante, foi encontrado o bote com o qual Kirby e Zarabozo tentavam alcançar à costa. Interceptados, eles, a princípio, contaram uma história fantasiosa demais para sequer ser investigada: a de que a lancha havia sido atacada por piratas, que haviam matado os quatro tripulantes, mas permitido que eles partissem naquele bote, juntamente, inclusive, com suas bagagens.

Frente às claras evidências de que a história era outra, não demorou muito para Kirby admitir o crime. Já Zarabozo contou várias versões contraditórias sobre a sua participação no episódio, alegando que não sabia das reais intenções de Kirby de matar os tripulantes, apesar de diversas cápsulas usadas de uma arma comprada por ele dias antes da viagem tenham sido encontradas no barco. E tudo foi esclarecido. Só o que jamais surgiu foram os corpos das quatro vítimas lançadas ao mar.

Levados a julgamento na Flórida, tanto Kirby quanto Zarabozo foram condenados pelos quatro assassinatos, mas, na última hora, para escapar da pena de morte, se declararam culpados. Com isso, a pena dos dois passou a ser a prisão perpétua, para muitos até pouco, frente a um crime tão cruel.

Navegando sem ninguém a bordo

O que aconteceu com os três tripulantes daquele veleiro virou um mistério para sempre, apesar de uma tese bem possível

Quase um século e meio depois do misterioso episódio do desaparecimento de todos os tripulantes do Mary Celeste, outro enigma do mesmo tipo aconteceu do outro lado do mundo. Em 18 de abril de 2007, um helicóptero da Guarda Costeira australiana avistou o catamarã Kaz II navegando precariamente na região da Grande Barreira de Corais, aparentemente sem ninguém a bordo.

O fato foi comunicado a base, que enviou um barco para averiguar. Dois dias depois, quando o

SALVOS PELA CERVEJA

Aconteceu no litoral de Alagoas, em 2013. Ao patrulhar, pelo ar, a orla de Barra de São Miguel, os bombeiros que estavam a bordo de um helicóptero viram um homem e duas mulheres boiando no mar, a mais de três quilômetros da praia, e imediatamente, saltaram para ajudar. O trio estava agarrado a uma caixa de isopor, dessas usadas para manter as bebidas geladas. E bêbados. Depois, o caso foi esclarecido. Eles faziam parte de um grupo que saíra em um passeio de escuna. Em uma das paradas, resolveram entrar no mar levando as próprias bebidas e, embalados pelo álcool, não viram o barco ir embora. Os três se salvaram. De certa forma, graças as cervejas.

Kaz II foi localizado e abordado, a muitas milhas do ponto onde havia sido avistado pelo helicóptero, ele ainda navegava — seu motor estava ligado e as velas parcialmente arriadas. E a percepção inicial do piloto do helicóptero se confirmara: não havia mesmo ninguém no barco. Começava ali um mistério que jamais teve uma explicação concreta.

O Kaz II havia partido da cidade de Perth dias antes, para fazer uma travessia de lazer pela costa noroeste da Austrália. Levava três amigos a bordo: o dono do barco, Derek Batten, e seus dois vizinhos, os irmãos Peter e James Tunstead, todos com idades entre 50 e 70 anos. Uma hora e meia após sair da marina, um dos tripulantes ligou para a esposa. Disse estar pescando, enquanto o barco avançava rumo a um conhecido banco de areia da região, chamado George Point, onde eles pernoitariam — o experiente comandante Batten havia pesquisado o roteiro exaustivamente e, cauteloso, havia decidido não navegar à noite, por medida de segurança. Foi o último contato dos ocupantes do barco com seus familiares.

No final da tarde do mesmo dia, quando as condições meteorológicas haviam mudado e o mar se tornara um tanto encrespado, o comandante do Kaz II fez contato com a marina pelo rádio, dizendo ter chegado a George Point. O operador estranhou a demora do barco para chegar a um local tão próximo, mas reputou isso ao fato de o grupo estar pescando durante a travessia. Lembrou, no entanto, que, na véspera, os três tiveram que retornar à marina e adiar a partida, porque o GPS do barco havia apresentado problemas. De qualquer forma, eles haviam chegado onde pretendiam naquele primeiro dia. E isso, mais tarde, seria comprovado pelos registros do GPS do barco. Mas o que aconteceu dali em diante, jamais se soube ao certo.

QUASE UM MÊS NUMA CAIXA DE ISOPOR

Uma grande caixa de isopor, dessas usadas para guardar peixes, foi a salvação de dois pescadores de Burma. No Natal de 2008, o barco pesqueiro no qual eles trabalhavam foi a pique, a cerca de 200 milhas da costa norte da Austrália, e morreram afogados 18 dos seus 20 tripulantes. Só eles dois sobreviveram, depois de se aboletarem dentro da tal caixa e nela vagarem durante 25 dias, até serem avistados acidentalmente por um avião australiano de patrulha, que buscava vítimas de um ciclone que passara pela região dias antes. Pois a dupla não só sobreviveu a terrível tormenta como, também, a fome e a sede, graças aos peixes que havia dentro da caixa e às chuvas intensas trazidas pelo próprio ciclone.

No dia seguinte, o skipper de um barco de pesca avistou o Kaz II navegando de maneira um tanto errática e com a vela de proa rasgada. Ele, então, se aproximou até o limite de segurança de 50 metros. Mas ninguém apareceu no convés. Nem o pescador tentou contato pelo rádio. Segundo os peritos que investigaram o caso, naquela ocasião, os três homens já haviam desaparecido. Mas, por qual motivo?

Quando, dois dias depois, os investigadores entraram no barco sinistramente vazio, as dúvidas aumentaram ainda mais. O Kaz II ainda navegava em perfeito estado, com itens pessoais dos ocupantes displicentemente espalhados a bordo — toalhas no convés, pratos e petiscos na mesa da cabine, um notebook ainda ligado, óculos e camiseta do comandante Batten sobre um dos assentos e uma xícara com um pouco de café junto ao posto de comando. Qualquer que tenha sido o motivo do sumiço dos três foi algo rápido e inesperado. Do contrário, aqueles itens não estariam daquela maneira.

Esta foi a primeira conclusão. Mas havia muitas outras interrogações. A começar pelo fato de o motor estar ligado e todos os equipamentos de navegação funcionando normalmente. Inclusive o GPS, que dera problemas na véspera da partida, mas gravara toda a rota do barco. Os coletes salva-vidas também estavam intactos na cabine, a âncora devidamente recolhida e o pequeno bote de apoio seguia preso na plataforma de popa, sinal evidente de que nenhum dos tripulantes havia desembarcado propositalmente em algum ponto.

A rigor, as únicas coisas que não estavam totalmente de acordo (além da vela rasgada) eram as defensas de proteção do casco, que pendiam para o lado de fora do barco, posição geralmente só usada ao atracar ou encostar em outra embarcação. A bordo, os investigadores também encontraram um revólver, que pertencia ao dono do Kaz II, mas a sua munição estava intacta e a arma não tinha nenhum resíduo de pólvora, sinal de que não havia sido usada.

Os investigadores também acharam uma filmadora, que continha um vídeo gravado no dia da partida do barco. Ele mostrava, entre outras coisas, que um dos tripulantes, Peter Tunstead, estava pescando na popa do Kaz II com o barco em movimento, que as defensas já pendiam para fora do casco, que o mar estava um tanto agitado (embora nenhum dos três vestisse colete salva-vidas), e que o barco navegava a vela, com o motor desligado. E foi aquela gravação que permitiu aos investigadores montar a tese mais provável do que pode ter acontecido com os três amigos naquela misteriosa travessia.

De acordo com as conclusões do inquérito, um dos tripulantes (possivelmente, o mesmo Peter Tunstead que pescava no instante em que o vídeo foi gravado) teria se desequilibrado por conta do mar agitado e caído na água, talvez ao tentar soltar a isca que prendera no casco (havia linha de pesca enroscada no leme quando o barco foi encontrado). Na sequência, outro tripulante, muito possivelmente o próprio comandante Batten, mergulhara para salvá-lo, enquanto o último homem restante a bordo dava um jeito de tentar estancar o avanço do barco e retornar para resgatá-los.

A primeira providência dele teria sido ligar o motor, que no vídeo aparecia desligado, sinal de que eles preferiam navegar à vela. E a segunda, baixar as velas, o que explicaria o cabo do mastro da vela principal estar solto e a vela de proa (que, depois, poderia ter sido rasgada pelo vento, por falta de controle humano na área vélica do barco) parcialmente ariada, quando o Kaz II foi avistado.

Mas, na ânsia de retornar rapidamente ao ponto onde o suposto tripulante havia caído na água, o leme teria sido precipitadamente virado e a mudança abrupta de direção do barco feito a retranca do mastro, que já estava solta, golpear o tripulante restante, que também foi parar no mar — muito possivelmente James Tunstead, porque o comandante Batten, bem mais experiente, teria lembrado de lançar uma boia ao mar antes de partir para a lenta operação de baixar velas, da mesma forma como também ficaria mais atento à movimentação da retranca.

A MOTO QUE CRUZOU O OCEANO NAVEGANDO

O terremoto, seguido por tsunami, que atingiu a costa noroeste do Japão em 11 de março de 2001 lançou milhares de toneladas de objetos no mar. Entre eles, uma motocicleta Harley-Davidson, que seu dono, Ikio Yokohama, guardava dentro de um container, no jardim de sua casa, de frente para mar. Com a enxurrada, o container foi levado pelas águas. Mas, um ano depois, veio a surpresa: ele foi dar numa ilha da Colúmbia Britânica, na costa oeste do Canadá, do outro lado do oceano. Dentro dele, estava a moto do japonês, que foi contatado graças a placa do veículo. Mas ao saber do custo que teria para levar a moto de volta ao Japão, Ikio preferiu doá-la ao museu da marca, nos Estados Unidos.

De acordo com as conclusões do inquérito, foi assim que os três tripulantes do Kaz II acabaram na água, enquanto o barco, empurrado pelo motor, seguiu adiante, sem ninguém a bordo. A idade avançada do trio e o mar agitado também teriam contribuído para que nenhum deles conseguissem alcançar o barco a nado.

Embora impossível de ser comprovada, a tese da tripla queda no mar foi a mais aceita para o mistério. Menos pelos familiares, que, com base no fato de as defensas do Kaz II estarem para fora do casco, passaram a questionar se o veleiro não teria sido abordado por outro barco e seus ocupantes sido mortos — embora, aparentemente, nada a bordo tenha sido roubado, nem mesmo o revólver, o que, em tese, interessaria a qualquer bandido. Além disso, o tal vídeo mostrara que o Kaz II já vinha navegando com as defensas penduradas no casco.

Durante dias, diversos barcos de voluntários, dois helicópteros e nove aviões (um deles equipado com um sofisticado equipamento infravermelho, capaz de detectar a presença de um homem no mar pela diferença de temperaturas na superfície) vasculharam o mar da região, em busca de algum sinal dos três tripulantes do Kaz II. Mas, tal qual no caso no Mary Celeste, nada foi encontrado.

Restou apenas o próprio barco, única testemunha de um episódio que, apesar da coerente tese defendida pelo inquérito, nunca deixou de ter os contornos de um autêntico mistério. Na investigação, até a própria polícia australiana reconheceu que o caso era "estranho" e que nenhuma versão poderia ser considerada definitiva. Nem mesmo a dela.

A CASA NAVEGADORA

Um objeto igualmente incomum foi dar na costa da Irlanda, em outubro de 2016: nada menos que uma casa flutuante, do tipo usada em lagos e represas, sem ninguém dentro. Mas o mais curioso foi de onde ela veio: do Canadá, do outro lado do Atlântico. A história só pode ser desvendada graças a uma anotação no interior da casa-barco, que dizia que ela havia sido doada aos moradores de rua da Terra Nova, na costa leste canadense. Mais surpreendente ainda foi descobrir que, movida apenas pelas correntes marítimas, aquela casa errante levou apenas dois meses para cruzar o oceano. E sem ninguém no comando.

Uma vida em busca de um tesouro

O belga Paul Ferdinand Thiry passou 40 anos buscando um tesouro em Ilhabela e até hoje não se sabe se ele estava certo ou errado

Entre as muitas histórias de supostos tesouros que teriam sido escondidos em diferentes pontos do litoral brasileiro, nenhuma é mais instigante — e plausível de ser verdadeira — que a que envolve o Saco do Sombrio, uma reentrância natural no lado de mar aberto de Ilhabela, no litoral de São Paulo.

Durante 40 anos, de 1939 até morrer, em 1979, o engenheiro belga, radicado no Brasil, Paul Ferdinand Thiry, pesquisou, estudou e escarafunchou, sozinho, uma das partes mais inóspita da maior ilha do litoral paulista, em busca da solução de um enigma, que, segundo ele, levaria a um tesouro ali escondido na primeira metade do século 19. Mas Thiry morreu sem encontrá-lo, embora tenha descoberto uma intrigante série de marcos esculpidos nas pedras, que só poderiam ter sido feitos por mãos humanas. E quem faria aquelas marcas se não fosse para indicar algo? Thiry jamais teve dúvidas disso.

Se a busca por um tesouro em tempos modernos soa infantil demais para parecer real, aquela desconcertante série de marcos encontrados por Thiry sempre deixaram encafifados até os mais céticos. Segundo o aventureiro belga, o que ele procurava no ermo e isolado Saco do Sombrio, que permanece assim até hoje, era nada menos que parte do lendário Tesouro de Lima, tirado pelos espanhóis das igrejas do Peru, durante a guerra pela independência daquele país, em 1821.

O carregamento teria sido despachado secretamente em um navio com destino a Europa, mas jamais chegara ao seu destino. A hipótese defendida por Thiry era a de que a tripulação teria se apoderado da carga e a escondido em uma ilha da costa brasileira, que ele nunca duvidou que fosse Ilhabela — embora, por aqui, a história tenha se tornado mais conhecida como o "Tesouro da Trindade", numa suposta alusão a outra ilha, a mais remota da costa brasileira, quase no meio do Atlântico, o que Thiry sempre discordou com veemência.

Tudo teria começado quando um mapa com a localização da carga desviada fora encontrado na Índia, em meados de 1850, levado para lá por um marinheiro. Trinta anos depois, um roteiro detalhado do esconderijo teria sido entregue ao inglês Eduard Stammers Young, dono de terras no sul do estado de São Paulo, por um ex-pirata também inglês, apelidado de "Zulmiro", há muito exilado no Paraná, após ter sido renegado de seu navio. Young, ao que consta, fez a primeira tentativa de encontrar o tesouro, após unir as informações do mapa com as do roteiro que ele recebera de Zulmiro. Mas fizera isso na ilha errada. Ou seja, na ilha de Trindade.

Quase um século depois, Thiry, então um jovem engenheiro que trabalhava nas obras de saneamento no Rio de Janeiro, leu uma reportagem de jornal sobre o tal "Tesouro da Trindade" e ficou fascinado. A aventura estava no seu sangue. Seu pai, que o trouxera para trabalhar no Brasil, fora o primeiro homem a escalar o morro do Pão de Açúcar, durante os estudos para implantação dos bondinhos. Mas Thiry também era meticuloso e disciplinado, além de muito inteligente e quase matemático.

Durante dez anos, ele pesquisou a fundo aquela história. Conseguiu cópias do mapa e do roteiro descritivo, e ficou particularmente intrigado com uma parte do texto que se referia "a ilha chamada Trindade". Aquele "chamada Trindade" o deixou intrigado. Se a ilha fosse realmente aquela, por que não chamá-la logo pelo seu nome. A menos que a ilha fosse outra.

Partindo dessa premissa, Thiry passou a procurar outras ilhas na costa brasileira que tivessem as mesmas características descritas no roteiro. Entre elas, "uma grande baía abrigada, cascatas e montanhas" — uma delas, descrita no roteiro como sendo um "Pão de Açúcar", mas, como ele logo concluiria,

JANGADA SEM RUMO

O afegão Asif Hussainkhil vivia na França, mas tinha um sonho: imigrar para a Inglaterra, onde já estavam alguns parentes seus. Mas como não tinha permissão oficial para entrar naquele país, resolveu chegar às terras da rainha escondido, no final de 2013, cruzando o Canal da Mancha com uma jangada improvisada, que ele mesmo construiu, unindo três madeiras e usando um lençol a título de vela. Claro que não deu certo e ele foi capturado pela Guarda Costeira francesa a menos de quatro quilômetros da praia, já totalmente à deriva. Até porque, na inocência do seu projeto, Hussainkhil esqueceu de colocar um leme na sua tosca jangada.

sem nenhuma ligação com o famoso símbolo da cidade do Rio de Janeiro.

Thiry concentrou-se particularmente na figura geométrica em forma de trapézio que decorava o mapa da tal ilha, e que continha uma enigmática inscrição, com traços que lembravam letras, números e desenhos, que, quando lidos rapidamente, davam a entender a palavra "G-Bay". Seria uma abreviatura de "Baía Grande", quando traduzida para o português, ou de "Guanabara Bay", o que reforçaria a menção a montanha "em forma de Pão de Açúcar"?

Na baía do Rio de Janeiro, no entanto, Thiry não encontrou nenhuma ilha com as demais características do mapa, a começar pelo tal formato trapezoidal. Concluiu, então, que não era ali. Para ele, que já havia intuído que a menção a Trindade no roteiro poderia ser um mero disfarce, parecia claro que havia um enigma matemático a ser decifrado. E começou a fazer cálculos aleatórios.

Num deles, pegou a distância que separa a Ilha de Trindade do continente brasileiro, 647 milhas náuticas, e a converteu em arcos, sendo que cada arco corresponderia a um minuto nas coordenadas de um mapa da costa brasileira. O resultado apontou para uma região repleta de ilhas e isso passou a fazer algum sentido. Depois, intuiu que as cifras dos tesouros citados no roteiro descritivo, "entre 3 e 5 milhões", também pudessem significar outra coisa que não valores e conjecturou que os números "3" e "5" poderiam ter a ver com a localização da ilha. Em seguida, olhando atentamente para o tal desenho "G-Bay" estilizado no mapa, ele visualizou, nos traços rebuscados da letra "B", quatro números disfarçados: "2", "3", "5" e "2", respectivamente. E se eles indicassem uma coordenada? Quem sabe 23º52'?

Thiry pegou um mapa e, como que confirmando suas suspeitas, lá estava Ilhabela, exatamente naquelas coordenadas. E mais: a ilha tinha um formato que lembrava vagamente um trapézio. E também uma grande baía, chamada Castelhanos, nome que tinha tudo a ver com espanhóis. Também possuía grandes morros, sendo que um deles bem poderia lembrar "um Pão de Açúcar". Para Thiry, eram coincidências demais para serem apenas isso. Mas, a princípio, só ele acreditou que tudo aquilo fazia algum sentido.

Como Thiry não tinha recursos para bancar uma expedição exploratória, ainda mais em um local de acesso tão difícil quanto o lado de fora de Ilhabela naquela época, pediu ajuda a Marinha do Brasil. E conseguiu. Em 1949, um navio da corporação partiu do Rio de Janeiro, levando Thiry e um grupo de marinheiros, dispostos a pesquisar o local. A base das buscas eram complicados mosaicos de triângulos superpostos, que Thiry desenvolvera a partir das leis da trigonometria, e que aplicaria sobre a geografia da grande baía da ilha. Para ele, mais excitante até do que achar um tesouro era solucionar o enigma matemático que garantia existir por trás daquela história. A quem duvidasse do seu complexo raciocínio, Thiry apenas dizia que quem não conhecesse matemática a fundo jamais entenderia mesmo.

A procura tornou-se ainda mais enigmática quando Thiry chegou a Ilhabela e começou a delimitar uma área dentro de um grande triângulo imaginário, formado por pontas distantes da ilha. Dentro dele, ficava a Baía de Castelhanos, onde Thiry visualizou um "Pão de Açúcar" — uma montanha pouca coisa mais alta do que as outras. Ao lado dela, ficava o Saco do Sombrio, ponto exato que Thiry indicou como sendo o do esconderijo do que eles buscavam. Para os que o acompanharam naquela expedição foi preciso boa dose de imaginação e resignação.

Naquela época, o Saco do Sombrio não passava de um esquecido portinho de pescadores, onde viviam cinco famílias caiçaras e uma abnegada professora. Mesmo hoje, não é muito diferente disso. Uma densa vegetação, repleta de escorpiões, jararacas e outros bichos peçonhentos, cobria a íngreme topografia do lugar, escondendo também sorrateiros abismos, que despencavam direto no mar. Além disso, a área era enorme e repleta de reentrâncias, que podiam muito bem esconder qualquer coisa. Buscar um tesouro ali, que nem o próprio Thiry intuía de qual tamanho seria, era como procurar uma conchinha específica numa praia a perder de vista. E à beira de precipícios. Não poderia haver lugar mais inóspito para o árduo trabalho de abrir picadas na mata e desnudar pedras, em busca de alguma pista. Mas

SALVO PELA BOLHA

Durante dois longos dias, o nigeriano Harrison Okene viveu uma das piores aflições que um ser humano pode experimentar. No dia 26 de maio de 2013, o barco no qual ele trabalhava, o rebocador Jascon 4, virou por causa das fortes ondas no local onde operava, a 30 quilômetros da costa da Nigéria, e Harrison, que estava no banheiro na hora do acidente, ficou preso dentro dele, descendo junto com o barco até o fundo do oceano — e ali ficou por dois longos dias, até ser resgatado por um grupo de assustados mergulhadores, que não esperavam encontrar ninguém vivo dentro daquele casco, a muitos metros de profundidade. Harrison só sobreviveu graças apenas a um tremendo golpe de sorte: o barco tombou tão rápido que reteve uma bolha de ar dentro do banheiro onde ele estava, o que lhe permitiu ficar respirando debaixo d'água. "Eu só rezava para a bolha de ar não escapar pelas frestas do casco", disse ele, ao escapar do tormento.

Thiry acreditava que a encontraria. E achou mesmo.

Mesmo perdendo a ajuda da Marinha, que se retirou do projeto após o malogro da primeira e, também, da segunda expedição, Thiry, sozinho, conseguiu delimitar a área onde, segundo ele, repousaria o tesouro. Também traçou um segundo triângulo, bem menor que o primeiro, em cujo centro haveria de haver um marco. Adivinhação? Para ele, não. O que Thiry dizia estar fazendo era pura aplicação da ciência àquela busca meio absurda.

Ele garantia estar empregando as mesmas fórmulas científicas que teriam sido usadas pela mente superior que camuflara aquele tesouro, um século antes, debaixo de complicados enigmas matemáticos, que teriam que ser obrigatoriamente decifrados por quem almejasse encontrá-lo. Do contrário, restaria apenas contar com a sorte, o que, isto sim, Thiry pouco acreditava. Sua principal ferramenta era a sua brilhante capacidade de fazer cálculos matemáticos precisos. Difícil era acompanhar o seu raciocínio e, mais ainda, acreditar que apenas contas e números pudessem levar a algo de concreto, no meio daquela mata fechada. Nisso, praticamente ninguém acreditava.

Até que, um dia, coincidência ou não, os cálculos de Thiry o fizeram topar com uma pedra cercada por outras, formando um círculo quase perfeito. E nela havia três letras esculpidas: um "G", um "M" e um "J", além de um visível coração. Coisa de namorados apaixonados? Pouco provável naquele fim de mundo ainda selvagem nos anos 1950. Até porque, ao lado do círculo, havia uma espécie de pirâmide, formada por pedras cuidadosamente empilhadas.

Thiry ficou eufórico. Para ele, aquele era o marco central do enigma, simbolicamente indicado pelo desenho do coração, "órgão central da vida", explicou. A partir dali, segundo ele, surgiriam outros marcos, até dar no tesouro. E não é que surgiram mesmo, sempre nas interseções dos tais triângulos matemáticos por ele traçados?

No total, ao longo das três décadas que passou fazendo buscas no Saco do Sombrio, Thiry, auxiliado primeiro por um de seus filhos, depois por um amigo, o advogado paulista Osmar Soalheiro, que também se interessou pelas buscas, encontrou mais de 20 marcos — para ele, provas cabais de que havia um caminho a seguir. Mas Thiry não conseguiu chegar até o fim. Em 1979, aos 74 anos de idade, morreu, ainda cercado pela incredulidade, mas com a admiração dos que o conheceram bem. Como o próprio Soalheiro, que seguiu adiante com as buscas.

"Antes de conhecer Thiry, eu também o julgava maluco", disse, certa vez, Soalheiro. "Mas, com o tempo, não só me convenci de que ele era mentalmente sadio, como dono de uma inteligência superior". Soalheiro, no entanto, também encontrou apenas mais alguns marcos na mata, embora tenha vasculhado a região do Saco do Sombrio durante anos a fio, até morrer, em 2011.

A história do tesouro teria parado por aí, não fosse o interesse que despertou em outro pesquisador da região, pouco antes da morte de Soalheiro: Saint´Clair Zonta Júnior. Em 2010, movido pela curiosidade por todos aqueles cálculos de Thiry, e pelo desafio de tentar decifrar o enigma que o belga tanto perseguiu, Saint´Clair, que conhecera Soalheiro e conversara algumas vezes com ele, começou a pesquisar o assunto, usando para isso rigores de investigação científica, já que era um ex-policial aposentado.

Durante meia dúzia de anos, Saint´Clair se debruçou sobre cópias dos mapas e anotações de Thiry, repletos de figuras e triângulos, tentando seguir adiante. Começou se certificando se haveria ou não alguma ligação com algum tesouro do passado. Num dos triângulos do mapa havia a inscrição "182_ _ _", que Saint´Clair deduziu ser a soma dos ângulos internos de um determinado triângulo chave. Não era. Mas, depois de quebrar muito a cabeça, chegou à conclusão que era uma forma disfarçada de mostrar o ano da confecção do mapa: cada um daqueles tracinhos indicaria um algarismo, portanto três tracinhos significavam o número "3". Ou seja, 1823 — logo após o saque ao Tesouro de Lima, que aconteceu em 1821. Fazia sentido.

Animado, Saint´Clair, um adepto também do espiritismo, foi em frente e, depois de deduzir que o mapa não mostrava a ilha inteira, mas apenas

PROCURAVAM UM AVIÃO, ACHARAM UM NAVIO

Em 8 de março de 2014, um avião Boeing 777, da empresa Malaysia Airlines, que fazia um voo entre a Malásia e a China, com 239 pessoas a bordo, desapareceu nas águas do sul do Oceano Índico, a centenas de quilômetros da sua rota original, em um dos maiores enigmas da história da aviação. Semanas depois, quando as equipes de resgate vasculhavam a área, o sonar de um dos barcos detectou metais no fundo do mar, a 4 000 metros de profundidade. Um robô submarino desceu para averiguar, mas o que ele encontrou não foi o Boeing e sim os restos de um naufrágio, que, pelo estado e tipo de barco, deveria estar ali há cerca de um século e meio. Que barco era aquele? Nunca se soube, porque, como o objetivo era encontrar o avião, o robô deu meia volta e não aprofundou a pesquisa. "Foi fascinante achar um navio, mas não era o que estávamos procurando", explicou o responsável pelas equipes de resgate. Que, por sinal, jamais encontrou os restos do avião.

uma pequena parte dela, que compreendia o Saco do Sombrio, passou para as pesquisas em campo. Ao cabo de três expedições, concluiu que não havia apenas um local, mas sim três depósitos, em diferentes pontos da mesma área. E garantiu ter descoberto o ponto exato de um deles, numa pequena toca fechada com pedras, debaixo de uma grande rocha com uma marca entalhada, num ponto de mata cerrada. Mas preferiu não explorá-lo. Por três motivos: não se considerava espiritualmente protegido para tocar no que quer que porventura houvesse lá (uma vidente o havia aconselhado a não fazer isso), o local ficava dentro da área que hoje pertence a um Parque Estadual (portanto, explorá-lo seria contra a lei) e ele próprio não tinha nenhum interesse em um eventual tesouro — o que o movia era apenas o desafio de decifrar os enigmas que o envolviam.

Saint´Clair publicou um livro em parceria com outro pesquisador do assunto, o ex-mergulhador Jeannis Platon, narrando suas descobertas, mas preferiu deixar para os arqueólogos a missão de ir lá ver se realmente há algo debaixo daquela grande pedra — que, ao que tudo indica, até hoje não foi explorada.

No total, Thiry, Soalheiro e Saint´Clair vasculharam o tesouro do Saco do Sombrio por mais de 70 anos. E, apesar das conclusões do último pesquisador, não se pode garantir que ele tenha sido encontrado. Uma das hipóteses mais prováveis é que, se algo foi escondido, já poderia ter sido recolhido, talvez pela mesma pessoa que o escondeu. Ou não. De qualquer forma, uma história que ainda pode não ter terminado.

BATISMO FATAL

Durante uma cerimônia de "batismo no mar", promovida por uma igreja evangélica americana, na praia de Santa Barbara, na Califórnia, no início de 2014, um dos fiéis que estava sendo batizado morreu afogado durante o próprio culto, ao ser arrastado por uma onda. Nem o pastor que conduzia a cerimônia conseguiu segurá-lo. A poucos metros do local, uma placa fincada na areia avisava: "zona de mar perigoso". Assim, nem Deus ajuda.

No rumo certo de uma tragédia

Quando perceberam que seriam pegos, os traficantes de imigrantes abandonaram o navio em movimento, com todo mundo dentro

No final de 2014, o movimento de imigrantes clandestinos do norte da África em direção à Europa atingiu um de seus momentos mais dramáticos, quando um navio em movimento, com cerca de 350 pessoas a bordo, mas sem ninguém no comando, foi detectado navegando apenas no piloto automático, a cerca de 150 quilômetros da costa sul da Itália.

O navio, um velho cargueiro de transporte de animais, batizado Ezzaden, tinha bandeira de Serra Leoa e fora usado por traficantes de pessoas para levar os clandestinos para a Europa, mediante pagamento. Mas, com sérios problemas mecânicos, ficou sem energia no meio da travessia e, sabendo que isso fatalmente implicaria na captura do grupo, foi abandonado pela tripulação, quando se aproximava da Itália. Ao partir, no entanto, os traficantes mantiveram o Ezzaden em movimento, para escapar da fúria dos passageiros, que foram abandonados a sua própria sorte, a bordo de um navio sem nenhum controle.

O destino do Ezzaden (e de todas as pessoas que estavam a bordo, entre elas 54 mulheres e 74 crianças) fatalmente seria a colisão na costa e o consequente naufrágio, não fosse a habilidade de um dos imigrantes, que invadiu a cabine de comando e, mesmo sem ter a principal fonte de energia da embarca-

UM TRÁGICO FUNERAL NO MAR

No dia 31 de janeiro de 2015, um fato totalmente inesperado aconteceu na praia de Trebarwith Strand, na costa leste da Inglaterra. Quando se preparava para lançar ao mar as cinzas do corpo cremado de sua irmã, o inglês Shane Galliers também foi engolido por uma onda e igualmente morreu afogado. Contribuiu para isso o fato de ele estar vestindo pesadas roupas de frio, que, uma vez molhadas, viraram uma espécie de âncora feita de panos. Seu corpo nunca foi encontrado. A família, que fora a praia se despedir de um ente querido, acabou voltando para casa com duas baixas.

O VELHO HOMEM DO MAR

O aposentado americano Harry Heckel Junior já somava 78 anos de idade quando decidiu dar a volta ao mundo velejando sozinho, com seu pequeno barco, para preocupação geral da família. Mas o que tinha tudo para virar um drama doméstico acabou em festa, quando ele retornou, são e salvo, muitos meses depois, após visitar mais de 50 ilhas e países. Só que, em seguida, Harry comunicou que repetiria a viagem e partiu de novo. Ao terminar a segunda circum-navegação do planeta, o vovô navegador já somava 89 anos, nove netos e 20 bisnetos, o que lhe valeu o título de mais velho navegador a dar duas voltas ao mundo velejando em solitário, título que ele guardou com muito orgulho até morrer, em fevereiro de 2014, aos 97 anos. E ainda velejando.

ção, conseguiu fazer funcionar o rádio e pedir socorro. Horas depois, um helicóptero da Guarda Costeira italiana desceu um piloto até o navio em movimento e ele o deteve, antes que uma tragédia acontecesse.

Ninguém ficou ferido no episódio, mas aquele foi o segundo do gênero na região, em menos de uma semana. Dois dias antes, outro navio em péssimo estado, o Blue Sky M, também fora abandonado pela sua tripulação de traficantes de seres humanos ao largo da costa da Grécia, com 800 pessoas a bordo. Só que ele, pelo menos, ficou parado no mar, porque, felizmente, seus motores haviam pifados.

O injustiçado recordista do mar

Como o salvadorenho José Alvarenga sobreviveu mais de um ano à deriva no oceano, em um barco vazio, sem água nem comida

Na noite de 29 de janeiro de 2014, um homem barbudo, seminu e oscilando entre a euforia e o desespero, foi dar numa praia deserta do esquecido Atol de Ebon, nas remotas Ilhas Marshall, um trecho particularmente ermo do Oceano Pacífico. E chegou contando uma história extraordinária: a de que cruzara o maior dos oceanos à deriva, sem água nem comida, levado apenas pelas correntes marítimas, a bordo de um barco que não passava de uma canoa de fibra de vidro, depois que o motor quebrou, na costa do México, a mais de 10 000 quilômetros dali, quase do outro lado do mundo. Ele também dizia que passara mais de um ano boiando no mar e sobrevivera graças a carne e o sangue de peixes, aves e tartarugas, que foi capturando pelo caminho. Quando não chovia, aplacava a sede bebendo a própria urina. E para se proteger do sol e das intempéries, passara a maior parte daqueles quase 440 dias no mar curvado dentro de uma grande caixa de isopor, único abrigo que seu barco oferecia.

Nunca ninguém sobrevivera tanto na vastidão de um oceano, muito menos sem nenhum recurso, como aquele homem, o pescador salvadorenho José Salvador Alvarenga, dizia ter feito. Uma história tão inacreditável de resiliência e sobrevivência que muitos não acreditaram mesmo. Até porque ela envolvia algo pior ainda: a morte de seu companheiro de infortúnio, após quatro meses de sofrimento no oceano, o que lhe rendeu insinuações até de canibalismo, já que ele chegara em ótimo estado para quem passara tanto tempo de privações. Para alimentar ainda mais as dúvidas, José passou um bom tempo sem revelar maiores detalhes de sua saga, o que só concordou em fazer seis meses depois, quando há muito já havia virado herói ou farsante. E o que ele contou deixou o mundo ainda mais chocado, a começar pela descrição que fez do dia em que seu pesadelo, por fim, terminou — 14 inacreditáveis meses depois de ter começado.

A primeira onda veio forte e desestabilizou o barco. E a segunda, logo em seguida, adernou o casco de vez. José caiu no mar e, por um instante, só pensou em se afastar do barco, para não ser golpeado. Aflito, concentrou todas as forças que ainda lhe restavam — quase nada — nos braços e pernas, tentando sair dali rapidamente. Num gesto instintivo, esticou as pernas para baixo, a fim de aumentar o impulso na água. Foi quando sentiu algo que há muito não sentia: sob os seus pés havia areia. Areia firme. Seu coração disparou. Era a certeza de que ele estava salvo, apesar disto contrariar todas as probabilidades.

Tudo começou um ano e dois meses e meio antes, na manhã de 21 de dezembro de 2012, na Praia de Paredón, na costa oeste do México. Naquele dia, o mar não estava nada bom e uma tormenta se aproximava. Mesmo assim, José, de 36 anos, apelidado pelos seus amigos pescadores de "Chancha" (algo como "porco", por causa do seu corpo roliço), decidiu sair para pescar tubarões, como sempre fazia. Queria ganhar algum dinheiro para o Natal que se aproximava. Na falta de um companheiro mais experiente para lhe ajudar, chamou um jovem que mal conhecia e que, por sua vez, pouco sabia de mar: Ezequiel Cordoba, de 23 anos. Os dois pegaram alguns apetrechos (linhas, anzóis, facas, rádio VHF, um galão de água, uma enorme caixa de isopor para estocar os peixes, comida para não mais que o par de dias que pretendiam ficar no mar e combustível para o velho motor de popa) e partiram. O barco era um simplório casco aberto de oito metros de comprimento, da cooperativa de pesca onde José trabalhava, a Camaroneros de la Costa, que, no fundo, não passava de uma grande canoa, sem nenhum abrigo nem conforto.

Mas José estava acostumado com aquilo. Já trabalhava como pescador naquela praia mexicana (para onde havia imigrado de maneira ilegal, deixando para trás pai, mãe e uma filha que sequer conhecera, fruto de um namoro fortuito) havia mais de dez anos, período no qual não fizera contato algum com a família. Apesar do mar grosso, a pescaria foi boa. Na metade do segundo dia, José e Ezequiel já haviam acumulado quase 400 quilos de carne de tubarão. Mas as ondas e o temido vento norte, que seguiam aumentando, convenceram a dupla a regressar à praia. Até porque, àquela altura, o inexperiente Ezequiel já estava à beira de um ataque de nervos, curvado no fundo do barco, cobrindo a cabeça com os braços.

José girou a chave de ignição e tentou dar partida no motor. Nada. Tentou de novo e nenhum sinal. Seguiu tentando — três, quatro, dez, vinte vezes —, até que julgou prudente poupar a bateria para pedir ajuda pelo rádio. Pegou o aparelho e chamou o responsável pela frota de pescadores, na praia. Só conseguiu dizer que o motor havia pifado e soltar um palavrão. A bateria fraca e a grande distância da costa não permitiram mais nada. Os dois estavam a cerca de 70 quilômetros do litoral, com o tempo piorando a cada instante e, agora, sem rádio nem motor. Era o começo de um longo — muito longo — calvário, que os levaria a viver a pior privação que um ser humano pode experimentar: a do completo isolamento no mar, sem água nem comida, sequer esperanças de sair vivo daquele suplício.

Durante quatro dias, a tempestade uivou e elevou o mar, sem clemência. Além do barco de José e Ezequiel, outros dois pesqueiros desapareceram na mesma tormenta e jamais se teve notícias deles. Mas as buscas só puderam começar quando a tempestade perdeu força. E, quando isso aconteceu, José e seu companheiro já estavam longe, levados pelas ondas e pelos ventos para o pior lado possível: o do mar aberto no Pacífico. Dali em diante, só havia água. E mais nada.

Para piorar a situação, não restara nada dos 400 quilos de peixe que eles haviam pescado, porque a única maneira de evitar que o frágil barco fosse à pique na tormenta foi aliviando o seu peso, jogando ao mar todo o pescado, bem como o material usado para capturá-lo — mais tarde, José se arrependeria amargamente disso. Nos primeiros dias, prostrados, ele e Ezequiel nada fizeram a não ser olhar para a imensidão do oceano, torcendo por um resgate. Mas já estavam distantes demais para serem encontrados. Na sua comunidade de pescadores, já eram dados como mortos, coisa não muito rara naquela atividade.

Como compensação, de vez em quando, ao menos, chovia. E os dois aproveitavam para matar a sede. Mas com o passar dos dias, ficou claro que ninguém viria resgatá-los e Ezequiel entrou em profunda depressão. Não queria nem mais beber água da chuva. José, faminto e vendo o estado do amigo, resolveu por em prática algumas saídas para conseguir comida.

Astuto e habilidoso, ele logo aprendeu a capturar, com as duas mãos em forma de concha, peixinhos que acompanhavam o casco na sua lenta deriva. Aprendeu, também, a agarrar pelas patas as aves que se aproximavam do barco, ficando para isso deitado imóvel no fundo do casco, feito um cadáver. Quando agarrava alguma, imediatamente quebrava-lhe as asas, para que não mais voasse e assim também servisse de estoque fresco de alimento. A estratégia costumava render várias aves capturadas (embora muitas delas não passassem de penas e ossos), mas também doloridas feridas, causadas pelas bicadas das aves. Mas, no desespero da fome, José não sentia nada, apesar das profundas marcas deixadas na pele.

Com o tempo, além de capturar peixes e aves, José também desenvolveu técnicas para puxar pequenas tartarugas para dentro do barco. Quando elas subiam para respirar, ele virava o casco de cabeça para baixo e, enquanto o animal tentava se desvirar, puxava-o para cima, pelas nadadeiras. Tanto pela carne quanto pelo sangue, ambos abundantes em gorduras e proteínas, as tartarugas logo se tornaram a principal fonte de alimento e sobrevivência deles. Mas, no começo, para conseguir engolir pedaços daquela massa nauseante de carne e sangue, José chegava a tapar o nariz, a fim de conter o vômito. Já seu companheiro não teve a mesma capacidade. E começou a definhar rapidamente.

No final de janeiro de 2013, Ezequiel já somava um mês sem comer nada. Seu organismo não aceitava. Só de sentir o cheiro fétido das aves, vomitava. Com isso, se desidratava ainda mais. Preocupado, José decidiu fazê-lo comer a força um pequeno peixe. Foi enfiando goela abaixo minúsculos pedaços de carne. Levou uma tarde inteira para conseguir fazê-lo engolir metade do bicho. Mas, depois disso, nunca mais Ezequiel voltou a comer. Foi sua primeira e última refeição naquele barquinho, que boiava no meio do Pacífico. Ele morreria três meses depois, na mais completa inanição.

Antes disso, porém, mesmo deprimido, Ezequiel foi uma valiosa companhia para José — alguém para dividir o medo e a solidão. Evangélico, ensinou o amigo a rezar e, juntos, os dois entoavam cânticos religiosos em pleno oceano, pedindo a salvação a Deus. José se apegou de tal forma a religião que, certa noite, enquanto rezava, julgou ter tido uma visão: a figura de alguém vestido de branco diante de seus olhos. Temendo estar perdendo o juízo, nada disse ao amigo. Mas, na noite seguinte, o fenômeno se repetiu e ele resolveu dividir a dúvida com Ezequiel. Foi quando ouviu a surpreendente revelação de que o companheiro havia visto a mesma coisa. Depois disso, ficou claro para José que só Deus os salvaria. Se é que um deles escaparia.

De vez em quando, os dois conversavam, para distrair a mente. Ezequiel contava que tinha uma namorada e que ela estava grávida. José replicava que tinha uma filha, mas sequer a conhecia. À noite, dormiam abraçados, para atenuar o frio, dentro da grande caixa de isopor usada para guardar peixes, que era o único abrigo que tinham. Logo, contudo, Ezequiel passou a ter alucinações, causadas pela inanição. Apontava para o vazio do horizonte e dizia: "Olha lá, uma mercearia! Vamos comprar tortillas". José mudava de assunto. Ele próprio nutria seus fantasmas. À noite, invariavelmente sonhava com comida e tinha horríveis pesadelos — que ao acordar continuavam, já que aquele tormento no meio do oceano era real e não um sonho ruim. José olhava ao redor e tudo o que via era o vazio do mar, a perder de vista. Nada poderia ser mais desesperador do que aquele deserto de água salgada.

José passou a contar os dias pelas fases da lua — algo que aprendeu com o avô, quando era menino. Calculou que já estavam no mar há quatro meses quando Ezequiel se entregou de vez ao seu triste destino. Certo dia, acordou com o som de batidas das mandíbulas dos tubarões no fundo do casco e resolveu brincar com o amigo. "Eles devem estar mais famintos do que nós", disse. Ezequiel nem respondeu. Em seguida, começou a chover forte e José pediu ajuda para esgotar a água que entrava no barco. "Pra quê, se vamos morrer de qualquer jeito?", murmurou o amigo, moribundo. Foram suas últimas palavras. Ezequiel cerrou os olhos e pareceu dormir. Para sempre. Para ele, era o fim.

Dois dias antes, os dois haviam feito um pacto: se um deles sobrevivesse, contaria aos familiares do outro como foram seus últimos momentos. Foi a primeira coisa que veio a mente de José quando percebeu que o amigo se fora, silenciosamente, encolhido num canto do barco. Mesmo assim, recusou-se a atirar o corpo na água. Durante quatro dias manteve o esquelético cadáver a bordo, na insana esperança de que Ezequiel voltasse à vida. A cada manhã, pedia que ele se levantasse. Até que concluiu que estava falando com um morto e decidiu depositar o corpo do amigo no mar. Ficou tão abalado no momento da operação que suas pernas bambearam e ele desabou no barco. Quando se reergueu, não havia mais nenhum traço do corpo do amigo na água. Os tubarões deram conta do funeral.

A morte de Ezequiel perturbou José profundamente. Não era apenas a perda de um amigo. Era o fim do único elo que lhe restava com a humanidade. Ficou sozinho naquele oceano interminável e isso fez com que passasse a desenvolver pensamentos suicidas. Meses depois, num ataque de desespero, pegou a faca e a encostou no pescoço. Estava decidido a acabar com aquele sofrimento, já que não tinha coragem de se atirar ao mar e deixar-se afogar. Foi quando um pensamento redentor veio a sua mente: era preciso sobreviver àquele tormento para provar que Deus existe. E ele faria isso. Largou a faca e voltou à busca incessante por água e comida. Dias depois, viu algo no horizonte. Era um navio — o primeiro que surgia há meses. E vinha em sua direção. José começou a gritar, agradecendo a Deus. Mas o cargueiro passou reto. Ele pensou em pegar novamente a faca.

O navio passou tão perto de José que, do convés, um dos marinheiros chegou a acenar para ele, como que retribuindo aqueles desesperados movimentos de braços. Não era possível que alguém imaginasse que aquele homem estava ali, no meio do oceano, com um barco que era pouca coisa maior do que um bote, por pura vontade. Mas foi justamente o que aquele marinheiro deve ter pensado. E o navio seguiu o seu rumo, deixando para trás um náufrago ainda mais desencorajado. "Meu Deus, quando é que vais me levar?", José perguntava, em voz alta. Depois da morte de Ezequiel, foi o pior momento da sua angustiante travessia errante.

José tampouco sabia onde estava. Mas sabia que avançava. Avaliava isso pelas mudanças na posição do sol. Havia cursado só o primário e nada sabia sobre correntes marítimas do Pacífico, exceto que estava sendo levado por uma delas, para algum lugar que ele não sabia onde. O motor do barco continuava pateticamente preso a popa, tão inerte quanto antes. E com a roupa em farrapos, ele nada tinha que pudesse improvisar uma vela, a fim de acelerar aquele avanço, fosse para onde fosse. Passava dias e noites prostrado no fundo do barco ou abrigado do sol e do frio dentro da caixa de isopor. Obsessivamente vasculhava o horizonte, em busca de nuvens que trouxessem chuvas, para aplacar a sede. Quando não chovia, como aconteceu durante cerca de três meses seguidos, a única saída era beber a própria urina. Fez isso diversas vezes. Era melhor do que beber a água do mar, que ele sabia fazer ainda mais mal.

O único consolo é que quase sempre havia o que comer: ave, peixe ou tartaruga — crus, quando não ainda vivos, o que gerou certa permanente putrefação no seu estômago. Além de proteínas, a carne dos bichos fornecia algum tipo de líquido para o organismo. José sorvia o sangue das aves e tartarugas como se fosse água cristalina e tratava de manter o próprio corpo sempre molhado, a fim de evitar a perda de líquidos pela transpiração. Capturou tantas aves e tartarugas que perdeu a conta. Peixes também. Especialmente quando eles eram encurralados pelos tubarões, rente ao casco. Mas era preciso ser rápido, para puxá-los para dentro do barco antes que sua mão fosse mordida pelos tubarões. Com o tempo, ele se tornou um exímio caçador. Mesmo não tendo nenhum recurso para isso.

Em certo período, José capturou tantas aves (sinal inequívoco de que havia terra firme por perto, embora ele não visse nada) que inventou um mórbido passatempo: o futebol de gaivotas. Usava a cabeça de um peixe como bola e colocava as famintas aves (todas com as asas quebradas) para correr atrás do alimento dentro do bote, enquanto ele se divertia narrando uma hipotética partida de futebol. As aves ganhavam até nomes de jogadores famosos, como Messi, Kaká, Maradona e Pelé. Quando se está à beira da loucura, qualquer doideira serve. E ele já estava quase lá. Até que, numa certa manhã, tudo mudou.

Quando o dia 29 de janeiro de 2014 amanheceu, José, como sempre fazia, mirou o horizonte e notou algumas manchas ao longe. Pareciam coqueiros, mas bem podiam ser apenas nuvens ou ilusões da sua mente. Só horas depois de uma angustiante espera, ele teve certeza: sim, eram coqueiros!

Seu primeiro impulso foi se atirar no mar e sair nadando. Mas, com os pés inchados feito bolas de basquete e joelhos que mal sustentavam o corpo, consequência de tanto tempo balançando no mar, achou mais prudente esperar que a correnteza o levasse até lá, o que aconteceu uma dúzia de horas depois. Mas, no caminho, havia as tais ondas que quebravam do lado de fora do atol. Por muito pouco, José não morreu na praia. Literalmente.

Já era noite quando ele, entre eufórico e esgotado, chegou finalmente à praia daquele deserto ilhote do Atol de Ebon, puxando o próprio barco, e desabou na areia, debaixo de um coqueiro. José tinha cortes profundos nos pés, por conta dos recifes pontiagudos, e estava praticamente nu, só com uma esfarrapada cueca — a única peça de roupa que lhe restara. Mas nada disso importava. Era a primeira vez em mais de um ano que ele dormiria fora daquela caixa de isopor e sobre terra firme. Exausto, praticamente desmaiou na areia da praia.

Quando o dia amanheceu, José ouviu galos cantando ao longe e pensou ser mais um dos seus frustrantes sonhos — como aqueles nos quais devorava frutas e comidas no oceano. Mas, desta vez, os galos eram reais e cantavam na ilha vizinha, que era separada de onde ele estava por um estreito canal. O náufrago ficou em pé com extrema dificuldade, caminhou até o barco, pegou a faca e avançou na direção do estreito. De lá, ao longe, viu um casal no ilhote ao lado e berrou com o que lhe restava de forças nos pulmões. Eles ouviram, olharam intrigados e foram se aproximando daquele ser barbudo, cabeludo, seminu, que agitava freneticamente os braços e gritava frases numa língua incompreensível, ainda por cima com uma faca nas mãos. Por meio de gestos, ordenaram que José atirasse a faca longe. Ele fez isso e, em seguida, desabou de joelhos, unindo as mãos e agradecendo a Deus. Não é que Ele o havia salvo?

O casal Amy e Russel, únicos moradores daquela pequena ilha, logo compreenderam a situação, mesmo sem entender palavra alguma do que aquele homem em estado quase de choque dizia. Levaram-no para casa, deram-lhe roupas (José tremia de frio, apesar do calor tropical da ilha), água, panquecas e um pedaço de papel, no qual ele rabiscou palavras desconexas, mas que já faziam menção ao amigo morto no mar. Em seguida, foram buscar o barco de José na praia. Nele, havia um filhote de ave marinha ainda vivo (provavelmente, a comida dele para os próximos dias) e o casco vazio de uma tartaruga, que ele usava para coletar água da chuva — além de muitas cracas grudadas no casco, sinal de que aquele barco havia ficado um bom tempo no mar.

Na volta, o homem pegou o papel rabiscado por José e foi procurar a responsável pelo arquipélago, que, por sua vez, procurou o único estrangeiro do lugar, um estudante norueguês de antropologia, que conclui que aquilo era espanhol, embora também não entendesse o que estava escrito. Foi o filho da prefeita local, acostumado a ver na TV os desenhos da personagem Dora Exploradora, que ensina palavras em outras línguas às crianças, que ajudou a matar a charada. Por mais incrível que parecesse, aquele homem estava dizendo que saíra do México, mais de um ano antes, com aquele barquinho. E não parecia estar mentindo. A prefeita, então, correu até o único telefone da ilha e pediu ajuda.

Cinco dias depois, chegou a Ebon uma lancha do governo das Ilhas Marshall e levou José para a capital, Majuro. Antes de partir, ele doou seu barco ao casal, porque nunca mais queria ver aquele barco de novo. José caminhava com extrema dificuldade, porque seus tornozelos estavam flácidos e os pés, inchados, mas, no geral, estava em surpreendente bom estado. Muito mais saudável do que deveria estar um homem que tivesse vivido o que ele dizia ter passado. E foi aí que começaram seus novos problemas.

Não era a primeira vez que náufragos vinham dar nas praias de Ebon. Todos, porém, haviam chegado magérrimos, quando não já mortos. Mas José, não. Ele estava tão bem de saúde, que começaram as especulações de que sua história, talvez, não fosse verdadeira. Seria aquele homem era um mentiroso ou um criminoso que atirara o companheiro ao mar? Ou — pior ainda — um canibal, que matara o companheiro e o devorara para aplacar a fome? Era o início do segundo tormento na vida de José Alvarenga: o da dúvida e da difamação.

Ao chegar a Majuro, José se viu cercado de jornalistas ávidos por detalhes que comprovassem aquela saga ou confirmassem a fraude — com ênfase especial na segunda hipótese. Era difícil acreditar que um ser humano pudesse ter sobrevivido tanto tempo no mar sem nenhum recurso, como aquele náufrago dizia ter feito. E em quais circunstâncias seu companheiro teria morrido? As próprias autoridades foram as primeiras a questionar o truncado relato de José, dificultado pelo fato de que ninguém ali falava a sua língua. "O fato é que houve uma morte e precisamos investigar se o que ele diz é verdade", aventou, logo de cara, o chefe de polícia das Ilhas Marshall, atirando ainda mais álcool na fogueira dos jornalistas. "É difícil imaginar que alguém possa sobreviver mais de um ano no mar desse jeito", corroborou o embaixador americano que recebeu José em Majuro. "Mas também é difícil imaginar como alguém pode chegar a Ebon sem ter vindo do alto-mar", ponderou, com sensatez.

Ainda fraco e mentalmente confuso, misturando épocas e eventos (quem, afinal, se lembraria de datas numa situação em que todos os dias eram desesperadamente iguais?), José cometeu algumas contradições nos primeiros depoimentos, o que só fez aumentar as dúvidas sobre a autenticidade da sua história. Logo virou notícia no mundo inteiro, mas muito mais pela incredulidade do que pelo seu feito extraordinário. De herói da sobrevivência virou uma espécie de farsante a ser desmascarado. E a pressão sobre ele aumentou ainda mais.

Quando chegou a Majuro, assustado com aquela súbita notoriedade, José só pediu duas coisas: queria cortar o cabelo, que já se unia a barba espessa, formando uma espécie de máscara pré-histórica de pelos, e ligar para a família — a mesma que ele, até então, praticamente ignorava. Quando, do outro lado da linha, sua mãe atendeu, os dois mais choraram do que falaram. Ele, de emoção e remorso, por ter abandonado até a filha. Ela, porque, no fundo, alimentava secretamente a esperança de que o filho estivesse vivo, apesar da completa falta de evidências disso. "Senti como se estivesse testemunhando um milagre", disse um dos presentes na sala. A notícia de que José estava vivo se espalhou feito areia ao vento do outro lado do mundo e logo chegou até os companheiros pescadores mexicanos. "É ele mesmo! O Chancha!", comemorou o seu ex-patrão, quando viu a imagem de José nas primeiras páginas dos jornais. Mais de um ano depois, aquele que todos já davam como morto reapareceu.

Depois daquele telefonema, José também mudou radicalmente de atitude. De alguém ansioso para contar o que lhe passara, passou a não dizer mais nada. A instrução veio de seu pai, que o aconselhou a ficar calado e guardar sua história para algo mais rentável do que entrevistas não remuneradas. "Ele é a nossa bolinha de ouro", comemorou o pai de José, vislumbrando no infortúnio do filho uma chance de a família finalmente sair da miséria. "Por favor, perguntem outra coisa", passou a pedir o náufrago aos jornalistas, nas raras vezes em que saia do quarto de hotel, onde se recuperava para a viagem de volta para casa. "Não quero me lembrar daqueles dias, porque é como se eu ainda estivesse lá", desconversava.

Foi o seu grande erro. Ao se negar a contar detalhes de seu calvário,

José alimentou ainda mais as dúvidas sobre a veracidade da sua história e as circunstâncias da morte de Ezequiel. Com isso, aumentaram as acusações de charlatanismo e suspeitas de canibalismo. "Se ele não tem nada a esconder, por que não conta como foi?", questionavam os jornalistas. Choveram acusações também no território livre e despudorado da internet: teria Ezequiel realmente morrido porque se negara a comer ou porque José lhe negara a pouca comida que tinha? A morte de alguém no meio do oceano é o mais perfeito dos crimes, aquele que não deixa vestígios nem testemunhas. Mesmo assim, José permaneceu enigmaticamente calado. Numa das poucas vezes que comentou seu silêncio, disse apenas: "Deus sabe a verdade. Só Ele estava comigo naquele barco".

Quando José retornou ao seu país natal, depois de voar muitas horas sobre o mesmo oceano que levou mais de um ano para vencer apenas com a força das correntenzas, teve que ser hospitalizado. Sofria de dores nas articulações e se sentia fraco, por causa de um parasita que se alojara no seu fígado, de tanto comer carne crua. "Se ele tivesse ficado mais um mês no mar teria morrido", garantiu o médico que o atendeu. Mas, o que mais preocupava era o seu estado psicológico. José desenvolvera o que os especialistas chamam de estresse pró-traumático e também passou a sofrer de talassofobia, ou pânico de mar. Já a opinião pública ainda se dividia entre os céticos e os que o consideravam um fenômeno da resistência. José era, ao mesmo tempo, herói e suspeito. Aplaudido e ofendido nas ruas.

Logo, porém, ficou claro que sua história era impressionante demais para ter sido inventada por um pescador humilde e praticamente iletrado. Além disso, todos os dados batiam com o que a ciência dizia — que era perfeitamente possível sobreviver tanto tempo usando como principal base de alimentação e hidratação as tartarugas. E também que, graças à corrente equatorial norte, uma espécie de rio que cruza o Pacífico, qualquer coisa lançada ao mar na costa oeste do México inexoravelmente chegaria às Ilhas Marshall, ao cabo de um ou dois anos de deriva.

Para tentar diminuir os questionamentos, José aceitou se submeter a um exame detector de mentiras, conduzido por um escritório de advocacia. A conclusão foi a de que ele não inventara nada. Mas não adiantou. Para muitos, ele continuou sendo visto como um mentiroso, porque não havia como provar — nem como negar — o que ele dizia, já que ninguém mais estivera lá, para testemunhar. Em plena era dos satélites e dos GPS, os oceanos continuam sendo as áreas mais remotas do planeta e palco de coisas assim. José que o diga.

Em seguida, ele foi para casa, onde por fim conheceu a filha, Fátima, de 13 anos de idade, com quem passou a viver. E fez o que prometera ao amigo: foi visitar a mãe de Ezequiel, para contar-lhe tudo. O que José contou a mãe do amigo, nunca foi revelado. Mas, ao final de três horas de conversa, ela parecia reconfortada: "Claro que eu preferia que meu filho estivesse vivo", disse a mãe de Ezequiel aos jornalistas que se aglomeravam na porta do seu casebre, na costa do México. "Mas seria bem pior se nenhum deles tivesse sobrevivido, porque eu jamais saberia o que aconteceu naquele barco". Na saída, José se limitou a dar uma única resposta aos repórteres, sobre as insinuações de ter devorado o amigo: "Por que eu faria isso se quase sempre tínhamos comida?". E mais não disse.

Até que, seis meses depois, José concordou em contar alguns detalhes da sua saga para o site de notícias de um jornal inglês sensacionalista — possivelmente, sob algum pagamento. Em seguida, contou sua história completa a outro jornalista, que a transformou em um livro, cujo título, *438 Dias*, já resumia o calvário que o pescador passara. De certa forma, José continuou brigando pela sua sobrevivência. Só que, agora, em busca de dinheiro, como todas as pessoas do planeta — algo bem menos sofrido do que se manter vivo no meio de um oceano por mais de um ano.

Mesmo infortúnio, mesmo suplício

Antes de Jose Alvarenga, três mexicanos viveram o mesmo tormento de cruzar o Pacífico quase inteiro à deriva

Jose Alvarenga não foi o primeiro pescador da América Central a cruzar involuntariamente o Pacífico, arrastado pelas correntes marítimas. Antes dele, três mexicanos, Lucio Rendon, Salvador Ordonez e Jesus Vivand, viveram o mesmo drama, depois que o combustível do barco deles acabou, durante uma pescaria ao largo da costa do México, em outubro de 2005.

Levados pela mesma corrente equatorial que arrastou Alvarenga Pacífico adentro, os três mexicanos só foram resgatados por um barco taiwanês de pesca quando já estavam também próximos às Ilhas Marshall, nove meses depois, em 9 de agosto de 2006.

Sobreviveram bebendo água da chuva (que, ironicamente, era coletada no mesmo tambor vazio de gasolina que causara tudo àquilo), capturando aves marinhas e pescando peixes e tartarugas. Mas chegaram a passar um mês inteiro com apenas duas refeições cada um no estômago.

Na impossibilidade de retornar à terra firme, improvisaram velas com cobertores e, resignados, seguiram em frente com a corrente. E assim foram se afastando cada vez mais no oceano. Para espantar a fome e manter a fé em Deus, liam trechos de uma Bíblia que havia no barco, uns para os outros.

Do grupo original de cinco pescadores que havia a bordo do pequeno barco, dois não suportaram a privação de comida e morreram de inanição, meses depois. Já o trio sobrevivente vagou ao longo de 8 850 quilômetros no oceano, estabelecendo, na época, um recorde de sobrevivência no mar: impressionantes 270 dias — ainda assim, bem menos que o de Jose Alvarenga.

De volta ao México, os três voltaram a pescar nas mesmas águas onde aquele infernal martírio começara. "Um raio não cai duas vezes no mesmo lugar", explicaram.

Que fim levou os quatro argentinos?

Uma série de imprudências transformaram o que seria um alegre cruzeiro de férias entre amigos em uma angustiante tragédia

Em agosto de 2014, uma notícia angustiou brasileiros e argentinos: o veleiro de bandeira argentina Tunante II (algo como "vigarista", em português), se encontrava à deriva, a cerca de 300 quilômetros da costa do Rio Grande do Sul, depois de capotar, perder o leme, o mastro

e qualquer outro meio de locomoção, durante a mais violenta tempestade que assolou a região naquele ano — um ciclone extratropical, que, durante vários dias, tornou a navegação entre o Brasil e a Argentina uma espécie de inferno líquido.

A bordo do barco, que ia de Buenos Aires para o Rio de Janeiro, em um, até então, alegre cruzeiro de férias, estavam quatro tripulantes, todos argentinos e com relativa experiência de mar: os médicos Jorge Benozzi, oftalmologista reconhecido mundialmente pelo descobrimento de um tratamento inovador para uma anomalia na visão chamada presbiopia, e Alejandro Vernero, cardiologista, ambos de 62 anos, mais o amigo de infância dos dois Horacio Morales, de 63, e o cunhado de Jorge, Mauro Cappuccio, de 35, o mais jovem de todos.

Nunca mais nenhum deles foi visto. Tampouco o barco, que desapareceu por completo, depois ter sido avistado por um navio sacudindo freneticamente em meio a ondas de dez metros de altura e ventos que passavam dos 120 km/h.

Teria sido apenas mais uma triste lápide na história do sempre temeroso mar do litoral do Rio Grande do Sul não fosse a exposição — e proporção — que o fato tomou depois que as famílias dos quatro velejadores se recusaram a aceitar a morte do grupo e passaram a usar a internet para pesquisar, com a ajuda de um batalhão de voluntários, a imensidão do mar.

A busca pelo Tunante II que, na ocasião, ganhou site próprio na internet, campanhas emocionantes nas tevês da Argentina, página no Facebook com quase 40 000 seguidores e uma legião de voluntários vasculhando, dia e noite, diante de seus computadores, uma área do tamanho do Nordeste brasileiro, foi uma das maiores mobilizações da história recente da internet na Argentina. Mas não mudou em nada o destino daqueles quatro argentinos.

Tudo começou em 22 de agosto de 2014, quando, sob o comando de Jorge Benozzi, dono do barco, o grupo partiu de San Fernando, nos arredores de Buenos Aires, para a tão aguardada velejada até o Rio de Janeiro. A previsão era fazer a travessia em 20 dias (razão pela qual eles levaram mantimentos para apenas um mês), sem escalas, e deixar o barco em águas brasileiras, até as próximas férias do grupo.

As passagens de volta, de avião, já estavam compradas e eles tinham data certa para retornar à Argentina. Daí a decisão de partir naquela noite mesmo, uma sexta-feira, apesar da previsão de uma violenta frente fria que se aproximava da costa argentina. O plano era avançar na frente da tormenta e até se beneficiar dos ventos periféricos gerados por ela, a fim de aumentar a velocidade do barco, um veleiro seminovo, de 41 pés de comprimento.

A bordo, entre outros equipamentos, havia quatro GPS, dois telefones via satélite, uma balsa salva-vidas e um pequeno dessalinizador, capaz de transformar água do mar em potável. Mas o Tunante II não tinha aparelho localizador Epirb, que emite sinais intermitentes sobre a posição do barco para outras embarcações, nem gerador ou placas solares para abastecer as baterias, quando o motor não pudesse fazer isso.

Na partida, o grupo, sorridente, posou para uma foto no píer de San Fernando, que viria a se tornar a última imagem que as famílias teriam deles. E a esposa do comandante Jorge se despediu do marido com um protocolar pedido: "Cuidem-se!". Em seguida, os quatro amigos partiram, rumo ao Brasil.

Os ventos pré-tormenta, de fato, ajudaram na rápida travessia do Rio da Prata. Na manhã seguinte, o Tunante II já navegava diante de Montevidéu e seguia avançando, velozmente, pela costa do Uruguai. Mas os ventos logo aumentaram tanto de intensidade que provocaram o rompimento de um dos cabos de sustentação do mastro. Eles, então, decidiram fazer uma parada, não prevista, na marina da cidade de La Paloma, no Uruguai, a fim de reparar o problema. Lá, contudo, não conseguiram outro cabo e decidiram apenas soldá-lo.

Depois do conserto, o comandante Jorge Benozzi decidiu partir rapidamente. A tormenta, já então classificada como um ciclone extra tropical, se aproximava furiosamente. O objetivo era voltar para o mar antes que o veleiro ficasse preso na marina. Naquela mesma noite, sob ventos já beirando os 100 km/h nas rajadas, eles partiram — com um dos estais do mastro remendado e a intensidade do vento aumentando a cada instante. Perto dali, o ciclone já erguia ondas de oito metros de altura.

Durante todo o dia seguinte, os tripulantes do Tunante II sofreram com o mar cada vez mais grosso. Sem conseguiu manter a rota desejada, junto a costa, decidiram se afastar cada vez mais dela. Era uma atitude prudente, porque evitava o risco de o veleiro ser jogado de encontro às praias pelos fortes ventos. Mas, por outro lado, quanto mais se afastavam da costa, mais dificultavam um eventual resgate, como ficaria tragicamente claro dias depois.

No início da tarde do dia seguinte, 25 de agosto, o telefone do filho do tripulante Alejandro Vernero tocou, em Buenos Aires. Era o seu pai, comunicando que o grupo estava bem, mas em meio a uma violentíssima tempestade, que fizera o barco capotar, perder o mastro, o leme, o motor e até as baterias para recarregar o telefone via satélite no qual ele falava — e que estava prestes a ficar mudo.

O tripulante passou as coordenadas de onde o barco estava (cerca de 300 quilômetros mar adentro, na altura da cidade gaúcha de Rio Grande) e pediu ao filho que avisasse as autoridades. Naquele mesmo dia, diversas outras ligações foram feitas para as outras famílias dos quatro tripulantes, sempre atualizando a posição do barco e pedindo ajuda.

Mas, estranhamente, nenhum pedido de socorro foi feito pelo rádio do Tunante II a nenhum barco que porventura estivesse na área. Talvez, porque o veleiro já estivesse sem baterias para alimentar o rádio. Ou porque o casco já estivesse parcialmente inundado, o que explicaria a estranha "perda" do motor, avisada por Alejandro ao filho, embora nenhuma entrada de água a bordo tenha sido mencionada.

Rapidamente, os familiares acionaram a Marinha do Brasil, que, sabendo das terríveis condições do mar na região, despachou o rebocador de alto-mar Tritão para lá. Mas, como o socorro partiu da cidade catarinense de Itajaí (e não de Rio Grande, bem mais perto, mas cujo porto já estava fechado por conta da tempestade), levou três dias para atingir o local.

Quando o rebocador brasileiro chegou, outro navio, o cargueiro norueguês Seije, já havia avistado o Tunante II à deriva. Mas, com o ciclone no seu ponto máximo, gerando ventos de até 130 km/h e ondas acima de dez metros, o enorme navio nada pode fazer. Aproximar-se do pequeno barco, naquelas condições de mar, seria o mesmo que atropelá-lo. Assim sendo, o cargueiro se limitou a ficar observando a distância o veleiro sacudindo feito uma rolha. E tentando, em vão, um contato pelo rádio.

Com a chegada da noite, o navio perdeu o contato visual com o veleiro. Seu comandante decidiu, então, reportar o encontro às autoridades e seguir em frente. Naquela mesma noite, os argentinos fizeram a última chamada telefônica para seus familiares. E disseram ter visto as luzes do navio. Que, no entanto, já não estava mais lá.

Na manhã do dia seguinte, uma nova tentativa de ligação telefônica partiu do Tunante II e foi detectada pela empresa dona do serviço de telefonia via satélite. Mas a carga da bateria do aparelho já estava tão fraca que a chamada não se completou. Foi a última tentativa de contato do grupo com o mundo externo. Mas deixou os familiares dos tripulantes animados. O pior da tempestade já passara e aquela tentativa de chamada era prova de que o barco resistira a tormenta e que eles estavam vivos.

Outros navios e aviões das Marinhas do Brasil e da Argentina rumaram para o suposto local onde o Tunante II estava. Mas, tal qual aconteceu com o rebocador Tritão, não encontraram nenhum sinal do barco. Começava a longa — muito longa — angústia das famílias das vítimas.

No dia 30 de agosto, não havia mais tempestades na região, mas as condições do mar ainda dificultavam as buscas do Tunante II. Aflitas, as famílias decidiram, então, recorrer à internet e as redes sociais para buscar ajuda para tentar localizar o veleiro. E descobriram um site que divulgava imagens colhidas por satélites de toda a superfície terrestre. Inclusive dos mares.

O passo seguinte foi convocar uma legião de voluntários para vasculhar cada metro quadrado da área onde se imaginava estar o barco, através das telas dos seus computadores domésticos. Começava assim uma das mais frenéticas e extraordinárias buscas virtuais da história da internet.

Comovidos com o drama daqueles quatro conterrâneos à deriva em algum ponto entre a costa do Uruguai e do Rio Grande do Sul, mais de 30 000 argentinos (e outros tantos estrangeiros, que aderiram a causa) passaram a ficar dias e noites com os olhos grudados nos monitores de seus computadores, em busca de algum sinal do veleiro nas nem sempre nítidas imagens dos satélites.

A área era gigantesca — quase do tamanho do Nordeste brasileiro. Mas todos queriam ajudar a encontrar o barco dos argentinos. Mesmo quem não tinha a menor ideia de como era um veleiro. A campanha gerou comoção nacional na Argentina e pressionou as autoridades a intensificar ainda mais as buscas. No Brasil, outros dois navios e um avião foram mandados para reforçar as equipes, além de ser emitido alerta a todas as embarcações que navegavam na região. Além do cargueiro norueguês que vira o veleiro, havia oito outros navios cruzando o litoral sul do Rio

Grande do Sul naquela ocasião. Mas a consulta foi em vão. Nenhum deles viu nenhum sinal do barco desaparecido.

As famílias, no entanto, seguiram otimistas. Lideradas pelas filhas de três dos quatro tripulantes, classificavam as chances de o barco ser encontrado pela força-tarefa dos voluntários nas telas dos computadores como "enormes". Mas não era o que pensavam as Marinhas do Brasil e da Argentina. Após 15 dias vasculhando o mar em vão, as duas entidades decidiram suspender as buscas. Para elas, não havia mais o que procurar. Àquela altura, o veleiro argentino já estaria no fundo do mar e seus tripulantes, mortos.

Na Argentina, a gritaria contra a medida foi geral. Produzido pelos familiares das vítimas, que se recusavam a abandonar seus entes queridos, um emocionante comercial de televisão foi ao ar em todo o país, com o bordão "vamos buscá-los!". Nas buscas em imagens de satélites, qualquer mancha de espuma de ondas era analisada como se fosse o barco desaparecido. E um abaixo-assinado pedindo a retomada das buscas colheu 30 000 assinaturas, em poucos dias.

O argumento foi o mesmo das autoridades, só que ao contrário: "se nenhum vestígio do barco foi encontrado, é porque o Tunante II ainda flutuava". "Se o barco tivesse afundado", argumentavam os familiares, "vestígios flutuando na água teriam sido encontrados". O raciocínio fazia algum sentido. Mas ignorava o fato de a história estar repleta de casos de navios inteiros que desapareceram sem deixar um único colete salva-vidas na superfície.

Ao mesmo tempo, alguns comentários mais realistas passaram a ser postados na página do Facebook criada pelos familiares dos desaparecidos. Mas, para não desanimar os voluntários da insana busca doméstica nas imagens de satélite, os comentários não otimistas eram tirados do ar. Para as famílias, era preciso manter intactas as esperanças e exigir das autoridades a retomada das buscas — e quem não faria isso se estivesse no lugar delas?

Pressionadas pela opinião pública, as Marinhas do Brasil e da Argentina emitiram, então, um comunicado conjunto, afirmando que só retomariam as buscas se surgissem indícios de que o barco não tivesse afundado. E eles surgiram. Quase um mês depois do desaparecimento do Tunante II.

Em 29 de setembro, duas semanas depois de os órgãos de busca terem dado o caso do Tunante II como encerrado, o incansável batalhão de fuçadores de imagens de satélites, que ia de oceanógrafos a dedicadas donas de casa, tratou de provar que, talvez, as duas Marinhas estivessem erradas. Uma intrigante imagem de satélite colhida no site que eles pesquisavam mostrava um veleiro com características semelhantes ao Tunante II boiando no oceano, a cerca de 400 quilômetros da costa de Santa Catarina.

Consultado, o projetista do barco ponderou que, pela imagem (distante e nada clara), "poderia ser o veleiro desaparecido" — mas sem muita convicção disso. De maneira precipitada, a filha de um dos tripulantes tratou de anunciar no Facebook que o veleiro fora encontrado! Mas, neste caso, prudentemente o comentário foi logo retirado. Era preciso, primeiro, ir até o local para confirmar sua autenticidade. E, antes disso, convencer as autoridades a reiniciarem as buscas. E foi o que foi feito.

Em 9 de outubro, parentes dos desaparecidos viajaram até Porto Alegre e convenceram a Marinha do Brasil a reiniciar as buscas, com base naquela imagem não muito clara. Mas havia um problema: as imagens dos satélites chegavam à internet com atraso. Às vezes, de dias inteiros. Portanto, até que um barco ou avião chegasse ao local onde o suposto Tunante II estava, o barco, fosse ele qual fosse, já estaria longe. E foi o que aconteceu.

Mesmo calculando a deriva de um barco nas correntes marítimas predominantes na região, nada foi encontrado. Talvez porque, com o casco cheio d´água e bem mais pesado, o suposto veleiro dos argentinos não tenha se deslocado tanto quanto o estimado. Ou, o que era bem provável, porque não era ele mesmo.

A Marinha do Brasil divulgou, então, um novo comunicado, afirmando que, na data da imagem, havia nada menos que 32 embarcações navegando na área indicada e nenhuma delas avistou o tal barco. Em seguida, suspendeu a operação. Desta vez, em definitivo.

Mas nem assim as famílias dos argentinos sossegaram. Juntaram dinheiro, fretaram um avião e foram sobrevoar a região, por conta própria. O aparelho, com as três filhas dos tripulantes desaparecidos a bordo, rastreou o mar por mais de 1 500 quilômetros, mas não encontrou nada. Na volta, o grupo reconheceu a dificuldade que era visualizar um pequeno barco lá do alto. Mas disse também que tampouco viu nenhum dos "32 navios" que a Marinha do Brasil afirmara que estavam na região — ignorando, contudo, o fato de que, entre a data da captura da imagem e a do vôo, nove dias haviam se passado. Para os familiares, era preciso manter viva as esperanças, a qualquer custo. Especialmente depois que o primeiro vestígio concreto do barco foi encontrado, três dias depois.

Em 16 de outubro, o mestre do barco pesqueiro catarinense Kopesca I, Vitor Valverde, navegava a cerca de 320 quilômetros da costa de Tramandaí, no Rio Grande do Sul, quando viu algo alaranjado se mexendo na superfície do mar. Era uma tartaruga, que ficara presa a uma balsa salva-vidas murcha. O animal tentava mergulhar, mas a balsa, mesmo vazia, não deixava.

O pescador liberou a tartaruga do seu torturante cativeiro, recolheu a balsa vazia e descobriu, dentro dela, um relevador conjunto de coisas. Havia uma camisa atada a um remo, a título de bandeirola, um comprimido contra enjôo, uma cédula de peso uruguaio, uma espécie de caderneta já borrada pela água e — prova inequívoca de que a balsa pertencia ao Tunante II — a carteira de identidade de um dos tripulantes do barco, Horacio Morales.

Não restavam dúvidas: pelo menos um dos quatro tripulantes do veleiro argentino usara aquela balsa, que, agora, jazia dramaticamente vazia. Na Argentina, as famílias dos desaparecidos foram avisadas sobre o achado, mas, apesar das inequívocas evidências, discordaram que ela tivesse sido usada pelos tripulantes do Tunante II.

Basearam o torto raciocínio no fato de a balsa estar sem o seu forro refletor, um tecido prateado e usado para ajudar a sinalizá-la no mar, e concluíram que ele fora retirado para ser usado no veleiro e que a balsa teria sido solta de propósito, para avisar quem a encontrasse que eles estavam vivos. Era mais uma interpretação invertida e desesperada dos fatos. Sem dar atenção ao comentário, a Marinha Brasileira recolheu a balsa e a levou para análise. E acabou concluindo o óbvio: a balsa fora usada e quem quer que tenha feito isso havia morrido. Mas as famílias não se deram por vencidas.

Em novembro, um grupo de amigos e familiares começou a percorrer o litoral gaúcho e uruguaio distribuindo panfletos sobre o desaparecimento do veleiro e fazendo contato com pescadores. Os argumentos para manterem as esperanças eram que havia dois médicos a bordo, ambos acostumados a lidar com situações de emergência, além de terem material de pesca e água abundante, vinda, além do dessalinizador, também das chuvas constantes. Além disso, as famílias contavam com a possibilidade de os ocupantes do Tunante II terem conseguido improvisar uma mastreação de fortuna e assim conseguido chegar à terra firme, em algum ponto ermo da costa do Uruguai ou do Rio Grande do Sul — daí aquela busca no litoral.

Na mesma época, um velejador argentino que havia partido para procurar, sozinho, o barco desaparecido, retornou sem nenhuma novidade, após semanas no mar. Também na internet, a página do grupo no Facebook começou a perder audiência, apesar de ainda receber propostas mirabolantes. Uma delas propunha lançar 250 boias ao mar, cada uma delas com um telefone celular, visando facilitar o contato dos náufragos, sem, no entanto, considerar que em alto-mar não existe sinal de telefonia celular. No mês seguinte, janeiro de 2015, a esperança arrefeceu de vez e até a página do Facebook desapareceu.

Um pouco antes disso, porém, os familiares lançaram uma desesperada última cartada: uma proposta de recompensa a quem porventura achasse o veleiro — quem o encontrasse, poderia ficar com o barco. Mas, cinco meses depois do desaparecimento dos quatro velejadores, a proposta de recompensa não estimulou mais ninguém a ir para o mar procurar o improvável, e consolidou o consenso de que os tripulantes do Tunante II estavam realmente mortos. Entre outros motivos, porque haviam cometido uma série de imprudências naquela viagem.

Uma delas foi não terem placas solares para recarregar as baterias do barco por outro meio que não fosse o motor do Tunante II — e, também, de não terem poupado a carga restante das baterias ao fazerem uma série de ligações telefônicas desnecessárias. Outra imprudência foi a pressa ao partir da segurança do porto uruguaio de La Paloma com um dos cabos de sustentação do mastro apenas soldado, bem como a decisão de avançar na frente da tempestade, sem considerar que eles poderiam (como, de fato, foram) atropelados por ela. Por fim, eles subestimaram a intensidade da tempestade que se aproximava. Esta era a triste verdade. O caso foi caindo num inevitável esquecimento, enquanto as famílias das vítimas tentavam se conformar com os fatos.

Com o passar do tempo, o próprio silêncio dos parentes decretou o fim daquela história. Eles, por fim, se conformaram. Jorge, Horacio, Alejandro e Mauro foram mesmo engolidos pelo oceano. E jamais se saberá como nem quando.

A farra do boi nas águas do Pará

Um dos maiores desastres fluviais do Brasil gerou 4 600 vítimas fatais. Todas elas, cabeças de gado

No dia 6 de outubro de 2015, logo após completar o embarque de 4 920 cabeças de gado que seguiriam para a Venezuela, o navio libanês Haidar, um ex-porta-contêiners adaptado para transportar bois, começou a adernar quando ainda estava amarrado ao porto de Barcarena, no Rio Pará. E seguiu adernando, até que tombou de vez na água. Menos de duas horas depois, afundou por completo. Todos os 28 tripulantes do navio desembarcaram sem maiores problemas, já que o navio estava encostado ao cais quando começou a inclinar. Mas a mesma sorte não tiveram os animais que compunham a sua única carga.

Confinados nos porões e apavorados com a água entrando, os bois pisotearam-se em busca de uma saída e pouquíssimos conseguiram escapar pelos vãos do casco — para, em seguida, serem caçados, ainda na próprio rio, pela população da cidade, que ao primeiro aviso da tragédia correu para o porto a fim de garantir um churrasco de graça. Os animais que conseguiram nadar até a margem do rio foram abatidos ali mesmo. E os que morreram afogados tentando chegar lá foram retalhados do mesmo jeito, apesar dos avisos das autoridades sanitárias de que eles poderiam estar contaminados pelo óleo que vazou durante o naufrágio.

Mas a população não deu a menor bola para os aler-

TREMENDA FALTA DE SORTE

Fazia horas que o venezuelano Adrian Esteban Rafael tentava se manter na superfície, boiando, após o barco que pilotava ter capotado durante a travessia entre as ilhas de Curaçao e Aruba, quando, finalmente, chegou um helicóptero para o resgate dele e de mais quatro companheiros do naufrágio. O piloto plainou sobre a cabeça de Adrian e lançou o cesto de resgate. Agora, era só entrar no cesto e ser salvo. Adrian deu algumas braçadas, agarrou o cesto, impulsionou o corpo e... não deu tempo. Um tubarão tigre veio por baixo e o atacou, quando Adrian já estava com meio corpo dentro do cesto. Ele foi içado, mas morreu a caminho do hospital. Faltou um mísero segundo a menos dentro d´água.

O VELEJADOR DESISTIU. O BARCO SEGUIU

Durante a primeira perna da regata de volta ao mundo Velux 5 Oceans, em 2006, o veleiro Hugo Boss, do velejador inglês Alex Thomson, teve a quilha quebrada e capotou, quando contornava a costa da África. Como o problema era estrutural, Thomson não teve dúvidas: pediu socorro pelo rádio e abandonou o barco, quando ele já estava praticamente submerso. Mas, dez anos depois, durante uma expedição pelos canais da Terra do Fogo, o canoísta chileno Cristian Donoso viu algo estranho na margem de um dos canais e resolveu averiguar. Era o casco do Hugo Boss, encalhado. Como ele foi parar ali? A hipótese mais provável — ainda que inacreditável — é que, mesmo inundado e à deriva, o veleiro que tinha sido dado como perdido tenha cruzado nada menos que os dois maiores oceanos do planeta, o Índico e o Pacífico, até chegar naquele ponto da costa do Chile. Ou seja, o velejador abandonou o barco, mas o barco não abandonou a competição. E, sozinho, deu quase a volta ao mundo, até hoje ninguém sabe como.

tas e seguiu retalhando até os corpos dos animais que, nos dias subsequentes, subiram à superfície, apesar de alguns já estarem quase putrefatos. Apenas algumas cabeças de gado foram resgatadas com vida pelos funcionários do porto e pelos donos da carga, a segunda maior exportadora de gado vivo do Brasil.

Face a barbárie que se instalou na caça aos animais sobreviventes do naufrágio, jamais se soube quantos bois afundaram com o navio. Mas as estimativas indicaram que mais de 4 000 deles foram parar no fundo do rio — um seríssimo problema ambiental, que fez a cidade decretar estado de emergência, face ao fedor que passou a exalar a carne apodrecida na água. Até tubarões passaram a ser vistos no local, apesar do Rio Pará ficar a quilômetros do mar — o cheio da carne putrefata os teriam atraído até lá. A operação de resgate dos animais mortos levou quatro meses e custou 30 milhões de dólares, três vezes mais que o valor do navio.

Não foi, porém, a primeira vez que aquela empresa, a Minerva Foods, esteve envolvida em atos cruéis com os animais que transportava. Três anos e meio antes, em março de 2012, outro navio da mesma companhia, que levava gado vivo do Brasil para o Egito, o Gracia Del Mar, encalhou no Mar Vermelho, depois de ter sido rejeitado pelas autoridades portuárias egípcias, por conta da quantidade de animais mortos e moribundos que havia a bordo. E a situação ficou pior ainda porque, uma vez encalhado, o navio foi abandonado com os animais dentro dos porões, decretando a morte, por asfixia, de 2 700 bois.

No episódio do Pará, a polícia montou barricadas nas estradas da região, para impedir que a carne roubada — e possivelmente contaminada — fosse vendida em outras cidades. Em vão. Até a capital paraense foi invadida por suspeitas promoções de carne bovina após o acidente, que, segundo concluiu o inquérito, foi causado pela “má distribuição da carga”. De acordo com a perícia, algumas divisórias entre os compartimentos dos animais se romperam, provocando o acúmulo de peso num só lado. E quanto mais o navio inclinava pelo peso excessivo concentrado, mais bois deslizavam, rompendo as demais divisórias e aumentando a inclinação do casco. Que, por fim, tombou de vez. Ou seja, os próprios bois foram responsabilizados pelo acidente.

A macabra múmia do mar

Oito anos depois de ser visto pela última vez, um velejador alemão foi encontrado perfeitamente mumificado, no interior do seu barco

Quando, em 2008, o casal de velejadores alemães Claudia e Manfred Fritz Bajorat resolveu se separar, cada um tomou um rumo. Claudia desembarcou na Ilha Martinica e ali ficou, até morrer, pouco depois, em 2010. Já Manfred, desgostoso pela perda da companheira, seguiu para o mar aberto e nunca mais foi visto.

Oito anos depois, em 31 de janeiro de 2016, quando participava da regata de volta ao mundo Clipper 2015/2016, a tripulação do barco Lmax Exchange, avistou um veleiro à deriva e sem mastro, boiando no Pacífico. Era o Sayo, o veleiro de Manfred. E o alemão seguia a bordo. Só que mumificado.

Seu corpo, em perfeito estado de conservação, jazia sentado com o tronco apoiado sobre a mesa de navegação, e o bocal do rádio em uma das mãos — sinal de que ele pedia ajuda (provavelmente por causa do mastro quebrado) quando foi fulminado por um ataque cardíaco (mais tarde comprovado pela autópsia), causado pelo estresse gerado pelo imprevisto.

Certo é que Manfred havia morrido muito tempo antes, como comprovava o estado de automumificação de seu corpo, um fenômeno desencadeado pela combinação de alta salinidade no interior do barco, que vagava no oceano sabe-se lá há quanto tempo, e o ar excepcionalmente seco no período que se seguiu à morte do alemão.

A cena, gravada pelo tripulante que abordou o barco, chocou a tripulação do Lmax Exchange. Mas, depois de avisar os organizadores da regata (que preferiram não tornar pública a descoberta para não macular a imagem da competição, embora tenham avisado a Guarda-Costeira americana, já que o Soya boiava a não muita distância da Ilha de Guam), eles retomaram a travessia e deixaram o caso nas mãos da polícia. Que, no entanto, nada fez.

Um mês depois, o Soya e seu mórbido ocupante foram novamente avistados e abordados, desta vez no mar das Filipinas, a quase 1 000 milhas náuticas do primeiro encontro, por um grupo de pescadores. O corpo do alemão permanecia perfeitamente mumificado, no interior do barco, exatamente como fora visto pela tripulação do Lmax Exchange, semanas antes. E só então o macabro caso foi divulgado.

CINCO ANOS PERDIDOS EM CINCO MINUTOS

Durante cinco longos anos, o aposentado escocês Richard Ogilvy, de 75 anos, trabalhou diariamente na recuperação de um velho veleiro de 1936 que ele comprou caindo aos pedaços, com o intuito de recuperá-lo. Mas, ao levá-lo para o mar, em 1º de julho de 2017, o sonho do septuagenário, foi literalmente por água abaixo. Em menos de cinco minutos, o veleiro afundou inteiro, ainda junto ao píer ao qual, felizmente, estava atracado — de forma que foi possível recuperá-lo. Apesar da frustação, Ogilvy não se deixou abater. E começou tudo de novo.

Um Natal no mar muito especial

Para aquele polonês que vagava há meses no oceano com um barco precário e desmantelado, o melhor presente de Natal foi, finalmente, sair dele

O Natal de 2017 foi o melhor da vida do polonês Zbigniew Reket, então com 54 anos. Naquele 25 de dezembro ele foi por fim resgatado no mar, depois de passar sete meses à deriva no oceano Índico, na companhia apenas de uma gatinha.

O drama do polonês que, ao ser avistado, perto das Ilhas Reunião, garantiu ter sobrevivido graças a uma ração de meio pacote de miojo por dia, para ele e para a gata, além de peixes que eventualmente capturava, começou quando, ao partir das Ilhas Comores, rumo a África do Sul, viu seu precário barco, um velho bote salva-vidas de navio comprado num desmanche na Índia, praticamente se desmantelar no mar. Primeiro, quebrou o mastro que ele havia improvisado. Depois, soltou o leme. Por fim, pifou o motor, que o polonês só usava para recarregar as baterias do rádio, que também não funcionava mais.

Aos seus salvadores, Reket contou que, com frequência, via navios passando, mas não tinha como se aproximar nem fazer contato com eles. E que avistou terra firme diversas vezes, mas não conseguia fazer o barco chegar até ela. Como geralmente acontece nos casos onde é impossível comprovar a autenticidade dos fatos, o polonês foi recebido com certa incredulidade pela comunidade náutica. Mas a sua fome na ceia de Natal daquele ano foi um ponto a seu favor.

Uma barbárie debaixo d´água

A jornalista foi fazer uma reportagem dentro do maior submarino particular do mundo, mas acabou violentada, morta e esquartejada

O dinamarquês Peter Madsen sempre foi um homem estranho, engenhoso e irriquieto. No início dos anos 2000, em busca de fama, decidiu que construiria um foguete doméstico e quase concluiu a obra. Só não o fez porque, no meio do caminho, mudou radicalmente de objetivo e passou a construir um submarino.

VOLTOU MELHOR AINDA

Em 20 de junho de 2017, depois de pedir ajuda pelo rádio porque estava sem motor e não conseguia navegar contra o vento, um solitário velejador inglês de 69 anos foi resgatado pelo navio porta-container Bianca, a cerca de 200 milhas náuticas da Ilha Terceira, nos Açores, e seu barco, o veleiro Alice Gull, abandonado no mar, como manda o protocolo. No entanto, quase quatro meses depois, o veleiro do inglês foi encontrado por um barco pesqueiro ainda flutuando e em perfeito estado. Aliás, em tão bom estado que até o seu motor voltou a funcionar. E foi navegando por conta própria, com um dos pescadores a bordo, que o barco chegou à mesma marina da Ilha do Faial onde o seu dono pretendia chegar, quando pediu socorro — ao que tudo indica precipitadamente. Ali, ele recebeu o barco de volta. De certa forma, melhor até que antes.

Em 2008, ele ficou pronto: o Nautilus, o maior submarino privado do mundo, com 18 metros de comprimento. Madsen teve, então, seus 15 minutos de fama. Mas nada perto do que aconteceria com ele nove anos depois: um dos mais pavorosos crimes da história recente da Dinamarca — país que é um reino de paz e segurança.

Em 10 de agosto de 2017, a jornalista sueca Kim Wall, embarcou no submarino de Madsen, para fazer uma reportagem sobre ele e seu criativo engenho. E nunca mais foi vista com vida. Tudo o que surgiu da jornalista nas semanas seguintes foram macabros pedaços de seu corpo boiando no mar da Dinamarca dentro de sacos plásticos, que Madsen, após esquartejá-la, dentro do próprio submarino, tentou fazer com que afundassem, colocando pesos nas embalagens.

Primeiro surgiu o torso, sem cabeça nem membros, e com perfurações nas costas para que o ar retido dentro dos pulmões da vítima não o fizesse flutuar, além de diversos esfaqueamentos na genitália. Depois, a cabeça e as pernas, seguida pelos dois braços.

Preso imediatamente, Madsen, a princípio, negou o crime, dizendo que havia desembarcado a jornalista no mesmo dia. Mas, depois, admitiu que ela havia morrido a bordo, mas por conta de um acidente com a escotilha de acesso do submarino, que havia caído sobre sua cabeça. Mais tarde, mudou a versão do acidente para intoxicação por monóxido de carbono na cabine, enquanto ele pilotava o submarino no topo da torre. Por fim, admitiu ter decapitado, esquartejado e atirado os restos da vítima ao mar — mas não a matado. Claro que não convenceu ninguém.

A pavorosa história do genial (afinal, não é

CULPA DA TECNOLOGIA

No início de 2017, o inglês David Carlin foi multado em 3 000 libras esterlinas por violar as leis marítimas do Reino Unido. O motivo? Ele estava navegando usando apenas um celular, em vez de bússola e outros instrumentos convencionais de navegação. Assim sendo, tão logo de afastou da costa, perdeu o sinal da internet e, desorientado, acabou batendo numa balsa e afundando, o que exigiu acionar o resgate da Guarda Costeira. Carlin foi salvo. Mas não perdoado da multa.

todo mundo que conseguiria construir um submarino em casa), mas desequilibrado Madsen naquele dia ainda incluiu uma tentativa de suicídio, através do naufrágio proposital do próprio submarino. Mas na última hora, após já ter aberto algumas válvulas do casco, ele se arrependeu do gesto e pediu socorro à Guarda Costeira dinamarquesa, que o resgatou e, mais tarde, também ergueu o próprio submarino do fundo da baía de Koge — mas já sem nenhum sinal da jornalista. Ao ser questionado sobre o motivo do naufrágio, Madsen respondeu com outra de suas mentiras: disse que, após desembarcar a jornalista num restaurante à beira-mar em Copenhagem, enfrentou problemas nos tanques de lastro.

O que, de fato, aconteceu dentro daquele submarino (se violência sexual, sadismo, acidente seguido de ocultação de cadáver ou pura e simples execução, movida pela mente doentia de Madsen) só mesmo ele poderia dizer. Mas não disse. Nem mesmo após ser condenado a prisão perpétua, num julgamento que comoveu a Dinamarca. Já o Nautilus, depois de transformado em peça de processo criminal, acabou abandonado num terreno da polícia de Copenhague, como única testemunha de um crime mais que bárbaro.

O submarino perdido que comoveu a Argentina

O desaparecimento do ARA San Juan gerou um ano inteiro de aflições, denúncias e buscas. Mas a tragédia terminou como um filme de aventura

Três anos após a tragédia do veleiro Tunante, os argentinos voltaram a viver o drama do desaparecimento de uma embarcação no mar. E, desta vez, em escala bem maior. Em 8 de novembro de 2017, o submarino ARA (de "Armada de la República Argentina", como são precedidos os nomes de todos os barcos militares argentinos) San Juan partiu do porto de Ushuaia, na Terra do Fogo, com destino a sua base naval, em Mar de Plata, com 44 tripulantes a bordo, mas sumiu em algum ponto do mar sempre agitado da Patagônia.

Não foram, no entanto, as condições ruins do mar naquele dia, com ondas que passavam dos oito metros de altura, que tragaram o submarino. Ao fazer aquele que viria a ser o seu último contato com a base, sete dias após a partida de Ushuaia, o comandante do ARA San Juan, Pedro Martín Fernández, reportou que estava tendo problemas com as baterias, equipamento vital em um submarino, porque, uma vez submerso, tudo depende delas — inclusive a capacidade de renovação do ar que é respirado a bordo.

"Entrada de água pelo sistema de ventilação. Curto circuito nas baterias de proa. Em imersão, propulsando com circuito dividido. Manterei informações", relatou o comandante, pelo rádio, acrescentando que, apesar disso, seguia navegando. Pouco tempo depois, do outro lado do oceano, sensores de abalos submarinos instalados nas ilhas Ascenção, no Atlântico, e Crozet, no Índico, detectaram uma oscilação que bem poderia ter sido causada por uma explosão — a do ARA San Juan.

O ARA San Juan, um dos únicos três submarinos que a Argentina possuía, havia sido construído na Alemanha 30 anos antes e já estava um tanto debilitado, tanto pelo tempo de uso quanto pela não muito confiável manutenção que o precário orçamento da Armada Argentina permitia. Sua última grande revisão acontecera três anos antes e foi feita no próprio país, o que, na ocasião, foi saudado pelo governo argentino como uma conquista de sua engenharia naval, quando o mais indicado é que o submarino fosse enviado a um país tecnologicamente mais avançado. Depois disso, como medida de economia, o ARA San Juan passou a navegar não mais que 20 horas por ano, o que, possivelmente, comprometeu sua manutenção preventiva.

A última viagem do ARA San Juan começou no dia 25 de outubro, quando, junto com outro submarino, o ARA Salta, partiu da base de Mar del Plata para unir-se a outros sete navios da Armada Argentina em manobras e exercícios militares. Cinco dias depois, o ARA Salta retornou à base, mas o ARA San Juan seguiu para Ushuaia, então com 46 tripulantes — dois a mais que os 44 que morreriam no submarino dias depois. Em Ushuaia, desembarcaram os dois tripulantes extras, Humberto René Vilte e Juan Gabriel Viana, que acabariam se tornando os únicos "sobreviventes" da tragédia que viria em seguida.

Em 8 de novembro, depois de, na véspera, fazer uma imersão de demonstração na baía diante da cidade com algumas autoridades a bordo, o ARA San Juan partiu de Ushuaia para novas manobras de patrulhamento no mar da Patagônia. E, depois, iniciou o retorno a base. Mas não chegou nem perto de lá.

O sumiço do submarino não demorou a ser percebido, mas a Armada Argentina preferiu não admití-lo, alegando, a princípio, que a ausência de novos contatos era apenas um "problema de comunicação". Era o início de uma série de omissões que levariam os familiares dos tripulantes ao desalento e, por fim, ao desespero. Ao mesmo tempo, alimentadas pela falta de informações, começaram as especulações.

Só 12 dias após o desaparecimento do ARA San Juan, a Armada Argentina divulgou a última mensagem do comandante do submarino — aquela que deixava claro que havia um problema de entrada de água no compartimento de baterias. Ao contrário do que possa parecer, o grande problema da entrada de água em um submarino não é a inundação. É o contato da água salgada com as baterias, o que gera gases tóxicos quase sempre fatais em ambientes fechados, como o de um submarino.

Imediatamente, esta passou a ser a principal tese para explicar o desaparecimento do submarino: sua tripulação teria morrido asfixiada, enquanto o ARA San Juan seguia avançando — e descendo — sozinho, até ultrapassar o seu limite máximo de profundidade, que era de 250 metros. Ao passar disso, ele teria implodido, ou seja, explodido de dentro para fora, por conta da pressão externa do mar.

Já outra teoria defendia que os tripulantes teriam sido vítimas apenas da implosão do submarino, o que, ao menos, os pouparia da agonia da asfixia, porque eventos desse tipo levam milésimos de segundo para acontecer. Neste caso, a morte dos 44 tripulantes, entre eles a única submarinista da América do Sul, a argentina Eliana Krawczyk, teria sido instantânea, sem sofrimento.

Outra teoria, no entanto, caminhou no sentido inverso e bem mais perverso: a de que a tripulação (ou parte dela) teria sobrevivido ao que quer que tenha acontecido com o submarino, mas perecido depois, em lenta agonia, por falta de oxigênio dentro do espesso cilindro de aço do casco inerte no fundo do mar do ARA San Juan. Contudo, desde o princípio, esta foi considerada a hipótese menos provável.

Logo após a confirmação do desaparecimento do submarino, diversos países ofereceram ajuda aos argentinos nas buscas. Inclusive a Inglaterra, arquirrival na não tão distante Guerra das Malvinas. Era, afinal, uma questão humanitária e aflitiva demais, porque sabia-se que os tripulantes só teriam oxigênio para respirar por, no máximo, sete dias. E, dia após dia, não surgiu nenhum sinal do ARA San Juan, apesar das cerca de 4 000 pessoas, de 18 países, a bordo de 28 navios e nove aviões, empenhadas, dia e noite, em encontrá-lo.

Para complicar ainda mais as buscas, as condições climáticas na região onde o submarino desapareceu, uma inóspita área a cerca de 500 quilômetros da costa, eram péssimas na ocasião. Ventos de 80 km/h erguiam ondas que limitavam o avanço dos barcos e tornavam bem mais difícil a visualização de um submarino na superfície, mesmo pelos aviões. Isso, caso o ARA San Juan tivesse emergido após o problema nas baterias, o que, pelo relato do comandante, era pouco provável que tivesse acontecido.

Mesmo que o ARA San Juan tivesse conseguido emergir, o mar revolto, o tempo fechado, a cor escura do casco e as próprias características de todo submarino (um tipo de barco feito justamente para navegar às escondidas, portanto com localização difícil, e que, mesmo quando está na superfície, navega semissubmerso, parcialmente camuflado pelo mar) tornariam sua visualização na imensidão do oceano uma espécie de desafio praticamente impossível. Parecia não haver saída para aqueles infelizes 44 tripulantes do submarino argentino.

Um dos motivos que levaram a Armada Argentina a não revelar detalhes sobre o acidente desde o princípio foi o receio das críticas que viriam, assim que o episódio fosse relacionado com a precária manutenção que as embarcações da corporação vinham recebendo, por falta de verbas do governo. Além disso, o próprio ARA San Juan já havia apresentado defeito na válvula do sistema de ventilação na viagem anterior e, aparentemente, ele não havia sido sanado — um inaceitável caso de negligência, em se tratando de uma embarcação que navega debaixo d'água.

Por isso, embora tivesse conhecimento da repetição do problema que afligira o submarino, a Armada Argentina sonegou a informação sobre a entrada de água no compartimento de baterias, bem como a eventual implosão do submarino aos familiares das vítimas por quase duas semanas. Talvez, porque não tivesse certeza disso. Ou porque fosse menos doloroso ir minando as esperanças dos famíliares aos poucos. Enquanto isso, o país inteiro torcia e rezava pelos tripulantes, ao mesmo tempo que o mundo se perguntava: como pode uma embarcação de 65 metros de comprimento não ser localizada, em plena era da tecnologia?

Em 2 de abril, quatro meses e meio depois do desaparecimento do submarino, o último navio de buscas se retirou da região, sem nenhuma informação sobre o ARA San Juan. Quando isso aconteceu, a tragédia já havia virado, também, uma crise política na Argentina. O comandante da Armada havia sido demitido e uma comissão do Congresso passou a ouvir todos os envolvidos, já que havia suspeitas de falhas na manutenção do submarino e até pagamentos de propinas por fornecedores de equipamentos de qualidade suspeita. Um executivo alemão chegou a admitir ter pago suborno para virar fornecedor de novas baterias ao submarino desaparecido. Mas a Armada Argentina negou.

O SUBMARINO MISTERIOSO

No primeiro dia de fevereiro de 1960, o radar do navio patrulha Murature, da Marinha Argentina, detectou a presença de um submarino nas águas do Golfo Nuevo, ao sul daquele país. Foi tentado um contato. Em vão. Bombas de alerta foram lançadas. E nada — o silêncio continuava. O submarino se abrigou nas profundezas, mas continuou na região, como indicavam os sonares. O governo argentino consultou os Estados Unidos, já que eram tempos de Guerra Fria. Os americanos negaram que o submarino fosse deles. Os russos, também. Dezessete dias depois, o misterioso intruso permanecia em águas argentinas. Até que não foi mais visto. Uma semana depois, as buscas foram encerradas, após um sigiloso contato do governo russo com o argentino. Logo depois, o presidente dos Estados Unidos visitou a Argentina. Para muitos, aquela visita teve a ver com o enigma do submarino, que, até hoje, oficialmente, ninguém sabe qual foi, nem o que estava fazendo ali.

No entanto, perante a mesma comissão no Congresso, um ex-diretor de inteligência da própria Armada, também demitido após o sumiço do submarino, fez uma revelação perturbadora: a de que o ARA San Juan não estava apenas em missão de patrulhamento de barcos pesqueiros, como divulgado na época, mas sim, também, monitorando a movimentação de embarcações nas proximidades da Ilhas Falklands, o que seria ilegal, já que o mar em torno pertence a Inglaterra. Disse ainda que, a bordo do submarino, havia um integrante de sua equipe, cuja função era identificar embarcações estrangeiras que estivessem operando em águas argentinas "e, também, nas imediações das Malvinas", o que teria levado o ARA San Juan a se aproximar indevidamente das ilhas que levaram o país à guerra contra a Inglaterra, em 1982. Mas a Armada Argentina também negou que isso tivesse acontecido.

Enquanto isso, após terem passado mais de 50 dias acampados em frente à Casa Rosada, sede do governo argentino, os familiares das vítimas seguiam pressionando as autoridades e exigindo providências sobre a localização do submarino. Não que eles ainda nutrissem alguma esperança de encontrar seus entes queridos vivos, mas era preciso encontrar o ARA San Juan, para, ao menos, tentar saber o que aconteceu.

A pressão levou o governo argentino a contratar uma empresa americana especializada em resgates submarinos, a Ocean Infinity, dona de um navio específico para isso, o Seabed Construtor, equipado com minissubmarinos não tripulados, capazes de descer a enormes profundidades. O contrato era de risco: eles só receberiam os 7,5 milhões de dólares previstos no contrato se encontrassem o submarino. Durante quatro meses, sempre com a presença de algum parente dos tripulantes desaparecidos a bordo do navio de buscas, a Ocean Infinity vasculhou o fundo do mar de uma gigantesca região, onde o submarino poderia ter passado. E não encontrou nada.

No início de novembro, quando estava prestes a vencer o contrato, a empresa anunciou que encerraria as buscas tão logo vasculhasse a área onde o operador de sonar de uma fragata que participara das primeiras buscas pelo ARA San Juan disse ter ouvido ruídos semelhantes a pancadas intencionais num casco de metal, embora em local bem distante do ponto onde houve a última comunicação do comandante do submarino com a base. A busca naquele local fora ordenada por uma juíza, também por pressão das famílias, e, tal qual todas as ações anteriores, não deu em nada. Ironicamente, a frustrada operação terminou apenas horas antes do dia em que se completou um ano do desaparecimento do submarino.

Quando, na tarde de 15 de novembro de 2018, quatro parentes das vítimas do ARA San Juan desembarcaram, novamente decepcionados, seus iguais participavam de uma tocante cerimônia na mesma base de Mar del Plata de onde o submarino partira e jamais regressara. O ato teve missa, salva de tiros, apitos sincronizados de todos os navios da Armada Argentina de norte a sul do país, e a presença do próprio presidente argentino. Mas, a pedido dos familiares, não houve o protocolar minuto de silêncio, nem nenhuma menção ao fato de as vítimas já estarem mortas, porque, para boa parte dos parentes, os tripulantes do submarino tinham que ser considerados apenas "desaparecidos", até que fosse achado o submarino — uma maneira de constranger o governo, sobretudo o próprio presidente ali presente, e forçar que as buscas pelo ARA San Juan não fossem encerradas, como a Ocean Infinity já avisara que faria.

Mas não fez. Como num roteiro de filme, na noite do mesmo dia em que se completou um ano de desaparecimento do submarino, um dos robôs autônomos do Seabed Construtor detectou um objeto entre fendas no fundo mar, a 800 metros de profundidade, numa região que já havia sido vasculhada pelas primeiras equipes de buscas. E a empresa resolveu checar, como sendo sua última missão. E foi mesmo, porque era, de fato, o ARA San Juan.

O achado permitiu concluir, através de imagens dos robôs, já que seria praticamente impossível remover o submarino de tamanha profundidade, que o ARA San Juan havia realmente implodido — sua proa estava deformada e outras partes colapsadas. Também trouxe a certeza, pelo menos para os responsáveis pelo inquérito, de que a causa de tudo fora o mau funcionamento, ou erro de operação, de uma das válvulas do sistema de ventilação (a mesma que já havia apresentado problemas na viagem anterior), que permitiu a entrada de água no compartimento das baterias, gerando um curto-circuito e formando gases que teriam aniquilado a tripulação e feito o submarino descer descontroladamente até o fundo, pouco depois de implodir.

O descobrimento dos restos do San Juan gerou também um sentimento de paz nos familiares dos 44 tripulantes do submarino, apesar de seus corpos jamais terem sido resgatados. "Melhor assim", resumiu o pai de uma das vítimas. "Agora que já sabemos onde eles estão, que fiquem lá, no fundo do mar, onde todos os submarinistas sempre preferem estar".

Mas a Argentina chora, até hoje, as vítimas do ARA San Juan.

O enigmático caso do velho comandante argentino

Até hoje ninguém sabe o que aconteceu com o capitão morto no mar de Angra dos Reis

Na noite de 8 de abril de 2018, um domingo, o telefone tocou na sede do serviço de buscas e salvamentos Salvamar Sueste, da Marinha do Brasil, no Rio de Janeiro. Era o mestre do barco pesqueiro Robson III comunicando que havia visto um grande veleiro navegando estranhamente em círculos, nas imediações de Guaratiba, entre Angra dos Reis e o Rio de Janeiro. O barco tinha as velas arriadas, mas seu motor estava ligado e o leme travado, de forma que ele ficava dando voltas sem parar no mar. Mas o mais intrigante é que, aparentemente, não havia ninguém a bordo.

Começava ali um dos maiores enigmas recentes do mar brasileiro: o desaparecimento, seguido de morte, do experiente comandante argentino Erwin Rosenthal, de 83 anos, único tripulante daquele barco, cujo nome, Misteriosa, ironicamente soava como um prenúncio do que viraria aquele caso — um mistério que, até hoje, não teve todas as respostas.

Na manhã seguinte ao aviso sobre a localização do veleiro à deriva, o navio patrulha Guaporé, da Marinha do Brasil, chegou ao local e constatou que o mestre do barco pesqueiro estava certo: a bordo daquele veleiro, um MacGregor, de 65 pés, com bandeira americana e agora abandonado no meio do mar carioca, não havia nenhum sinal do solitário comandante argentino, conhecido em seu país como "Capitan Erwin", dono de um currículo com milhares de milhas navegadas. Mas sobravam sinais de que algo de anormal havia acontecido.

O interior do barco estava bagunçado, sujo e remexido — algo incompatível com o lendário jeito metódico do velho capitão. E o cockpit, cheio de pedacinhos de mato seco, desses que grudam na sola dos calçados após uma caminhada na terra – algo ainda mais absurdo em se tratando de um barco no meio do mar. E mais: havia um botijão cheio de gás de cozinha, desses usados em casas, não em barcos, no meio da cabine. E, ao lado dele, um engenhoso aparato explosivo, montado com dois foguetes sinalizadores marítimos e uma garrafinha de álcool, atados a um cabo para acionamento pelo lado de fora do casco. O objetivo parecia claro: explodir o barco. Mas, por quê? E por que ele não chegou a ser acionado, se estava tudo preparado? Começavam uma série de perguntas sem respostas. A começar pela mais relevante de todas: que fim teria levado o capitão Erwin?

A princípio, a resposta parecia óbvia. Com mais de 80 anos de idade e navegando sozinho, como costumeiramente fazia, era fácil imaginar que o velho comandante poderia ter tido um mal súbito ou escorregado e caído no mar, sendo deixado para trás pelo barco em movimento — tese, no começo, defendida por quase toda a comunidade náutica.

Mas aquele sinistro artefato montado no barco e a firme convicção da família de que o capitão havia sido vítima de assassinato, não de acidente, fizeram todos reverem suas teorias. Inclusive a própria polícia. Restaram, então, duas hipóteses: latrocínio seguido de homicídio ou abandono voluntário do barco.

Ou seja, o próprio capitão poderia ter tramado tudo aquilo, simulando o próprio desaparecimento, seguido da destruição do barco, num típico caso de golpe contra a seguradora. Mas havia um detalhe: nem ele nem o barco tinham seguro — a única proteção que o veleiro tinha era contra eventuais danos que ele pudesse causar a outros barcos. Além disso, se tivesse tramado fugir e explodir o barco, por que o comandante argentino teria se dado ao trabalho de comprar, num shopping de Angra de Reis, dias antes de partir, os cremes de beleza que sua mulher pedira por telefone e que ela encontrou ao vistoriar o barco, dias depois de o marido ter desaparecido?

Só estes dois fatos já bastariam para fragilizar a hipótese do sumiço premeditado do capitão, embora outras teorias tenham surgido. Uma delas pregava a fuga do argentino por questões amorosas e não financeiras, já que o comandante chegou a hospedar em seu barco uma uruguaia durante a longa parada que fizera em Angra do Reis. Mas a função dela teria sido apenas cuidar do veleiro enquanto ele viajava para Buenos Aires, justamente para o aniversário da esposa. Na volta, a uruguaia teria ido embora.

Contudo, o fato decisivo que colocou por água abaixo a tese de fuga proposital do comandante veio dias depois. Na noite de 4 de maio, quase um mês depois do aparecimento do barco vazio, um corpo do sexo masculino, sem cabeça, faltando outras partes do corpo e em adiantado estado de putrefação, foi encontrado, boiando, nas imediações da Ilha Grande. Pelo seu estado, não havia como ser identificado, razão pela qual a polícia pediu um exame de DNA à família do argentino.

O exame ainda estava sendo processado quando, uma semana depois, outro corpo parcialmente mutilado apareceu boiando na mesma região. Mas com dois diferenciais que logo fizeram a polícia e a família abrir mão de investigar o primeiro cadáver: o novo corpo tinha arcada dentária, um dos mais eficazes meios de identificar uma pessoa, e, mais relevante ainda, uma bermuda branca, de tecido resistente à água, idêntica a que Erwin possuía.

Uma rápida consulta à dentista do argentino, em Buenos Aires, que fez a comparação da imagem da arcada dentária com os registros do seu paciente, comprovou que se tratava, de fato, do corpo de Erwin, já bastante deteriorado pelo tempo que passou em contato com a água salgada — restava-lhe apenas parte do esqueleto (pés, por exemplo, não havia mais), com alguns ossos unidos apenas por fiapos de tecido.

Recolhida por pescadores, a ossada foi entregue à polícia, que, um mês depois, liberou os restos mortais do velejador argentino para a família enterrá-los em Buenos Aires, sem, no entanto, conduzir uma perícia mais apurada sobre a causa da morte — nem tampouco se empenhou em buscar outras respostas. O velho comandante estava morto — disso não restavam dúvidas. Restava saber como e por que ele havia morrido. E, acima de tudo, já que a hipótese de queda acidental no mar estava descartada, quem o havia matado?

A alternativa mais provável passou a ser a de roubo seguido de morte, num típico caso de latrocínio, crime que, no mar, costuma ganhar um termo mais romantizado: pirataria. Mas que ladrão se daria ao trabalho de montar todo aquele complexo sistema para explodir o barco? Não seria bem mais fácil simplesmente afundá-lo?

Para a primeira dúvida, a causa da morte, o estado em que o corpo foi encontrado não permitiu, segundo a polícia, uma conclusão precisa — até porque, dentro do falido sistema policial do Rio de Janeiro, nem mesmo uma autópsia chegou a ser feita. Aparentemente, não havia sinal de disparo de arma de fogo nos ossos encontrados, embora faltassem alguns deles. Mas a ausência dos pés da vítima permitia supor que o comandante poderia ter sido atirado ao mar ainda vivo, amarrado a um peso ou âncora, o que explicaria a demora para o aparecimento do corpo — que só teria subido à superfície após o apodrecimento dos membros inferiores.

Mas, bem mais revelador do que este detalhe foi o local onde os restos do corpo foram encontrados: nas proximidades da Ilha das Palmas, bem diante da enseada com mesmo nome, na Ilha Grande — mesmo local onde toda aquela estranha história começara, cinco semanas antes.

Em 28 de março de 2018, o veleiro Misteriosa, como de hábito com apenas o velho capitão Erwin a bordo, entrou na Enseada das Palmas, após uma longa temporada ancorado em Angra dos Reis. Ali, o comandante argentino reencontrou um conhecido, o navegador austríaco Johann Pauer, que também vivia sozinho num barco, o trimarã Pollen, que já estava no Brasil havia um tempo.

Johann ajudaria Erwin a revisar o veleiro para mais uma etapa da longa travessia que o Misteriosa vinha fazendo, desde o Uruguai até o Panamá, onde seria vendido ou usado para fazer charters. O próximo destino do roteiro seria Búzios, no litoral do Rio de Janeiro, onde, então sim, outro tripulante, igualmente argentino, se juntaria ao velho capitão, para ajudar na travessia até o Caribe. Mas o Misteriosa não foi além de Guaratiba, a pouco mais de 30 milhas da Ilha Grande, onde foi encontrado vazio e à deriva. O que aconteceu? Ninguém nunca soube ao certo.

A própria história do veleiro Misteriosa é um caso à parte. Comprado tempos antes por um endividado empresário argentino, chamado Carlos Martinez Uria, o barco passou oito anos retido na Argentina por ter vindo do exterior em situação irregular. Depois, foi levado para o Uruguai, onde só acumulou dívidas numa marina. Foi quando entrou nessa história o capitão Erwin, que conhecia Carlos, e lhe fez uma proposta: pagaria as dívidas do veleiro na marina, reformaria o barco e o levaria para o Panamá, onde ele seria vendido ou usado para fazer passeios com turistas, recuperando assim o dinheiro de ambos.

Carlos concordou e o velho capitão, depois de gastar cerca de US$ 25 000 para regularizar o barco, partiu, em agosto de 2017, rumo ao Brasil. Aqui, foi pingando ao longo da costa, até que chegou a Angra do Reis, onde o Misteriosa passou praticamente o verão inteiro de 2018. Até que, no final de março, retomou a viagem ao Caribe. Mas, antes, fez aquela escala na Enseada das Palmas. A última da vida do capitão Erwin.

Lá, o Misteriosa ficou fundeado uma semana, ao lado do barco de Johann. Motor, gerador, bombas, tudo fora checado, como ele informara a esposa, por telefone, numa das várias ligações que fizeram um para o outro. Numa delas, Erwin informara que comprara uma arma e que Johann, que tinha experiência no assunto, o ensinaria a usá-la (mais tarde, após o sumiço do argentino, ao perguntar ao austríaco sobre a arma que o marido havia comprado, a esposa de Erwin garantiu que Johann respondera que nada sabia sobre isso).

A permanência do barco do comandante argentino na Enseada das Palmas teria durado, segundo Johann, sabidamente a última pessoa que esteve com ele, até as primeiras horas da manhã de 7 de abril, um sábado. Por volta das cinco da manhã daquele dia, ele teria se despedido do austríaco pelo rádio e partido. Também segundo Johann, cerca de dez minutos depois, outro barco, um jamais identificado catamarã, com cerca de 60 pés de comprimento que havia chegado à Enseada das Palmas apenas na noite anterior (daí não ter sido identificado, por conta da escuridão, como explicaria, depois, o austríaco), partiu também. E, segundo Johann, no mesmo rumo do veleiro do argentino.

Se houve alguma relação direta entre a partida quase simultânea dos dois barcos, jamais se soube. Até porque o suposto catamarã nunca foi identificado, nem sequer teve sua existência confirmada pelas autoridades, que tampouco se empenharam em localizá-lo.

Quando, no final do dia seguinte, o Misteriosa apareceu à deriva, com a cabine remexida e acrescida de um botijão doméstico de gás de cozinha, exibindo intrigantes restos de mato seco no convés e um engenhoso aparato montado para supostamente fazê-lo ir pelos ares, a primeira pessoa a ser contatada pelos familiares de Erwin e por alguns amigos que ele fizera em Angra dos Reis foi Johann, o último a estar com o argentino. A todos, o austríaco contou sobre o tal catamarã que teria partido da enseada logo após a saída do Misteriosa, mas que só ele teria visto. E sempre completava com o comentário de que "todo mundo sabia que Erwin navegava sozinho e que estava indo para fora do país com um grande veleiro estrangeiro", como forma de alimentar as suspeitas de um ato de pirataria, nada raro na região, por sinal.

De fato, não era segredo para ninguém que, a despeito da idade avançada e do porte avantajado do barco no qual navegava, o capitão Erwin preferia navegar em solitário, o que o tornava uma presa relativamente fácil. Ele também não escondia de ninguém que estava rumando para o Caribe, portanto, uma longa viagem, que exigia recursos, bons equipamentos no barco e, obviamente, algum dinheiro a bordo. E, ainda por cima, conduzia um veleiro vistoso, de bom porte e com bandeira americana — uma tentação para qualquer ladrão. Mas, desde então, o que aconteceu com o velho capitão não passa de especulação.

Uma das teses mais defendidas na época pregava que o barco teria sido abordado no mar por bandidos, que teriam rendido o comandante argentino e desviado o veleiro para algum ponto de terra firme, entre a Ilha Grande e Guaratiba — muito possivelmente, a Baía de

Sepetiba, repleta de ilhas e margens desertas, onde esconder um barco não é tarefa difícil. Ali, o interior do veleiro teria sido revirado, em busca de dinheiro e objetos de valor, o que explicaria a bagunça na cabine e os intrigantes tufos de vegetação seca no cockpit, trazidos de terra firme pelo entra e sai dos bandidos no barco.

Quando, dias depois, o veleiro foi vistoriado pela família de Erwin, esposa e filho deram falta dos dois celulares do comandante, um telefone móvel marítimo, o rádio VHF do barco, todo o dinheiro que havia na carteira dele, alguns cartões de crédito e seu passaporte mais recente. Mas, estranhamente, os dois computadores portáteis, onde o metódico capitão registrava todas as rotas que fazia, permaneciam no barco, algo inexplicável em se tratando de ladrões.

Além disso, havia outro fato ainda mais intrigante ligado aos dois computadores: neles, a última rota registrada do Misteriosa era a da chegada do barco à Enseada das Palmas, mais de uma semana antes. Por que o zeloso capitão, que gravava até os mínimos percursos, como o de Angra dos Reis à vizinha Ilha Grande, não teria traçado a longa rota que faria até Búzios? A menos que a nova rota tivesse sido propositalmente apagada por quem invadiu o barco, para não deixar pistas sobre por onde o veleiro passara após sair da Ilha Grande — outro procedimento altamente improvável no caso de simples ladrões. Não teria sido mais fácil simplesmente dar um fim nos computadores? Por que deixá-los no barco?

Pela teoria da simples pirataria, o capitão teria sido morto (propositalmente ou por acidente, talvez ao reagir ao assalto, já que tinha temperamento forte) não dentro do barco, já que não foram encontrados vestígios de sangue no veleiro abandonado, mas em terra firme, o que explicaria o sumiço do corpo e os vestígios de vegetação no convés. Também ali o barco teria ficado um bom tempo, no mínimo, um dia inteiro, já que o veleiro teoricamente partira da Enseadas das Palmas nas primeiras horas da manhã do dia 7 de abril e só foi encontrado na noite do dia seguinte, portanto, mais de 40 horas depois, algo inexplicável para um percurso que, em circunstâncias normais, não consumiria mais que cinco ou seis horas de navegação. Só mesmo uma longa parada do barco em algum ponto da região justificaria tal descompasso de horários.

Ainda de acordo com a tese da pirataria, também em terra firme o barco teria sido preparado para explodir, mais tarde, no mar, ajudando assim a despistar o desaparecimento do argentino. Isso explicaria a inclusão daquele botijão de gás a bordo e a delicada montagem do sistema de disparo de dois foguetes sinalizadores marítimos dentro da cabine, uma operação bem mais fácil de executar com o barco parado ou ancorado do que balançando no mar — e uma operação complexa demais para ser planejada e executada por simples ladrões sem conhecimento náutico, o que pressupõe que quem preparou o sistema tinha, no mínimo, alguma noção sobre barcos. A começar pela própria opção dos pirotécnicos marítimos como detonadores de uma explosão. Que, por fim, não aconteceu. Mas — de novo — por quê? Por que o disparador não foi acionado?

Uma das explicações para isso poderia estar no fato de que, por ser fim de semana, período de intenso movimento de barcos na região, alguma embarcação poderia ter se aproximado e intimidado a ação. Ou que algo tenha dado errado na operação, já que o veleiro foi mantido em movimento, talvez para ajudar o autor do disparo a se afastar mais rapidamente do casco prestes a explodir. Mas quem teria feito aquela frustrada tentativa de mandar o barco pelos ares? Se é que o objetivo era, de fato, explodir o veleiro...

Outra tese que chegou a ser ventilada na ocasião foi a de que o capitão poderia ter sido vítima de interesses comerciais para que não prosseguisse viagem, já que o veleiro poderia ser vendido ali mesmo, em Angra dos Reis — como, de fato, foi tentado durante meses a fio, após a morte do argentino. Mas, premido pela necessidade de tirar o barco do país, pois o prazo de permanência do Misteriosa em águas brasileiras estava se esgotando, e temendo não receber o dinheiro que empenhara na regularização do veleiro, Erwin teria decidido seguir em frente, "mesmo a contragosto", segundo sua esposa, "porque o barco vinha demandando mais despesas que ele imaginara". O argentino teria chegado a discutir com o dono do veleiro sobre esta questão financeira e dito que só devolveria o barco quando recebesse a sua parte.

Por esta teoria, Erwin teria sido seguido ao partir Enseada das Palmas (talvez, pelo tal misterioso catamarã que o austríaco Johann garante ter visto), interceptado no mar logo em seguida, e ali sido entregue à própria sorte, no fundo do mar. O passo seguinte seria "simular" a fuga do capitão, criando o "cenário" para a explosão do veleiro, mas sem executá-la, já que o objetivo era, acima de tudo, poupar o barco — que, por fim, acabaria mesmo sendo devolvido ao proprietário dias após o ocorrido. Isso, na hipótese de o velho capitão ter chegado a sair da Enseada das Palmas...

O fato de os restos de seu corpo terem sido encontrados bem diante da mesma enseada (e não próximos ao local onde o veleiro foi achado, ou no caminho para lá) sugere que, talvez, o desafortunado Erwin não tenha sequer partido nas primeiras horas daquela manhã de abril, como garantiu Johann. Ou, então, que fora atacado imediatamente após isso, pelo misterioso catamarã, que, também, só o austríaco disse ter visto.

Só uma dessas duas hipóteses explicaria o surgimento, naquela baía isenta de correntezas, de um corpo que tivesse passado mais de um mês preso ao fundo do mar. O mais provável é que o crime tenha sido cometido enquanto o Misteriosa ainda estava placidamente ancorado na Enseada das Palmas, ao lado do barco do austríaco — que, por essas e outras, passaria da condição de testemunha para a de eventual suspeito.

Pelo mesmo raciocínio, após o argentino ter sido executado, seu barco teria sido levado pelo próprio executor para longe dali, preparado para explodir e abandonado no mar, enquanto o autor escapava no bote do próprio veleiro — que não foi encontrado com o Misteriosa, nem jamais localizado. Imaginativo demais para ser verdade? Não quando se analisam todos os detalhes deste caso realmente enigmático.

Contribuiu para estas dúvidas a inépcia das autoridades e a forma lenta e desastrada das investigações deste caso — que, a bem da verdade, jamais foi corretamente investigado. Embora tenha sido informada sobre o aparecimento do veleiro na noite de domingo, a Marinha só enviou uma patrulha ao local na manhã seguinte — tempo mais que suficiente para outras pessoas, eventualmente, terem abordado o barco à deriva, alterando o cenário ou retirando coisas de dentro dele, comprometendo as investigações. Além disso, após ser rebocado pela Marinha, diversas pessoas tiveram acesso ao interior do veleiro antes que peritos fossem chamados, o que inviabilizou, por exemplo, a coleta de impressões digitais na cabine, sobretudo no botijão de gás e nos explosivos, que, possivelmente, as tinham.

Quando os peritos (da polícia e da própria Marinha) chegaram, até o convés do veleiro já não estava com tantos restos de mato seco quanto antes. E quando a família do comandante teve acesso ao barco, ele já estava limpo, arrumado e até liberado pelas autoridades para devolução ao seu proprietário, o que, para a esposa de Erwin, soou como negligência na apuração dos fatos. Para completar o cenário desanimador, semanas depois, a Polícia Federal, que também vistoriara o barco, informou ao Consulado Argentino que, apesar de o caso envolver o desaparecimento de um estrangeiro em território brasileiro, "não ficara comprovado nenhum indício de prática de delito que justificasse a investigação por aquela instituição". E este quadro não mudou nem quando foi comprovada a morte do velho capitão, nem o envolvimento anterior do austríaco Johann com a própria Polícia Federal.

Em 31 de agosto de 2017, oito meses antes do início do caso Erwin, o barco de Johann Dorfbauer fora vistoriado pela Polícia Federal em uma marina de Paraty, a partir de suspeitas de que poderia conter algo ilícito — sobretudo drogas, já que a polícia desconfiava do eventual envolvimento do austríaco com o tráfico internacional. Em vez de entorpecentes, no entanto, os agentes encontraram um pequeno arsenal bélico, com 2 600 cartuchos de munição e três armas, para as quais Johann não tinha registros, sendo uma delas de uso restrito. O fato gerou um inquérito e a proibição de Johann se afastar da região, enquanto ele não fosse concluído — o que o austríaco cumpriu por mais de um ano.

Até que, cinco meses após o desaparecimento do argentino, e quatro da confirmação da sua morte, a polícia de Angra dos Reis, resolveu, finalmente, ouvir o testemunho de Johann, o que deveria ter feito desde o princípio. Uma intimação neste sentido foi emitida, mas nem chegou a ser entregue — porque, coincidência ou não, na mesma época, o austríaco desapareceu da região.

A despeito da obrigatoriedade de permanecer na área por conta do inquérito sobre as armas, Johann levantou âncora e partiu, com rumo ignorado. Não comunicou sua partida à Capitania dos Portos, como determina a lei no caso de barcos com bandeira estrangeira, e, desde então, seu trimarã não foi mais visto nas águas da baía de Ilha Grande, que ele, até então, tinha como "endereço".

Durante semanas, o paradeiro de Johann se tornou desconhecido. Até que um curioso veleiro com três cascos e um exótico mastro giratório, sistema conhecido como Aerorig, também utilizado por Amyr Klink em um dos seus barcos, chegou à distante vila de Jericoacoara, no litoral do Ceará, a quase 4 000 quilômetros de Angra dos Reis, no final de outubro de 2018. Era o trimarã Pollen, com Johann a bordo, a caminho do Caribe, como ele contou, despreocupadamente, a uma das moradoras da vila.

Em Jericoacoara, Johann ficou três dias, descansando da longa travessia e se preparando para o trecho seguinte, que, ao que tudo indica, o levou para fora do país. Mesmo alertada, a polícia cearense nada fez de imediato para deter o austríaco. E quando, finalmente, resolveu agir, ele já havia partido.

Se Johann fugia ou apenas navegava, indiferente ao fato de estar sendo procurado, só mesmo ele poderia dizer. Mas como não disse, a morte do velho capitão argentino acabou se transformando em apenas mais um caso inexplicado de morte no país. Uma história que, ao contrário das demais deste livro, até hoje não teve um final.

BIBLIOGRAFIA

500 Days – Serge Testa
A Costa dos Tesouros – Mónica Bello
A Incrível Viagem de Shackleton – Alfred Lansing
A Onda – Susan Casey
A República dos Piratas – Colin Woodard
A Speck on the Sea – William H. Longyard
A Última Viagem do Lusitania – Erik Larson
A Viagem do Descobrimento – Eduardo Bueno
A Viagem do Liberdade – Joshua Slocum
After the Storm – John Rousmaniere
Against the Sea – Chapman – Motor Boating Magazine
Além do Fim do Mundo – Laurence Bergreen
Amazing Sailing Stories – Dick Durham
Atântico – Simon Winchester
Bronken Seas – Marlim Bree
Colombo As Quatro Viagens – Laurence Bergreen
Come Hell and High Water – Jean Hood
Conquistadores – Roger Crowley
De Naufragios y Leyendas em las Costas de Rocha – Juan Antonio Varese
Desperate Journeys, Abandoned Souls – Edward Leslie
Diário de Navegação – Ricardo Maranhão e Vallandro Keating
Disaster at Sea – William Henry Flayhart II
Disasters at Sea – Liz Mechem
Doomed Ships: Great Ocean Liner Disasters – William H. Miller Jr
Forgotten Shipwrecks –Michael Walter
Fuga das Profundezas – Alex Kershaw
Ghost Ships – Angus Konstam
Great Shipwrecks and Castaways – Charles Neider
Guerra no Mar – Armando Vidigal e Francisco Alves de Almeida
História Secreta dos Oceanos – Robert de la Croix
História Trágico Marítima – Bernardo Gomes de Brito
Horas Decisivas – Michael J. Douglas e Casey Sherman
Ilhabela e o Tesouro da Ilha da Trindade – Jeannis Platon e Saint Clair Zonta Jr.
In Search of Famous Shipwrecks – James P. Delgado
Intrepid Voyagers – Tom Lochhaas
Last Voyages – Nicholas Gray
Los Barcos se Pierdem em Tierra – Artuto Pérez-Reverte
Lost at Sea – Robert Parsons
Lost Treasure Ship of the Twentieth Century – Nigel Pickford
Man and the Sea – Bernard Gordon
Mar de Glória – Nathaniel Philbrick
Miragem Polar – Scott Cookman
Naufrágios Célebres – Zurcher e Margollé

Naufrágios da Baía de Ilha Grande – José Eduardo Galindo
Naufrágios do Brasil – José Carlos Silvares
Naufrágios e Pontos de Mergulho - José Truda Palazzo Jr
Naufrágios no Cabo Horn – Carlos Pedro Vairo
Náufragos – Eduardo San Martin
Náufragos e Naufrágios no Litoral do Rio Grande
Náufragos no Paraíso – James C. Simmons
Náufragos, Traficantes e Degregados – Eduardo Bueno
O Barco que Não Queria Morrer – Aderbal Torres de Amorim
O Brasil na Mira de Hitler – Roberto Sander
O Mistério do Wakama – Rômulo Sergio Ribeiro
O Rei dos Mares – Brad Matsen
O Triângulo das Bermudas – Charles Berlitz
Operação Brasil – Durval Lourenço Pereira
Operação Mergulho – Alexandre Vasconcelos
Os Dentes do Diabo – Susan Casey
Piratas no Atlântico Sul – Ernesto Reis
Posted Missing – Alan Villiers
Príncipe de Astúrias – Jeannis Platon
Real Haunted Ships, Boats, Oceans and Beaches – Zachery Knowles
Sea Search – Treasure Seekers Magazine
Sea Stories of Cape Cod – Admont Gulick Clark
Ships of Discovery and Exploration – Lincoln Paine
Shipwreck A History of Disasters at Sea – Sam Willis
Shipwrecked – Evan Balkan
Shipwrecks and Lost Treasures Outer Banks – Bob Brooke e Paul Hoffman
Short Sea Sagas – Harold T. Berc
Strange Mysteries – John Canning
Strange Tales of the Sea – Jack Strange
Sunk Without Trace – Paul Gelder
The Atlas os Shipwrecks & Treasure – Nigel Pickford
The Battle of the Atlantic: How the Allies Won the War – Jonathan Dimbleby
The Cape Horners Club – Adrian Flanagan
The Crossing – James Cracknell e Bem Fogle
The Edge of Yesterday – Robert Parsons
The Mammoth Book of Storms, Shipwrecks and Sea Disasters – Richard Lawrence
The Ocean Almanac – Robert Hendrickson
The Perilous Sea – Yankee Magazine
Thirty Florida Shipwrecks – Kevin McCarthy
Total Loss – Jack Coote
Transatlânticos no Brasil – Carlos Cornejo e Ana Luisa Martins
Treasure of the Atocha – R. Duncan Mathewson III e Mel Fisher
True Sea Stories – Henry Brook
U-507 – Marcelo Monteiro
U Boat Mergulhando na História – Nestor Magalhães
Ultramar Sul – Juan salinas e Carlos de Nápolis
Wreck – Jean Hood